DARIO
CORRENTI

TRUCIZNA

Z języka włoskiego przełożyła
Katarzyna Skórska

Tytuł oryginału: *Il destino dell'orso*

Copyright © by Dario Correnti, 2019
Copyright for the Polish edition © by Burda Media Polska Sp. z o.o., 2019
02-674 Warszawa, ul. Marynarska 15
Dział handlowy: tel. 22 360 38 42
Sprzedaż wysyłkowa: tel. 22 360 37 77

Redaktor prowadzący: Marcin Kicki
Tłumaczenie: Katarzyna Skórska
Redakcja, korekta i skład: d2d.pl
Projekt typograficzny: Robert Oleś / d2d.pl
Projekt okładki: Magda Palej
Zdjęcia na okładce: David Cheshire / Arcangel, erapictures / Shutterstock

ISBN: 978-83-8053-659-3

Druk: Abedik SA

www.kultowy.pl
www.burdaksiazki.pl

Część pierwsza

Lipiec

– Nie ma mowy – odpowiada Besana.

– Marco, nie możesz zawsze odmawiać – nalega redaktor naczelny – to tylko trzy tysiące znaków.

– Po co ten komentarz? Co mam napisać o facecie, którego rozszarpał niedźwiedź? Czy życzysz sobie panoramę od Herzoga po Iñárritu zawadzającą o Annaud? Poproś o to jakiegoś pisarza. Zawsze są gotowi wyrażać opinie na każdy temat, wystarczy im zapłacić. Dlaczego przypieprzacie się do mnie?

– Marco, przecież masz umowę. Od czasu do czasu musisz coś zrobić.

– Odkąd jestem na emeryturze, wciskacie mi rzeczy, których nikt nie chce. Po kolei: facet, który rozbił się w wingsuicie, wywiad z kobietą twierdzącą, że zapłodniono ją bez jej wiedzy, miłosne oszustwa na Facebooku. Siłą rzeczy muszę odmawiać. Zrób sobie rachunek sumienia, Roberto.

– Proszę cię o przysługę. Dyrektorowi na tym zależy, znali się.

– Z niedźwiedziem?

– Spierdalaj! – Roberto wybucha śmiechem. Nigdy nie udaje mu się nic uzyskać od Besany, ale i tak go lubi. – Ofiara to ważny przedsiębiorca, Achille D'Ambrosio.

– Raczej bankrut niż przedsiębiorca.

– Tak, ale daruj sobie. Dopiero co został rozszarpany żywcem. Głowę znaleziono kilometr dalej.

– Kurwa mać – komentuje Besana. – Przepraszam, gdzie to się wydarzyło? W Kanadzie?

– Nie, w Szwajcarii. W Gryzonii, w lesie.

– Dobrze, popatrzę na doniesienia prasowe.

– Dziękuję. – Naczelny wzdycha z ulgą.

– To już ostatni raz. Nie dawaj mi więcej takich bzdur.

– Obiecuję – odpowiada Roberto. – Widzimy się wieczorem. Przyjdziesz, prawda?

– Nawet nie wiesz, jak mi się chce. Chyba wolę niedźwiedzia.

– Ale na imprezie będzie cała redakcja.

– No właśnie.

– Piatti skopie ci tyłek, jeśli z nią nie pójdziesz, wiesz?

– Dziś dzwoniła już do mnie trzy razy.

Marco złorzecząc, włącza komputer. Czyli zajście miało miejsce w okolicach przełęczy Forno, ponad Zernez. D'Ambrosio został odnaleziony dobę po zaginięciu, wieczorem znajomi podnieśli alarm, bo nie wrócił do hotelu. Nie wiedzieli, dokąd się wybrał, mówił, że chce porobić zdjęcia koziorożcom alpejskim w parku narodowym. Ratownicy z REGA wysyłają helikoptery, wszczynają poszukiwania z psami. Obszar jest jednak zbyt rozległy. Ciało zostaje odnalezione przypadkiem następnego ranka przez leśnika, podczas zwiadów w lesie u stóp Piz Daint. Niedźwiedź miał obrożę satelitarną, która była zepsuta i od miesięcy nie wysyłała sygnałów. Jest znany, bo zaatakował już parę cieląt, dwie owce i osła w dolinie Müstair.

Agencja ANSA zagłębia się w szczegóły, a Besana traci cierpliwość. Główny podejrzany waży sto osiemdziesiąt dziewięć kilogramów, jest samcem, określanym jako M18 i zwanym Rudolfem ze względu na kolor sierści. To brat M13 i syn KJ7, niedźwiedzicy z rejonu Trydentu, gdzie urodził się w 2011 roku.

– Wykształcenie? Orientacja seksualna? – prycha Besana, głaszcząc swojego psa, który położył mu pysk na kolanach. – Mam niby pisać biografię ssaka stopochodnego. Nie patrz tak na mnie, Beck's. Dla ciebie to nawet nie jest zła wiadomość. Może pewnego dnia jakiś wielki dziennikarz opisze twój życiorys.

Beck's macha ogonem. I pomyśleć, że kiedy Ilaria mu go podarowała, nie chciał psa. Teraz sięga łydki Marca. To krzyżówka yorkshire teriera, jamnika i rozmaitych kundli. Ma nieproporcjonalnie długi ogon, odziedziczony nie wiadomo po kim, krótkie łapy i pysk świadczący o rasowych, choć nieznanych przodkach. A kiedy się go głaszcze, warczy z zadowolenia.

Besana wraca do lektury. Według wstępnych doniesień mężczyzna źle się poczuł podczas spaceru, a niedźwiedź zaatakował go dopiero nocą. W okolicy nie ma stacji przekaźnikowych, więc D'Ambrosio nie mógł wezwać pomocy. Ciało bez głowy i plecaka leżało w odległości około kilometra, przykryte liśćmi, aby zwierzę mogło je zjeść później. W chwili ataku ofiara nadal żyła.

17 LIPCA

Besana przymierza swoją jedyną elegancką koszulę. Przeklina, bo kołnierzyk nie chce się dopiąć. Może przytył, choć woli winić pralkę. Koszula na pewno skurczyła się podczas wirowania. Trudno, nie włoży krawatu, mimo że kolacja odbędzie się u szykownej mediolańskiej damy. Kto by się przejmował. Nie ma najmniejszej ochoty tam iść, ale to prezentacja książki dyrektora, nie uda mu się wymknąć.

Kiedy rozprowadza na policzkach piankę do golenia, słyszy dzwonek. Ilaria już przyszła, a jest dopiero szósta. Beck's szczeka jak oszalały, po czym skacze na kobietę, żeby oblizać jej twarz.

– Beck's, siad! – krzyczy Ilaria. – Podrzesz mi spódnicę.

Besana mierzy ją wzrokiem.

– Jak ty się ubrałaś, Piattola?

– Coś nie tak?

– Wyglądasz jak prowansalski fotel.

– Dzięki, Marco. Faszeruję się środkami uspokajającymi, potrzebowałam odrobiny otuchy.

Besana musi dokończyć golenie, więc Ilaria towarzyszy mu do drzwi łazienki. Beck's ciągle przynosi jej obśliniony sznurek, żeby rzucała mu go w korytarzu.

– Nauczyłem się golić, oglądając *Zabójstwo Trockiego*. – Besana przesuwa ostrzem po lewym policzku. – W filmie Alain Delon goli się, zanim zabije. Tego dnia wszystko zrozumiałem. Przede wszystkim, jak golić włoski pod brodą. To było olśnienie.

Ilaria wybucha śmiechem.

– Więc przygotowujesz się do zbrodni?

– Dziś wieczorem będzie z pewnością parę osób, których chętnie bym się pozbył – odpowiada Marco.

– W redakcji mówili, że jutro opublikują twój tekst. O czym?

– Daj spokój – mruczy Besana. – Cholera, zaciąłem się.

– Widzę, że humor ci dopisuje – komentuje Ilaria.

– Chciałbym zobaczyć ciebie po całym dniu spędzonym na opisywaniu historii o facecie rozszarpanym przez niedźwiedzia.

– Ach, ten bankrut.

– I nawet nie mogę o tym wspomnieć, był znajomym dyrektora.

Ilaria raz po raz spogląda na zegarek.

– Pospiesz się, spóźnimy się na prezentację.

– Jest dopiero szósta.

– Musimy znaleźć miejsce do parkowania, a tam wcale nie jest to łatwe.

– Mamy przecież *car sharing*. Takiego smarta włożysz nawet do torebki. Poprowadzisz?

– Oblali mnie na egzaminie. – Ilaria spuszcza wzrok.

– Znowu?

– Denerwuję się i robię straszne rzeczy. Dziś rozbiłam lusterko. Kiedy usłyszałam dźwięk uderzenia, wiedziałam, że nie zdam.

– Piattola, prędzej czy później musisz zdać to prawko. Nie mogę ciągle być twoim kierowcą.

– Wiem, wiem. Spróbuję zmienić szkołę. Nie cieszy się dobrą sławą.

Besana wkłada granatową marynarkę, już się poci.

– Jestem gotowy – mówi.

– Nie ma guzika – zauważa Ilaria.

– Trudno. I tak się nie dopina.

17 LIPCA

– Istnieją dwie rzeczy, których procesu produkcji nie należy oglądać: parówki i gazety – mówi Besana, nakładając na talerz vitello tonnato.

Ilaria siedzi w kącie całkowicie sama, z kieliszkiem w ręku. Nie jest przyzwyczajona do eleganckich kolacji, nie wie, co powiedzieć. Przywitała się z kolegami i skończyły się jej tematy do rozmowy.

– Czy to miejsce jest wolne? – pyta jakaś kobieta. Trzyma talerzyk z sałatką z kaszy quinoa.

– Oczywiście, proszę – odpowiada grzecznie Ilaria.

– Jestem pewna, że już gdzieś panią widziałam. U Ceci?

– Nie znam żadnej Ceci. – Piatti wzrusza ramionami.

– To może u Lilli?

– Nie, przykro mi.

To sześćdziesięciolatka o młodzieńczym wyglądzie wymuszonym przez społeczeństwo: kolorowe oprawki okularów i para jaskrawych, lakierowanych kozaków sięgających kolan.

– Jestem Marta – mówi i podaje jej upierścienioną dłoń.

Salonik zaczyna się zaludniać. Ilaria czuje się niekomfortowo, musi spróbować zamienić z kobietą choć dwa słowa.

– Czym się pani zajmuje?

– Jestem chłopką – odpowiada kobieta.

Ale pozostałe się śmieją, jakby Marta sobie z niej żartowała.

– Marta jest artystką – wyjaśnia jakaś blondynka, trochę przezroczysta od nadmiaru zastrzyków witaminowych.

– Naprawdę?

– Robię rzeźby z wosku – doprecyzowuje Marta.

– Jak Medardo Rosso?

Marcie to nazwisko nic nie mówi.

– W każdym razie robię inne rzeczy.

I opowiada, że już jako dziecko poczuła się artystką. Miała troje rodzeństwa, wszyscy byli wybitni poza nią: chodziła po dachach i cierpiała na dysleksję. Była leworęczna i na siłę ją naprostowali – okropna trauma. Czytała wspak, od prawej do lewej.

– Dzięki kserokopiarkom, w których można odwracać druk, zrozumiałam, że posiadam dar.

Wybrała studia na wydziale fizyki, bo fascynowały ją fale elektromagnetyczne i spirytyzm.

– Nie skończyłam studiów, ale w tym okresie wiele się nauczyłam. Teoria grawitacji wyjaśnia wszystko o duchach.

Ilaria przytakuje w milczeniu.

– Teraz zajmuję się rolnictwem biodynamicznym. W naszej rodzinnej posiadłości mamy ogromny park, uprawiam przede wszystkim jagody.

Wyciąga telefon komórkowy i pokazuje zdjęcie swojego osła o imieniu Sir Simon.

– Jak duch z Canterville – uściśla Marta.

I katalog poświęcony swojej ulubionej kurze Berenice, nazwanej tak na cześć ducha z rzymskiego Portyku Oktawii. Gdy oglądają kolejne fotografie, Ilaria widzi też dzieci, prawdopodobnie wnuki, ale Marta przechodzi dalej, wygląda na to, że jest bardziej dumna z osła uchwyconego w rozmaitych pozach. Potem nagle coś odciąga jej uwagę. Zamyślona patrzy na zdjęcie niedźwiedzia. Powiększa je ruchem palców.

– To jest Rudolf.

– Ma pani również niedźwiedzia?

– Nie, to zdjęcie wybrałam do apelu. Biedne stworzenie, chcą go odstrzelić. Ale to nie on zabił tego człowieka.

– Mówi pani o tym przemysłowcy, który zginął w Szwajcarii?

– Dobrze znałam Achillego. Naturalnie i ja byłam wstrząśnięta. Ale niedźwiedź nie ma z tym nic wspólnego, to błąd śledczych.

W tej samej chwili pojawia się Besana. Ilaria woła go z uśmiechem.

– Mój kolega zajmuje się właśnie tą sprawą – mówi.

– Naprawdę?

Kobieta natychmiast chwyta Marca za rękę.

– Proszę posłuchać, on jest niewinny! Ten niedźwiedź jest niewinny! – Zaniepokojona rozgląda się wokoło. – Nie powinniśmy o tym rozmawiać tutaj, jest za dużo ludzi, nikomu nie można ufać. Ale pan jest dziennikarzem i musi wiedzieć. Jutro mogę odwiedzić pana w redakcji i wszystko opowiedzieć.

Besana przytakuje, próbując wyzwolić się z uścisku. Marta trzyma go mocno, wyciąga szyję i zbliża usta do jego ucha.

– Achille został zabity j a k   w s z y s c y   i n n i – szepcze i patrzy na niego przerażonym wzrokiem.

17 LIPCA

– Corrado! Nie wiedziałem, że też tu jesteś!

Wychodząc z przyjęcia, Besana natyka się na schodach na swojego kolegę Frangiego, który po trzydziestu latach w dziale gospodarczym podobnie jak on przeszedł na emeryturę, ale nadal pisuje wstępniaki. Jest trochę ociężały, choć prezentuje się bez zarzutu w swoim granatowym garniturze.

– Wiesz, było sporo ludzi – mówi Frangi, ściskając go. – Może wypijemy po kieliszku grappy w barze na rogu jak za dawnych lat?

– Twój dyrektor nie wyglądał na szczególnie zbolałego po śmierci swojego przyjaciela D'Ambrosio – zauważa Marco, gdy już siedzą w barze.

– Cóż, „przyjaciel" to chyba za dużo powiedziane. Kilka razy gościł na jego jachcie.

– Ale byli na tyle zaprzyjaźnieni, że poprosił, abym mówiąc o nim, nie używał słowa „bankrut".

– Dobrze zrobił – odpowiada Frangi. – Gdybyś tak napisał, z pewnością skończyłoby się to skargą. Nie było wyroku, sąd pierwszej instancji skazał go tylko za przywłaszczenie, teraz miała być apelacja.

Besana wściekłym gestem odstawia na stolik pusty kieliszek.

– Skoro nie „bankrut", to mogłem chociaż napisać „zrujnowany", wyszłoby na jedno. Uniknął więzienia, ale jego pracownicy są w dupie.

– To skomplikowana sprawa – wyjaśnia kolega, poprawiając krawat. – Mówimy o spółce ochroniarskiej, którą kupił jakieś dwadzieścia lat temu, był jej prezesem. Interesy szły źle, wielokrotnie napadano na opancerzone furgonetki, które miał nadzorować, firmy ubezpieczeniowe nie chciały wypłacać odszkodowań. Zadłużenie było bardzo poważne, banki zaczęły tracić cierpliwość. Równocześnie depozyt gotówkowy w firmowym sejfie coraz bardziej topniał. Oskarżono go, że to on pobrał te pieniądze, miliony euro, żeby kupować sobie zabytkowe samochody, motorówki, rowery wyścigowe, a nawet krajalnice.

– A to nieprawda? – pyta Besana.

– Kto wie, jestem zwolennikiem gwarantyzmu i nie wypowiadam się do ostatecznego wyroku, którego w tym wypadku nie będzie.

– Niedźwiedź pomyślał o ostatecznym wyroku.

– Nic się nie zmieniasz, Marco.

– Cieszę się, że się spotkaliśmy, Corrado – mówi Besana, wstając z krzesła. – Dziś stawiam ja. Dobrej nocy.

Otwiera aplikację, żeby znaleźć jakiś transport, i nieco odurzony alkoholem rozmyśla o Corradzie i o ich jakże różnych losach. Zaczynali razem jako praktykanci. Co wieczór, o jedenastej lub o północy, przynosili wicenaczelnemu próbne odbitki gazety, potem wychodzili czegoś się napić, mieli nawet wspólną dziewczynę. I proszę spojrzeć, pomimo wieku Corrado ciągle jest w formie, co drugi dzień zapraszają go do telewizji, żeby komentował działania gospodarcze. Rzecz jasna, zajmowanie się giełdą i finansami zamiast kroniką kryminalną robi różnicę.

Pierwszy spotyka się z bankowcami, przemysłowcami, politykami i jest zapraszany na salony. Drugi nawet na starość łazi po komisariatach i pisze o poćwiartowanych kobietach lub o bankrutach rozszarpanych przez niedźwiedzie. Chociażby były dyrektor. Posądzono go o fałszerstwo, ponieważ wymyślił sobie nieistniejących prenumeratorów i kazał drukować egzemplarze, które kończyły w śmieciach. A teraz zarządza dużą instytucją publiczną. Oto czemu służy brylowanie w ważnym świecie: kiedy upadniesz, jakaś ręka prosto z nieba z pewnością pomoże ci wstać. Tym bardziej jeśli w szufladzie masz odpowiednie dossier, którym możesz kogoś zaszantażować. Jeśli natomiast jesteś samotnym wilkiem, dzień i noc harującym z pochyloną głową, bez litości pozwolą ci pójść na dno. „Ale ze mnie był kretyn". Mówi to sam do siebie na głos. Para przechodniów odwraca się i kręci głową ze śmiechem.

Ilaria zamyka na klucz drzwi do łazienki i rozgląda się wokół. Pomieszczenie jest prawie wielkości jej mieszkania. Stoi tu nawet fotel, gdyby ktoś się zmęczył, idąc od prysznica do wanny. Pod prysznicem jest siedzisko, a wanna z hydromasażem przypomina basen. Dwie umywalki osadzone na niekończącej się marmurowej półce, na której stoi tylko kilka flakonów z perfumami. Bardziej niż łazienkę pomieszczenie przypomina szklarnię, po brzegi wypełnione jest roślinami. Lub salon, jeśli wziąć pod uwagę olbrzymi kryształowy żyrandol. Podoba się jej, że ręczniki są zwinięte jak w hotelu, ktoś musi ciągle czuwać nad utrzymaniem porządku.

W tej samej chwili słyszy jakieś głosy. To jej koleżanki. Klamka kilkakrotnie się rusza, potem postanawiają zaczekać. Ilaria siedzi na sedesie i nie może zrobić siusiu. Przeszkadza jej ich obecność. Cały czas się śmieją. „Widziałyście, jak się ubrała? Wygląda jak z katalogu »Postalmarket«. Pamiętacie »Postalmarket«?" I znów wybuchają śmiechem.

Ilaria bierze kawałek mięciutkiego papieru toaletowego, jest nawet perfumowany. Próbuje się skupić. Ale to niemożliwe. Wyciąga więc rękę i odkręca kran nad bidetem, może odgłos wody okaże się pomocny.

Ale hałasy zza drzwi całkiem ją blokują. Zwłaszcza kiedy zaczyna rozumieć, że mówią o niej. Piattola – Menda. W gazecie wszyscy tak na nią wołają. Okrutne przezwisko, które nadali jej na początku, gdy była jeszcze na stażu. Również Besana go używa, ale ze swobodą, czule. Nazywa ją tak, aby przeciwdziałać zbiorowemu piętnującemu rytuałowi.

– W redakcji robimy już zakłady – mówi jej koleżanka. – Czy dziś przyjdzie w dresie? W kaloszach? W fosforyzującej koszulce? – I znów wszystkie się śmieją. – Zresztą kiedy próbuje ubrać się elegancko, jest tylko gorzej. Pamiętacie tę spódnicę, która wyglądała, jakby uszyto ją z obicia kanapy mojej babci?

Ilaria spuszcza wodę, choć nie udało jej się zrobić siusiu. Myje ręce, tylko po to, żeby zrobić bałagan w ręcznikach. Wącha perfumy, ale żadne się jej nie podobają. Oblizuje sobie palec i oczyszcza spod oka smużkę rozmazanego tuszu do rzęs. Otwiera drzwi.

Koleżankom zapiera dech w piersiach, gdy widzą ją naprzeciw siebie. Ilaria przygląda się im.

– Przepraszam, że tyle to trwało. Musiałam sfotografować zasłony, żeby uszyć sobie spodnie w taki sam wzór.

Kiedy wraca do domu metrem, poprzysięga sobie, że nigdy więcej nie pójdzie na redakcyjną imprezę. Dyrektor zresztą wcale jej nie poznał, nigdy nie pamięta, jak ona się nazywa. Podeszła, żeby się przywitać, a ten odpowiedział zakłopotanym gestem. „Kim ona jest?" Gdy chciała usiąść obok swojego naczelnego, jedynej osoby, którą dobrze znała, Roberto ciągle wymyślał jakieś wymówki, żeby wstać, jakby było czymś niestosownym być widzianym czy – gorzej – fotografowanym w towarzystwie kogoś takiego jak ona. „Przepraszam, pójdę po coś do picia". „Przepraszam, zobaczę, co jest do jedzenia". „Przepraszam, pójdę przywitać się ze znajomymi". Nie mówiąc już o innych, którzy nie zwrócili się do niej ani słowem.

Nie zamierza znosić więcej upokorzeń. Co złego zrobiła? Nigdy nie zdementowano ani linijki pisanych przez nią tekstów. Czy traktują ją tak tylko dlatego, że nie jest cool? Bo nie zna tej czy tamtej osoby? Bo poświęca się pracy i tyle?

Ilaria przychodzi do redakcji około jedenastej. Nadal co dzień pojawia się w pracy, choć nie ma stałej umowy. Nawet odkrycie seryjnego zabójcy na nic się zdało.

Kiedy dyrektor wezwał ją do swojego biura, pomyślała: „Teraz mnie zatrudnią. Muszą mnie zatrudnić". Tymczasem chciał po prostu złożyć jej gratulacje. Brawo, Piatti. Gratulacjami nie da się opłacić rachunków. Szczerze, oczekiwała czegoś więcej. Dyrektor przez pół godziny opowiadał jej o dramatycznej sytuacji gazety. Same straty. Potem wstał, miał zebranie. Brawo, Piatti, brawo. Tylko tak dalej. Bardzo nam na tobie zależy. Pa, pa. Do widzenia. I uścisnął jej dłoń. Uścisk dłoni – oto jej umowa.

Jedyne, co jej pozostało, to zrozumieć to pożegnanie dosłownie – „do widzenia", formuła pożegnalna osób mających nadzieję, że rozstają się tylko na trochę – i nazajutrz zjawić się w dzienniku.

Roberto wzywa ją gestem. Pokazuje jej zdjęcie na ekranie.

– Czy to nie z tą kobietą rozmawiałaś na przyjęciu?

– Tak, a co? Co jej się przydarzyło?

Redaktor wskazuje agencyjną notkę. Napad i zabójstwo w centrum Mediolanu.

– Zabili ją dla torebki od Gucciego – mówi.

– Niesamowite.

– Napiszesz coś o tym?

– Zgoda.

Idąc szybkim krokiem na komisariat przy via Fatebenefratelli, Ilaria dzwoni do Besany.

– Marco, zabili tę kobietę, z którą wczoraj rozmawialiśmy.

– Tę od niedźwiedzia?

– Tak, Martę Guerrę. Napadnięto ją, gdy wracała do domu. Właśnie idę na komisariat.

Po drugiej stronie cisza. Besana się namyśla.

– Piatti? Chyba nie bierzesz serio tych bzdur, które wczoraj mówiła?

– Była zupełnie stuknięta, wiem. Ale to dziwny zbieg okoliczności, co?

– Wiesz, ile napadów zdarza się w Mediolanie? Około piętnastu tysięcy rocznie. A niektóre mają tragiczny finał.

– Przepraszam, muszę kończyć. Oddzwonię później – odpowiada Ilaria, niezbyt przekonana.

Wchodzi do środka i pyta o komisarza Ricciego, z którym jest już w znakomitych stosunkach. Wbiega po schodach i zastaje go w jego biurze.

– Muszę się spieszyć, Ilario, mam zebranie – mówi Ricci. – W każdym razie, w skrócie, zginęła od uderzenia w głowę, tępym narzędziem, którego jeszcze nie potrafimy wskazać. Oglądamy zapis z kamer wideo.

– Mogę go zobaczyć?

– Oczywiście, zaprowadzę cię do Filangeriego, on się tym zajmie.

– Jesteście pewni, że to napad?

– Na sto procent. Sprawca natychmiast uciekł z torebką. Prawdopodobnie to obcokrajowiec.

– W tej okolicy jest dużo napadów?

– Nie tak dużo, to nie przedmieścia, ale zdarzają się.

– Kto ją znalazł?

– Pewien adwokat, gdy parkował, zadzwonił na 113. Znał ją, więc od razu podał nam jej dane i zadzwoniliśmy do córki.

– Możesz mnie z nią skontaktować?

– Dam ci jej numer, mieszka w CityLife – mówi, po czym wstaje. – Dlaczego tak bardzo interesuje cię ten napad?

– Bo rozmawiałam z nią wczoraj wieczorem, na przyjęciu – odpowiada Ilaria.

Przez chwilę kusi ją, żeby zrelacjonować rozmowę, potem gryzie się w język. On też powiedziałby, że to była po prostu wariatka. Tymczasem Ilaria ma dziwne przeczucie, które nie daje jej spokoju.

18 LIPCA

Jest pora obiadu, Ilaria czeka na Besanę w restauracji niedaleko redakcji. Widzi, jak Marco wchodzi do środka razem z Beck'sem, którego ciągnie aż do stolika – zawsze tego samego, nawet pies go rozpoznaje. Często dają mu resztki mięsa, więc podniecony macha ogonem. Besana zajmuje miejsce, a Beck's siada u stóp Ilarii, która raz na jakiś czas podaje mu grissini. Kelnerka nie czeka nawet na zamówienie, bo Besana i tak zawsze bierze to samo: cykorię z anchois, sałatkę z karczochów, szynkę parmeńską z mozzarellą, focaccię z rozmarynem. I schłodzoną butelkę gewürztraminera, bo jest gorąco.

– Obejrzałam zapis z kamer – mówi Ilaria. – Obraz nie jest wyraźny, było bardzo ciemno, a kamera znajdowała się daleko, więc nie da się rozpoznać tej osoby. Widać jednak kolejne zdarzenia, ruchy. I uderzyły mnie trzy detale, zdecydowanie dziwne.

– Piattola, wiem, dokąd zmierzasz. Na mnie nie licz – odpowiada Besana, nalewając jej wina.

– Ale musisz mnie wysłuchać – nalega Ilaria. – Przede wszystkim kobietę trzykrotnie uderzono mocno w głowę, zanim ją okradziono. Czy nie sądzisz, że jak na złodzieja to nadmiar zaciętości?

– Prawdopodobnie chciał tylko ją ogłuszyć, a nie zabić.

– Zgoda, powiedzmy, że tak było. Ale pamiętasz jej zegarek? To był Cartier. Dlaczego go nie wziął? A pierścienie? Przecież nie były sztuczne. To drugi dziwny szczegół.

– Być może nie miał czasu – odpowiada Besana. – Zobaczył, że ktoś się zbliża?

– Przez przynajmniej pięć minut nie przejeżdżał tamtędy żaden samochód. Sprawdzałam.

– A trzeci dziwny szczegół?

– Jest najciekawszy, Marco. Naturalnie sprawdzili wszystkie kamery z okolicy, żeby znaleźć inne ujęcia. Sprawcy nigdzie nie ma. Ulotnił się. Musiał przecież wrócić do domu. Jedyna możliwość jest taka, że wszedł do któregoś z budynków za rogiem. Myślisz, że złodziej mieszkałby w takiej dzielnicy?

– A niby dlaczego miałby zabić tę wariatkę? Mówiła od rzeczy, to było jasne. Proszę cię, Ilario, jeszcze cię nie zatrudnili, a dyrektor nie przepada za teoriami spiskowymi, nie szkodź sobie sama.

– Pamiętasz, co mówiła? Achille „został otruty jak wszyscy inni". Wszyscy inni, czyli kto?

18 LIPCA

Ilaria po raz pierwszy wchodzi do rezydencji zaprojektowanej przez Zahę Hadid. Jest umówiona z Dilettą, córką Marty Guerry. Najpierw zatrzymuje ją portier, który dzwoni na górę, żeby się upewnić, czy wolno jej wejść, następnie zaś cejlońska pomoc domowa w niebieskim fartuszku, która prosi, żeby poczekała chwilę przy wejściu. Pani rozmawia przez telefon. To podwójne poddasze deluxe, całe przeszklone, urządzone nielicznymi designerskimi meblami. W tej wielkiej przestrzeni biega troje rozwrzeszczanych dzieci. Najmłodsza dziewczynka, poślizgnąwszy się na parkiecie, uderza w nogi Ilarii. Patrzy na nią.

– Cześć, dlaczego nosisz takie brzydkie ubrania?

Ilaria chciałaby wymierzyć jej kopniaka w twarz, ale się uśmiecha.

– Jak ci na imię?

– Sveva. A to mój brat Leone. – Dziewczynka wskazuje ręką na opętane dziecko, skaczące po kanapie.

W tej samej chwili rozlega się krzyk, prawdopodobnie to matka.

– Cosimaaa! Przestań ciągnąć Chandrę za warkocz!

Zamaszystym krokiem nadchodzi Diletta.

– Przepraszam, niania pojechała na lotnisko po mojego męża. On pracuje w Londynie – mówi, przeczesując ręką włosy. Ma spuchnięte oczy, jest bez makijażu, chodzi boso, ale ma na sobie jedwabną tunikę od Etro. – To wszystko jest takie skomplikowane.

– Wyobrażam sobie – odpowiada Ilaria.

Diletta pyta ją szeptem, czy mogą porozmawiać w jej gabinecie, żeby dzieci nie słyszały. Ale zanim tam wejdą, podbiega do nich Leone.

– Mamo! Mamo! W telewizji mówią o babci. Mówią, że zabili ją dla pięćdziesięciu euro i torebki od Gucciego. To prawda?

Diletta schyla się i bierze go na ręce.

– Porozmawiamy o tym wieczorem, kiedy wróci tata. Obiecaj mi, że nic nie powiesz siostrzyczkom. Idź włączyć bajkę ze Świnką Peppą.

– Ale i tak idzie się do nieba?

– W jakim sensie „i tak", kochanie?

– Nawet bez pieniędzy?

Ilaria ma ochotę się roześmiać, ale musi się powstrzymać. Na szczęście Diletta odwróciła się, żeby zamknąć drzwi.

– Już.

– Zabiorę pani niewiele czasu, obiecuję – zaczyna Ilaria. – Jak mówiłam przez telefon, nie chcę z panią przeprowadzać wywiadu.

– Całe szczęście. – Diletta wzdycha. – Ciągle mnie zadręczają.

W tej samej chwili dzwoni telefon komórkowy.

– Przepraszam, Franci, oddzwonię później, ktoś u mnie jest.

Potem wycisza telefon, widać, jak iPhone wibruje znów na stoliku.

– Chciałam z panią porozmawiać, bo poznałam Martę raptem wczoraj wieczorem, na kolacji. I bardzo uderzyło mnie to, co mówiła.

Diletta się najeża, wyraźnie obawia się tego, co mogła powiedzieć jej matka.

– To była dość szczególna kobieta – odpowiada z niejakim chłodem.

– Niemal tego samego dnia zginął jej znajomy – rzuca mimochodem Ilaria.

– Ach, pewnie Achille. Co za straszna historia.

– Właśnie. Marta wyglądała na bardzo wstrząśniętą. Mówiła, że niedźwiedź nie miał z tym nic wspólnego – Ilaria dozuje informacje, żeby nie wystraszyć swojej rozmówczyni.

– Mój Boże, ten niedźwiedź. Dzwoniła do mnie z pięć razy, bo pisała jakąś petycję, żeby go nie odstrzelili. Moja matka była zagorzałą animalistką, nawet trochę fanatyczną.

– Zauważyłam. Pokazała mi wszystkie zdjęcia Sir Simona.

Łzy napływają Diletcie do oczu, kręci głową.

– Przy łóżku trzymała portret osła, a nie wnuków. Taka już była.

– Chciałam się z panią spotkać, bo pani matka powiedziała coś dziwnego, co nie daje mi spokoju. – Ilaria przełyka ślinę. – Według niej Achille nie został zabity przez niedźwiedzia. Mówiła, że go otruto.

Diletta wznosi oczy ku górze.

– To jej kolejna obsesja, trucizny.

– Czyli wyklucza pani, żeby jej wersja była zasadna?

Rozczuloną Diletta kręci głową.

– Biedna mama – mówi. – Tak się wszystkim przejmowała.

18 LIPCA

Kiedy Ilaria wychodzi na via Senofonte i włącza ponownie komórkę, widzi wiadomość od komisarza Ricciego. Dzwoni do niego natychmiast.

– Przepraszam, Max, miałam wyłączony telefon.

– Chciałem ci powiedzieć, że według lekarza sądowego rany głowy zadano czekanem.

– Górniczym?

– Nie, najpewniej alpinistycznym, ze względu na zębate ostrze.

– Twoim zdaniem to normalne, żeby złodziej miał przy sobie czekan alpinisty?

– Właśnie nie. Też się nad tym zastanawialiśmy.

– Dobrze, dzięki Max. Jesteśmy w kontakcie.

Ilaria wraca pospiesznie do redakcji, żeby napisać tekst. Włącza komputer, otwiera nowy plik Worda, po czym się zatrzymuje. Najpierw musi coś sprawdzić. Szuka na Facebooku profilu Marty Guerry, którego na szczęście córka nie zdążyła jeszcze zlikwidować, zbyt zajęta dochodzeniem do siebie po wstrząsie i organizacją pogrzebu. Włącza tablet, który podarował jej Besana, i robi screenshoty wszystkim opublikowanym postom. Bez wątpienia są to posty zupełnie od rzeczy, ale też zagadkowe („Jeśli ten niedźwiedź zostanie odstrzelony, nigdy więcej nie podniosę trzech palców prawej ręki"). Wiele odnosi się do seryjnej osiemnastowiecznej trucicielki Giovanny Bonanno, znanej jako „Stara od octu", powieszonej w Palermo w 1789 roku. Jako motto profilu Marta Guerra zamieściła grecką frazę. Ilaria tłumaczy: „Niech nie wejdzie tu żaden profan". Co to może znaczyć?

Minęło sporo czasu, zaraz zamkną redakcję. Być może powinna już oddać tekst. Pisze szybko artykuł, ale nie zamierza jeszcze wrócić do domu. Roberto żegna się z nią.

– Do zobaczenia jutro, Piatti.

Światła gasną, sprzątaczki leniwie zamiatają korytarze. A ona siedzi nieruchomo.

Otwiera skrzynkę mailową i pisze do lekarza sądowego z Churu, który zajmował się rozszarpanymi przez niedźwiedzia zwłokami. Ku jej wielkiemu zaskoczeniu lekarz od razu odpisuje. Zostawia jej również swój numer telefonu. Ilaria dzwoni do niego natychmiast.

Po rozmowie z anatomopatologiem Ilaria wybiera jeszcze numer do redaktora naczelnego.

– Roberto, muszę z tobą chwilę porozmawiać.

– Wiesz, która jest godzina? Dziś są urodziny mojej żony. Proszę cię, Ilario. Chcesz, żebym i ja się rozwiódł? Od razu ci powiem, że nie zamierzam skończyć jak Besana.

– Przepraszam.

– Słuchaj, już wstałem od stolika i wyszedłem z restauracji, więc mów szybko, o co chodzi.

Ilaria w kilku słowach opisuje mu facebookowy profil Marty Guerry, a ostatnie cenne sekundy przeznacza na streszczenie rozmowy z lekarzem z Churu.

– Rozumiesz? Właśnie przeprowadził sekcję ciała D'Ambrosio.

– I wyraźnie powiedział ci, że to była śmierć przez otrucie. Możesz to dać w cudzysłowie?

– Nie, nie mogę. Ale potwierdził, że sprawa jest bardziej skomplikowana i nie chodzi tu o samego niedźwiedzia. Daj mi szansę, tylko jedną. Wyślij mnie do Szwajcarii z Besaną. Proszę.

– Besana nie chce słyszeć o tej sprawie. Musiałem go błagać na kolanach, żeby napisał pięćdziesiąt linijek. Już zdążył mi naubliżać.

– Przekonam go – odpowiada Ilaria.

– Jeśli ci się uda. – Roberto wzdycha sceptycznie. – Chcę mieć tekst o tym rozszarpanym kolesiu. I tak musimy kogoś wysłać.

– Wystarczy sprowadzić wszystko do Beck'sa, który potrzebuje się wybiegać na łące.

– Marco zwariował na punkcie tego psa. Nie przychodzi już do redakcji, tylko dlatego, że zwierzęta mają zakaz wstępu.

– No właśnie.

18 LIPCA

Ilaria wraca do domu około północy. Niepocieszona rozgląda się wokoło. Od tygodnia nie zrobiła prania, kosz z brudami jest przepełniony. W kuchni też nie ma ani jednej czystej szklanki. Kiedy ostatni raz zmieniała pościel? Jest tu gorzej niż u Besany. Może kronika kryminalna na wszystkich tak działa. A może to samotność.

Otwiera lodówkę, jeszcze nie jadła. Ale znajduje tylko jeden przeterminowany jogurt. Na lodówce wisi nawet przytwierdzona magnesem kartka: „Zrobić zakupy". Słowo „zakupy" jest podkreślone trzema liniami. Notka wisi tam od dziesięciu dni. Ilaria zagląda do aplikacji Deliveroo. Mogłaby zamówić sajgonki i smażony ryż z warzywami. Ale pada z nóg. Prawdopodobnie zaśnie, zanim przywiozą jej kolację.

Wchodzi pod prysznic i widzi, że skończył się żel do mycia. Nienawidzi mydła w kostce, ale nie ma wyboru. Prędzej czy później musi koniecznie wziąć dzień wolny. Tak dalej być nie może. Kiedy wyciera się ręcznikiem, zastanawia się, czy naprawdę chciała takiego życia.

Nie tak je sobie wyobrażała. Ale to także jej wina. Nie potrafi zdobyć się na dystans. Ginie kobieta, którą przypadkowo poznała, rozmawiała z nią pięć minut, a już poczuwa się do odpowiedzialności. To nie jest normalne. Niedźwiedź robi to, co robią niedźwiedzie, i zjada, co ma przed sobą, a ona czuje się w obowiązku odkryć, co się wydarzyło. Może to tylko okrutne prawo natury, niezmienne od stuleci.

Kiedyś poszła do psycholożki. Wszyscy mówili, że z taką przeszłością powinna się wybrać. To była młoda specjalistka, uzdolniona, miła, ale terapia nie trwała długo. Również dlatego, że wizyty sporo kosztowały. „Chcesz rozwikłać wszystkie zbrodnie świata – usłyszała – tylko dlatego, że nie udało ci się zapobiec morderstwu twojej matki. Musisz się pozbyć tego bezzasadnego poczucia winy, Ilario". Bezzasadne poczucie winy. Nadal raz na jakiś czas zdarza jej się pomyśleć o tych słowach.

Czy mogła zapobiec morderstwu matki? Pewnie, że nie. A tym bardziej nie mogła rozwikłać tej sprawy w wieku sześciu lat. Ostatnie, o czym pomyślała wówczas, to że to jej ojciec mógłby być winny. Po śmierci mamy opiekował się Ilarią, jakby sam był ofiarą tej sytuacji. Czy tego właśnie nie może sobie wybaczyć? Czy to właśnie jest problem, który musi rozwiązać?

Robiła nawet pranie, mimo że była kilkuletnią dziewczynką. Dawała sobie radę. Zresztą mama nie zajmowała się niczym innym. Dla Ilarii to było jak zabawa – patrzyła i uczyła się. „Czterdzieści stopni, zgadza się? Potem trzeba nacisnąć tutaj?" Obsługiwała też zmywarkę, często to ona wkładała do niej naczynia. Bawiło ją to. „Jest dużo garnków. Ustawić intensywny program?" Raz spróbowała nawet prasowania, ale sparzyła się w rękę. Doświadczenie bólu sprawiło, że znów stała się małą dziewczynką, płakała i krzyczała: „Mamo, mamoooo". Ale ból spowodowany śmiercią matki przemienił ją w osobę dorosłą o wzroście metr dwadzieścia trzy. I pod nieobecność opiekuna utrzymywała dom w porządku, gotowała, prała i nastawiała zmywarkę. Żeby ojciec nie czuł się zbyt samotny i zaniedbany.

Ilaria patrzy na chlew, jakim stał się jej dom. To w gruncie rzeczy zdrowa reakcja w wypadku córki gospodyni domowej zabitej przez męża.

---

19 LIPCA

– Sprawdziliście bilingi telefoniczne? – pyta komisarza Ricciego Ilaria.

– Pewnie, ale nie znaleźliśmy nic szczególnego. Jedyne, co rzuca się w oczy, to fakt, że w dzień zabójstwa Marta Guerra dzwoniła dziewięć razy do żony D'Ambrosia, prawdopodobnie, żeby złożyć jej kondolencje.

– Dziewięć razy?

– Cóż, miała nieco maniakalną osobowość. Wszyscy to potwierdzają.

– A gdzie była pani D'Ambrosio? W Szwajcarii z mężem?

– Nie, była nad morzem, na Sycylii.

Ilaria przygląda się uważnie kartce z bilingami. Potem podnosi głowę.

– Są króciutkie, wszystkie trwały czterdzieści lub pięćdziesiąt sekund.

– Może żona D'Ambrosia nie chciała, żeby zakłócano jej spokój – komentuje Ricci.

– Nie wydaje ci się to zbytnim naleganiem?

– Do czego zmierzasz, Ilario?

– Sama nie wiem.

Potem postanawia mu powiedzieć. W przeciwnym razie komisarz nie będzie mógł podążać za jej tokiem myślenia. Przytacza mu całą rozmowę. Ricci słucha jej z założonymi rękami, jest sceptyczny.

– Ta kobieta była kompletną wariatką. Mogę ci pokazać petycję, którą napisała przeciwko odstrzeleniu niedźwiedzia. Wtedy zozumiesz.

Apel jest bardzo długi, mówi o „zabijaniu zwierząt" i „terroryzmie psychologicznym" wobec stopochodnych, o polowaniu na czarownice. Guerra twierdzi w nim, że jest oburzona. Utrzymuje, że niedźwiedź M18 nie jest „problematyczny", że trzeba użyć „środków perswazji". Przechodzi od wagi bioróżnorodności do nieskładnych rozważań o Paracelsusie i „świetle natury", aby zakończyć cytatem: „Wszystko jest trucizną i nic nie jest trucizną, bo tylko dawka czyni truciznę".

Ilaria pozostaje przez chwilę w oszołomieniu, potem spogląda na komisarza.

– Widzisz, że mówi o truciźnie?

– Tak, ale chodzi jej o narkotyki, które w nadmiernej dawce mogą zabić zwierzę.

– A przesłuchaliście męża Guerry?

– Nie żyje.

– Cóż, ma niepodważalne alibi – stwierdza Piatti, śmiejąc się nerwowo.

19 LIPCA

– Tato, czy twoim zdaniem mogę pójść w koszulce Ronaldo? – pyta Jacopo. – Przynosi mi szczęście, na treningach jestem najlepszy.

Są u Mariny, za kilka dni odbędą się ustne egzaminy maturalne. Besana podnosi dłoń, jakby chciał wymierzyć mu policzek.

– Zgłupiałeś? Musisz włożyć marynarkę.

– Marynarkę wkładało się w twoich czasach. Teraz by mnie wyśmiali. Pan od filozofii prowadzi lekcje w szortach i birkenstockach.

– Nie obchodzi mnie to, do cholery, ubierz się przyzwoicie. Nie mówię, że masz włożyć krawat, ale przynajmniej długie spodnie i koszulę.

– Tato, jest zajebiście gorąco.

– Musisz wytrzymać. Jeszcze kilka dni i będzie po sprawie. No już, powtórzmy trochę.

Marco otwiera na chybił trafił podręcznik literatury włoskiej.

– Na czym polega ideał ostrygi u Vergi?

– Tylko nie Verga! Nie było mnie, kiedy o tym mówili.

– Nieważne, to jest w programie. Pomogę ci: z czym ci się kojarzy ostryga?

– Z szampanem?

– Nie żartuj sobie.

– Nie mam pojęcia.

– Czytałeś *Rodzinę Malavogliów*?

– Nie, to nie było D'Annunzia?

– Jakiego znów D'Annunzia?

– Tego od estetyczności.

– Niech to szlag, poddaję się. – Besana wstaje.

– No już, nie denerwuj się.

– Dobrze. Spróbujmy z poezją. Dlaczego Ungaretti jest określany jako poeta „hermetyczny"?

– Bo nic się, kurwa, nie da zrozumieć z tego, co pisał?

– Nie współpracujesz. – Besana zaraz wybuchnie. Po chwili jednak opanowuje się i czyta na głos definicję hermetyzmu. – Słuchasz mnie? Co tam oglądasz na tym telefonie?

– Nic. Zdjęcie, które moja koleżanka wstawiła na Instagrama.

Marco wzdycha, potem bierze książkę do historii.

– Teraz spróbuj się skupić. Kto był pierwszym premierem zjednoczonych Włoch?

– To łatwe. Giuseppe Mazzini.

– Ale z ciebie nieuk. Mazzini?

– Chciałem powiedzieć, że Garibaldi.

– Cavour. Camillo Benso, hrabia. Mówi ci to coś?

– Ach tak, Cavour. Jak plac, przy którym jest kino.

Marco zasłania rękami oczy.

– Spróbujmy z historią dwudziestego wieku: na jaki kraj najechał Hitler w 1939 roku?

– To wiem. Włochy.

– Ależ nie, na Polskę, Jacopo. Polskę, kurwa!

– Dziadkowie zawsze mówili, że podczas wojny w Mediolanie byli Niemcy.

– To było po 1943 roku. Ale, do kurwy nędzy, istnieje coś, czego się nauczyłeś?

– Muszę skończyć powtarzać.

– Chyba powinieneś zacząć od zera.

W tej samej chwili wchodzi Marina z dzbankiem mrożonej herbaty.

– Jak idzie?

– Tata mówi, że nic nie umiem – odpowiada Jacopo, wzruszając ramionami.

– Marco, dlaczego zawsze musisz wszystkich terroryzować. Skarbie, nic się nie martw. Mama ci pomoże.

Pod wieczór Ilaria dzwoni do Marca, nie zamierza mu odpuścić.

– Przygotujesz mi talerz makaronu?

– Nie jestem twoją kelnerką – odpowiada Besana.

– Zjemy kolację na mieście?

– Piatti, wczoraj jedliśmy razem obiad. Już się stęskniłaś? Jesteś bardziej namolna niż narzeczona.

– Muszę z tobą porozmawiać – nalega Ilaria.

– Mam nadzieję, że nie o niedźwiedziach.

– Zabito ją czekanem alpinistycznym, Marco. Widziałeś kiedyś napad przy użyciu sprzętu wspinaczkowego?

– W ciągu trzydziestu lat kariery widziałem już wszystko. Ludzi napadających ze strzykawką, z kluczem do zamków antywłamaniowych, z rozbitą szklanką, z motyką, a nawet jednego z obcinaczką do paznokci. Niecodzienna broń może również służyć obronie. W Kalifornii jakiś facet próbował napaść na sex shop i sprzedawczynie przegoniły go, obrzucając wibratorami.

– Niestety przepadam za tobą. – Ilaria nie może powstrzymać śmiechu.

– A ja nie. Zwłaszcza gdy chcesz, żebym podążał za tobą w absurd.

– Czyli nici z kolacji?

– Piatti, masz szczęście. Kupiłem turbota, jest zbyt duży, to porcja dla dwojga. Bądź na ósmą.

Ilaria patrzy na zegarek. Jest siódma trzydzieści. Czym prędzej wybiega z domu.

– Biedny Beck's – mówi, wchodząc do mieszkania Marca. – Umiera z gorąca w tym domu. Nie ma tu nawet tarasu.

– Chcesz powiedzieć, że byłoby mu lepiej w Szwajcarii? – Besana już zrozumiał i kręci głową.

– Rozmawiałam z lekarzem sądowym z Churu, nazywa się Rudi Hofer – odpowiada Ilaria z uśmiechem przepełnionym poczuciem winy. – Czeka na n a s jutro o trzeciej.

– „Na nas"? Jak mam cię przekonać, że naprawdę nie chcę się zajmować tym cholernym niedźwiedziem?

– Anatomopatolog powiedział mi, że coś znalazł. – Ilaria unosi podbródek i patrzy Marcowi prosto w oczy. – Coś dziwnego.

– Od kiedy znasz niemiecki?

– Uczyłam się w szkole. Zresztą Hofer mówi świetnie po włosku. Marta Guerra miała rację, odpowiedzialność spoczywa nie tylko na niedźwiedziu. Być może mamy do czynienia z bardziej wyrafinowanym zabójcą.

– Nie bagatelizuj niedźwiedzi – odpowiada Besana, wyciągając formę z piekarnika. Stawia rybę na stole i patrzy na Ilarię poważnie. – To inteligentne zwierzęta, skomplikowane, a niektóre mają swoją ciemną stronę, dokładnie jak ludzie. One też mogą być wyrafinowanymi zabójcami.

---

19 LIPCA

„Do czego się doprowadziłem", zastanawia się Besana, wstawiając naczynia do zmywarki. Ilaria poszła i nawet nie zaproponowała, że mu pomoże. Powiedziała, że jest zmęczona. Ale ma przecież dwadzieścia siedem lat, do cholery. Został już asystentem Piatti, myśli, wkładając tabletkę z środkiem czyszczącym.

Zresztą może tak powinno być. Kiedy przyjął ją do pracy u siebie, to była tragedia, musiał ją wszystkiego nauczyć. Nie potrafiła przeprowadzić wywiadu i dostawała ataku paniki, gdy trzeba było coś napisać w pół godziny. A wiadomości prawie zawsze wyszukiwał on. Teraz natomiast wszystko się odwróciło: Ilaria stała się prawdziwą dziennikarką w natarciu. Czasami pozwala się porwać entuzjazmowi i w pracy wykazuje zbyt dużo fantazji, ale w sumie trzeba przyznać, że jest znakomita. Stary Besana jest na doczepkę, gdyby nie Piatti na pewno odesłaliby go już na złom. Jest kołem zapasowym, słabszą częścią duetu.

Marco naciska włącznik zmywarki. Opiera się o blat kuchenny i słucha strumienia wody. Może nadszedł czas, żeby ustąpić. Przestać uganiać się za newsami. Mógłby zacząć pisać książki, jak robi wielu jego rówieśników. Może jakąś powieść. Do wczoraj ciągle nabijał się z „dziennikarzy dywiz pisarzy" – uprzykrzali życie redakcji swoimi literackimi tworami, które w dodatku trzeba było recenzować, a jeśli nie było się dość szczodrym w doborze przymiotników, dyrektor się wściekał.

„Należymy do kategorii narcyzów-megalomanów – myśli Besana. – Nie wystarczy nam legitymacja prasowa, zachciewa nam się także nagrody Stregi".

Przypomina mu się stary dyrektor, z którym przeprowadzał wywiad i który mówił: „Nie jestem dziennikarzem, jestem politologiem". Lub inny, który w Wikipedii określił się sam jako „filozof i epistemolog". Jakby dostawał pensję z uniwersytetu lub z Włoskiego Stowarzyszenia Filozoficznego. Besana zapala papierosa i patrzy na regał pełen książek napisanych przez jego kolegów. Oto i oni. Tyle makulatury: eseje, wiersze, powieści, kryminały. Kto powstrzyma dziennikarzy? Zresztą wydaje się to naturalnym przejściem, pisanie to ich praca, jaka jest różnica między wypełnieniem dwóch szpalt w gazecie i trzystu stron powieści? Dzienikarze mają duże wpływy i często są mściwi, więc zawsze znajdą sobie wydawcę.

Marco bierze książkę z półki. Autor był wtedy naczelnym jakiegoś tygodnika i na jego łamach opublikował wywiad ze sobą, który zlecił koleżance (byłej kochance, jak twierdzili niektórzy). Co to były za dociekliwe pytania, krytyczne uwagi. Inny kolega, szef dodatku kulturalnego, uwydatnił recenzję swojej książki pióra jednego z najważniejszych krytyków włoskich, która kończyła się słowami: „Dziękuję, że to napisałeś, Filippo". Zero wstydu. Nie, lepiej jest zniknąć, niż tak skończyć. Poprzysiągł to sam sobie, nigdy nie napisze żadnej powieści. Nigdy. Nawet na starość, nawet tuż przed śmiercią. Chce, żeby na jego grobie wyryto trzy słowa: „Li tylko dziennikarz".

20 LIPCA

Chur to prowincjonalne miasto przesadnie opustoszałe i uładzone. Gdzie są mieszkańcy? W okolicy nie ma nikogo. Nuda i dobrobyt. Ilaria i Marco idą do ponurej katedry, między szesnastowiecznymi domami, w których nikt nie chciałby mieszkać. Przed ładnymi budynkami stoją krzesła pokryte baranią skórą i rosną cibory papirusowe, które są jak kwiatek do kożucha. Latarnie w kształcie średniowiecznych pochodni i drewniane domy, również średniowieczne, ale z nowoczesnymi oknami, niestety w szwajcarskim guście – motylki przyczepione do szyb, wiatraczki, pretensjonalna roślinność i dynie na skrzynkach pocztowych.

Miasto osaczone jest przez koziorożce alpejskie. Fontanny z koziorożcami, godła z koziorożcami, złoty zegar na dzwonnicy otoczony koziorożcami, obelisk z koziorożcami. Koziorożce są wszędzie. Także na wystawach: koziorożce z drewna, koziorożce na poduszkach, na tkaninach, na obrusach.

– Słynna „niedźwiedzia jama", musimy ją koniecznie zobaczyć – mówi Ilaria.

Wchodzą w wąską uliczkę łączącą dwa ciasne dziedzińce.

– To wszystko? – pyta rozczarowana Piatti.

Tylko Beck's się cieszy: wącha, sika wszędzie, zadowolony zostawia swój ślad na murze. Tymczasem dzwony i dzwonki intonują muzyczny motyw, swego rodzaju zbiorowe, smutne kukanie. Tylko cisza i dzwony. Najbardziej niepokojąca mieszanka. Na każdej ulicy są co najwyżej dwie osoby. To miasto łatwe do fotografowania, bez ludzi rujnujących wybrany kadr.

Jedyna alternatywa dla koziorożca to Budda. Pełno tu punktów usługowych związanych ze zdrowiem: rehabilitacje, masaże, fizjoterapia, sklepy zielarskie, pseudoorientalne wystawy spoza kontekstu. Triumf medycyny alternatywnej: kwiaty Bacha, sklepiki wyspecjalizowane w sprzedaży kamyków, wystawy z jakimiś sztucznymi kwiatami i długie objaśnienia po niemiecku. Drogerie, apteki i sklepy poświęcone zdrowemu trybowi życia jako sposób walki z rozpaczą. Nawet księgarnie są pełne podręczników medycyny alternatywnej i alternatywnych religii, i nie ma w nich nic więcej.

Prawdopodobnie ludzie odczuwają jedną potrzebę: żeby się czymś naćpać. Mnóstwo tu więc środków zaradczych: strategia placebo na każdym kroku. Aż po trochę nowocześniejszą uliczkę, gdzie niczym latarnia stoi sklepik z legalnymi konopiami. Wokół nie widać imigrantów. Tylko jacyś narkomani i alkoholicy, bez dwóch zdań tubylczy.

– Muszę się napić piwa – obwieszcza Besana.

Szwajcarskie zagłębie wstrząsnęło nawet nim, choć jest przyzwyczajony do zadupia włoskiej prowincji. Na swój sposób z pewnością bardziej przyjaznego.

Przechodzą obok kolejnej fontanny z koziorożcem wyeksponowanym jak lew, obok domu z krasnalem ogrodowym, po kolejnej czystej ulicy, po kolejnej pustej uliczce przemierzanej przez kogoś szybko rowerem – jakby uciekał. Na ziemi nie ma niedopałków, papierków, co dwa metry stoi śmietnik. Jedyny ślad nowoczesności to libańska restauracja naprzeciw starego Domu Niedźwiedzia.

– Nie wytrzymam w tym cholernym miejscu, dajcie mi przynajmniej piwo – powtarza Besana.

Ilaria jest rozkojarzona. Znalazła coś, co ją fascynuje: starsze Szwajcarki, wszystkie trochę zaniedbane, ale w formie, bo dużo spacerują i oddychają dobrym powietrzem. Żadnej szminki, biżuterii, tylko siwe, krótkie włosy, niefarbowane, i męskie ubrania. Żadnej kokieterii. Ale za to świeże twarze, zwinny krok. Cechuje je swoista surowa zwiewność.

– Popatrz, jakie są piękne.

– Kto? – Besana myśli tylko o piwiarni. Musi gdzieś tu być. Nie może jej zabraknąć.

Kiedy ją znajduje, wchodzi do środka z impetem. Nie bez racji. To epicentrum jakiejś formy życia ludzkiego, o ile tu może istnieć. Wreszcie krztyna ciepła i zabawy, która objawia się rozgadaniem, malowidłami na ścianach czy rzeźbieniami na drewnianych krzesłach. Miło zobaczyć słowa piosenki Rolling Stonesów wypisane gotykiem. Co za ulga. Z pewnością to graffiti stworzyli ludzie, którzy potrzebują zalać się piwem, żeby oznajmić, że istnieją, ale to nieistotne. Zegar z kukułką „made in China", sponsorowany przez browar Calanda, z piwem zamiast wahadła, przypomina wszystkim, że jest południe.

– Daj mi się czegoś napić, zanim pójdziemy do lekarza sądowego.

---

20 LIPCA

Piatti i Besana wjeżdżają na podziemny parking, muszą zostawić Beck'sa w samochodzie z opuszczonymi szybami, bo nie mogą go zabrać do szpitala. Doktor Rudi Hofer czeka na nich na oddziale medycyny sądowej. Ma przygnębiony wyraz twarzy, ale jego oczy tryskają humorem. Ironiczne spojrzenie niepasujące do kontekstu. Być może tak patrzy ktoś, kto dobrze zna to rzemiosło i wie, że przed trupami trzeba się jakoś ratować.

– *Willkommen* – mówi.

Oni ściskają mu dłoń.

– Zazwyczaj nie lubię spotykać się z dziennikarzami, są tacy powierzchowni.

Piatti i Besana wymieniają smutne spojrzenia. I znów ten stereotyp. Czy istnieje jakaś grupa, którą chętniej atakowano by *a priori*? Chcieliby odpowiedzieć: „To zależy". Ale po co tłumaczyć, że różnica jest taka sama jak między tym, kto jest dobrym lekarzem sądowym, i partaczem. Tymczasem jeśli chodzi o dziennikarzy, nie da się ich rozróżnić. Wchodzą w skład jednej kategorii i tyle.

– Ale z wami jest inaczej – kontynuuje lekarz. – Śledziłem wasze dochodzenie w sprawie seryjnego zabójcy i bardzo mnie zaciekawiło.

– Dziękujemy – odpowiadają Besana i Piatti.

– To była dobra robota.

– Całe szczęście.

– Dlatego chciałem z wami porozmawiać na żywo.

Besana i Piatti znów dziękują, wzdychając z ulgą. Ale fart.

Lekarz rozkłada zdjęcia na biurku. Ilaria ogląda je z trudem, ale podejmuje wysiłek. Natomiast Besana wkłada okulary.

– Jak widać, niedźwiedź rozszarpał go na kawałki – wyjaśnia Hofer. – Ale uderzyło mnie, że umarłby tak czy inaczej.

– W jakim sensie?

– Wkrótce zmarłby w wyniku uduszenia. Chodzi o wstrząs anafilaktyczny wywołany gwałtowną reakcją alergiczną. Znalazłem rozległe obrzęki tkanek, zlokalizowane w obrębie płuc, górnych dróg oddechowych, w tym krtani i nagłośni, także skóry i trzewi, a przynajmniej w tym, co zostało.

Długa pauza.

– Pęcherzyki płucne są nadmiernie rozszerzone, a przegrody międzypęcherzykowe zwężone – kontynuuje Hofer – co występuje właśnie w obrzęku płuc.

– Co mogło spowodować reakcję alergiczną?

– Nie jestem jeszcze w stanie wskazać alergenu. Mogę tylko snuć hipotezy na zasadzie eliminacji. Nie ma śladów ukąszeń owadów, ale należy brać pod uwagę stan zwłok i ich niekompletność. W badaniu toksykologicznym nie wykryto śladu leków, i to jedyny pewnik. Pozostają alergie pokarmowe. Niestety nie możemy sprawdzić zawartości żołądka bez przeprowadzenia sekcji niedźwiedzia.

– O Boże! – Ilaria wykrzywia twarz.

– Za to znaleźliśmy ślady czekolady na wargach i palcach, analizowane obecnie w naszym laboratorium. Wkrótce będziemy mieć odpowiedź.

– Nie próbował szukać pomocy?

– W tej okolicy nie ma zasięgu, nie mógł zadzwonić po pomoc. Potrzebny byłby natychmiastowy zastrzyk z adrenaliny, maska z tlenem, a także środek przeciwhistaminowy. Wstrząs jest bardzo gwałtowny, po bardzo krótkim czasie zaciska się gardło, następuje silny skurcz oskrzeli, nie da się mówić, a co dopiero krzyczeć. Nie można przeżyć dłużej niż godzinę. A niedźwiedź zjawił się w samą porę, kiedy ten człowiek nie był już w stanie uciec ani się bronić.

W tej samej chwili wchodzi jakaś blondynka w fartuchu. Podaje lekarzowi wyniki badań laboratoryjnych.

– Bardzo dziwna czekolada – komentuje Hofer, czytając. – Wykryto ślady tropomiozyny.

– Co to jest tropomiozyna?

– To białko, które znajduje się w skorupiakach i mięczakach. A nie w szwajcarskiej czekoladzie. – Lekarz się śmieje. – Przepraszam, w mojej pracy należy unikać emocji, muszę ciągle sobie przypominać, że zwłoki, które mam przed sobą, nie należą do mnie, że to nie *mein Schicksal*, „moje przeznaczenie".

– Czy to tropomiozyna mogła wywołać reakcję alergiczną?

– *Genau*, tak właśnie – odpowiada. – To mniej znane uczulenie, ale bardzo groźne. Tropomiozyna jest odporna na ciepło, czyli również na gotowanie. I trawienie. Osoby uczulone na skorupiaki i mięczaki muszą bardzo uważać, wystarczy minimalna dawka, mikroskopijna, żeby wywołać reakcję. Czasem nawet styczność z molekułą lub jej wchłonięcie. W najłagodniejszych przypadkach powoduje pokrzywkę albo astmę. W poważniejszych może doprowadzić do śmierci.

– Myśli pan, że policja kantonalna umorzy sprawę jako wypadek?

– Moja praca nie polega na tym, żeby odkryć, d l a c z e g o ktoś umarł, ale j a k umarł – mówi lekarz. – Muszę zadać sobie pytanie: tczy to morderstwo, czy nie? W tym wypadku nie doszło do morderstwa. Pożarł go niedźwiedź, kropka. I nie wiedział, że w tej czekoladzie jest tropomiozyna. Zresztą kto by się tego spodziewał. Zmarły miał wielkiego pecha.

20 LIPCA

Besana i Piatti nieco onieśmieleni spoglądają na fasadę Grand Hotel des Bains Kempinski w Sankt Moritz.

– Jak na kogoś z długami po szyję niczego sobie nie odmawiał – komentuje Marco. – Całe szczęście, że jego spółka dopiero co upadła.

– Są tu apartamenty za cztery do pięciu tysięcy euro za noc – zauważa Ilaria.

Kiedy wchodzą do hallu, podekscytowany Beck's macha ogonem, obwąchuje wszystkie dywany.

– Beck's, nie rób tu siku, proszę cię.

Podchodzą do recepcji, wyjaśniają, że są dziennikarzami i muszą porozmawiać z kierownikiem. Czekają na niego chwilę. Pojawia się pięćdziesięcioletni Szwajcar w okrągłych okularach i krawacie zawiązanym zbyt dużym węzłem. Bardzo uprzejmy, ale zarazem bardzo podejrzliwy.

– Proszę, rozgośćcie się – mówi, wskazując stolik z fotelami. Gdy wymawiają nazwisko Achillego D'Ambrosio, kierownik asekuracyjnie wysuwa ręce przed siebie.

– Nie życzę sobie złej reklamy dla hotelu, chciałbym to podkreślić, tutaj niedźwiedzie nie mają wstępu. Poza tym nie możemy udzielać informacji o klientach ze względu na ochronę danych osobowych.

– Właśnie dowiedzieliśmy się od lekarza sądowego, że ofiara miała uczulenie pokarmowe – odpowiada Besana. – Wspominał coś państwu o tym?

Kierownik się najeża, już sobie wyobraża milionowe odszkodowania.

– Zawsze pytamy naszych gości, czy mają jakieś alergie. Zaraz przyniosę wam jego kartę.

Podnosi rękę, żeby wezwać recepcjonistkę, która przybiega, stukając obcasami. Mówi coś do niej szeptem, po niemiecku, na ucho. Chwilę potem dziewczyna wraca z wydrukiem.

– Pan D'Ambrosio oświadczył, że ma alergię na mięczaki i skorupiaki. Kucharz przygotowywał dla niego spersonalizowane menu, żeby uniknąć ryzyka.

– Dziękuję – odpowiada Besana i wstaje z miejsca.

Przed wyjściem Ilaria zabiera z kontuaru recepcji hotelową czekoladkę.

Po rozmowie postanawiają dać wybiegać się Beck'sowi, który niecierpliwie patrzy w stronę drzew przed hotelem.

– Widziałem, jak buchnęłaś czekoladkę z tropomiozyną – mówi Marco.

– To na pewno nie jest ta – odpowiada Ilaria. – Nie sądzisz, że to zbrodnia doskonała? Zastosowanie alergenu jako trucizny, genialny pomysł.

– Kto by mu to podał? Potrzebny jest motyw, Piatti.

– Musimy się dowiedzieć, z kim spotykał się D'Ambrosio, gdy tu przebywał.

– W hotelu nie wydają się zbyt skorzy do współpracy.

– Możemy jeszcze podjechać do Zernez, żeby porozmawiać z leśnikiem, który znalazł trupa.

– Ale to jutro. Teraz jestem wyczerpany. Zasługuję na piwo, rösti i kiełbaskę.

W tej samej chwili stają przed osobliwym budynkiem, jakby małą świątynią. Na jej fasadzie widnieje napis: „Forum Paracelsus".

– Wejdźmy na chwilę – sugeruje Ilaria.

Z opisu wynika, że Philippus Aureolus Theophrastus Bombastus von Hohenheim nazywany Paracelsusem przybył tu w 1535 roku i odkrył wody termalne. „Ta woda zapobiega dnie i bólom reumatycznym oraz sprawia, że żołądek staje się silny jak żołądek ptaka trawiącego osad winny i żelazo". W 1836 roku poświęcono mu drugie źródło. O właściwościach leczniczych tej wody wiadomo od dawna – papież Leon x bullą z 1519 roku zapewnił odpust całkowity wszystkim pielgrzymom, którzy udadzą się do ecclesiam Sancti Mauricii, miejsca męczeństwa świętego Maurycego, rzymskiego generała, który odmówił prześladowania chrześcijan i zmieszał swoją krew z wodą żelazistą.

Ilaria próbuje wody.

– Obrzydliwa – mówi.

– Wszystko jest trucizną i nic nie jest trucizną – odpowiada Marco.

Telefon komórkowy nieprzerwanie dźwięczy: „ding, ding". Ilaria przez całą kolację odpisuje na wiadomości na WhatsAppie.

– Dzięki za towarzystwo – odpowiada Besana. – Jesteś gorsza niż mój syn. To się nazywa *phubbing*: lekceważenie towarzystwa przy jednoczesnym patrzeniu w telefon.

Ilaria podnosi głowę i uśmiecha się do niego.

– Przepraszam, to z pracy.

– Nie opowiadaj mi, że to z pracy. Wypadłem już z gry, to prawda, ale nie do końca. Obrażasz mnie. Ktoś taki jak ty nie musi nikomu odpisywać o tej porze. Kiedyś tak będzie, jestem tego pewien. Ale ten dzień jeszcze nie nadszedł. Kto to? No już, gadaj. Czy wolisz, żebym przeprowadził śledztwo? To dla mnie żaden problem.

Ilaria czerwienieje.

– Znajomy – odpowiada.

– Czyli to jakiś dupek. W przeciwnym razie powiedziałabyś: „to mój chłopak".

– Marco, proszę cię. To prywatna sprawa. Nie masz prawa robić dochodzenia.

– Dlaczego? Jest żonaty?

Ilaria spuszcza wzrok.

– Nie powinno się chodzić na kolację z dziennikarzem z kroniki kryminalnej.

– Chciałbym ci przypomnieć, że ty też jesteś dziennikarką z kroniki kryminalnej. Powiedział, że niedługo zostawi żonę, prawda? A ty mu wierzysz?

Ilaria rzuca serwetkę na stół.

– Dosyć, Marco. To nie twoja sprawa.

– Jestem nie tylko dziennikarzem z kroniki kryminalnej, ale przede wszystkim najlepszym przyjacielem, jakiego masz. Sama zdecyduj, które wydanie wolisz.

Ilaria bierze głęboki oddech. Wyciszyła dzwonek w telefonie, na ekranie pojawia się czternaście wiadomości na WhatsAppie.

– Czuję, że to śmierdzi – mówi Marco – ale jestem dobrym dziennikarzem z kroniki kryminalnej. Albo dobrym przyjacielem. No już, opowiadaj.

– Naprawdę muszę?

– Jak go poznałaś?

– Nicolę?

– Przynajmniej wiadomo, jak ma na imię – stwierdza Besana.

– Nazwiska nigdy nie powiem. – Ilaria wciąż jest nieufna.

– Sam je znajdę. W ciągu najbliższych pięciu minut opowiesz mi tyle, że bez trudu poskładam te kawałki w całość. To przecież mój zawód. No więc?

– Podczas jednego z moich licznych egzaminów na prawo jazdy. Wiesz, że się denerwuję.

– Rozbiłaś mu samochód?

– Niestety tak. Więc musieliśmy się wymienić numerami telefonów. Był niewiarygodnie miły pomimo poniesionych szkód. Zaprosił mnie na drinka, żebyśmy porozmawiali.

Besana kiwa głową.

– I tak był ubezpieczony.

Ilaria wybucha nerwowym śmiechem.

– Ale ja nie. Na szczęście było ubezpieczenie ze szkoły jazdy.

– Ale nie obejmowało twojego życia.

– Faktycznie – przyznaje Ilaria.

Mówi przez godzinę, nawet nie tyka pstrąga, którego jej przyniesiono, a tymczasem Marco kończy butelkę wina i zamawia drugą.

– Cóż, dobrze się to nie zaczęło – komentuje.

Ilaria spuszcza wzrok, nie może zaprzeczyć.

– W sumie. To znaczy. No nie wiem.

– Jesteś naprawdę zakochana, co? – mówi Besana i dotyka jej dłoni. – Nie musisz odpowiadać, Piattola. To było pytanie retoryczne.

---

20 LIPCA

O północy trudno jest być z żonatym mężczyzną. Teraz, gdy Ilaria jest sama w pokoju i chciałaby mu opowiedzieć o swoim dniu, Nicola nie może już odebrać telefonu.

Ciężko jej uwierzyć, że taki fascynujący mężczyzna zakochał się właśnie w niej. Nie miała wielu związków. Właściwie to nie miała żadnego. Jedynie jakieś wakacyjne romanse.

Podczas studiów spotykała się tylko z trzema koleżankami. Miały wokół siebie mnóstwo chłopaków, ale nie dla niej. Najbardziej rozchwytywana była niejaka Camilla, wysoka brunetka, zawsze w minispódniczce. W czasie swojej imprezy urodzinowej upiła się i obciągnęła wszystkim zaproszonym. To sprawiło, że podskoczyły notowania Sary, wydawała się bardziej nieosiągalna. Mówiła, że jest w związku z chłopakiem z Paryża, którego nikt nigdy nie widział. Wszyscy chcieli ją odbić temu Francuzowi, to były swego rodzaju zawody. Regularnie ulegała i zawsze robiła z tego tragedię, bardzo ekscytującą. Rozpłakiwała się, mówiła, że nie może go biednego zostawić. Był to sposób na pozbycie się chwilowego zwycięzcy i rozpoczęcie konkursu od nowa, bo tylko to ją interesowało. Jednak prawdziwą królową była Alessia, oficjalna narzeczona *par excellence*, z powołania. Miała nadnaturalną umiejętność tworzenia symbiotycznych par, które wzbudzały szacunek. Nawet gdy zostawiała chłopaka z ich paczki, żeby być z innym – też z paczki – jej władcza rola nie doznawała uszczerbku.

Ilarii nikt nawet nie brał pod uwagę. Co najwyżej proszono ją o rady. Tylko raz pocałował ją niejaki Davide, być może najładniejszy z nich wszystkich. Ale tylko dlatego, że spędziła noc na pocieszaniu go. W związku z Camillą, Sarą czy Alessią, już nawet nie pamięta. Faktem jest jednak, że gdy tak rozmawiali objęci, on się odwrócił i spojrzał jej w oczy. I potem to się stało. Przed świtem uścisnął ją mocno, nawet trochę przesadnie. „Przepraszam, ostatnio jestem taki skołowany. Zależy mi na przyjaźni z tobą. Obiecaj, że to nic nie zmieni". Ilaria najchętniej by go zdzieliła, ale była zbyt niepewna siebie, wydawało jej się nieuniknione, że tak się to skończy.

Teraz też jest niepewna, chociaż ma dwadzieścia siedem lat. Z trudem tłumaczy sobie, dlaczego Nicola stracił dla niej głowę. Być może nigdy nie zostawi żony, ale nie ma wątpliwości, że jest naprawdę zakochany. W przeciwnym razie nie wysyłałby jej pięćdziesięciu wiadomości dziennie, nie gimnastykowałby się, żeby mogli się zobaczyć trzy razy w tygodniu. A ich związek tyle by nie przetrwał. Jak wspaniale czuć się kochanym. Ilaria nadal nie może w to uwierzyć. Nigdy wcześniej się jej to nie zdarzyło. Nie jest przyzwyczajona.

21 LIPCA

– Tak, to ja go znalazłem – odpowiada Michael Brenner.
Ma ogorzałą twarz i rude włosy.
Marco i Ilaria przyjechali do niego do Zernez w Szwajcarskim Parku Narodowym.
– Wcześniej widziałem orłosępa i kruki przelatujące nad okolicą – mówi. – Potem, kiedy podszedłem, usłyszałem brzęczenie much. Było ich mnóstwo. Pomyślałem więc, że to padlina kozicy.

Zapach był bardzo silny, obrzydliwy. Ale nic nie widziałem, jedynie stos gałęzi i liści. Obszedłem go i zobaczyłem wystającą rękę. Tylko niedźwiedzie ukrywają swoje ofiary, żeby zjeść je później. Zacząłem więc szukać śladów. Znalazłem je w błocie przy strumyku.

– I co pan zrobił?

– Podałem przez radio swoją pozycję i zaczekałem, aż przybędą inni.

– Nie bał się pan, że niedźwiedź wróci?

– Znam M18, monitorowaliśmy go przez wiele miesięcy, zanim obroża przestała nadawać sygnały. Jest nieśmiały, zazwyczaj nie zbliża się do ludzi, boi się ich. Dziwię się, że napadł na tego człowieka. Prawdopodobnie mężczyzna zareagował w niewłaściwy sposób, rzucił czymś lub zaczął krzyczeć.

– Dlaczego jest pan pewien, że to M18, a nie jakiś inny niedźwiedź?

– Bo w tym okresie w tym rejonie widziano tylko Rudolfa.

– No tak, Rudolf.

– Potem dołączyli do mnie koledzy ze straży leśnej i policja kantonalna.

– Piechotą?

– Nie, helikopterem. Był też lekarz sądowy. Brakowało głowy, więc jej szukaliśmy. Na ścieżce znaleźliśmy kawałek skóry z włosami.

– Niedźwiedź go oskalpował?

– To typowe zachowanie – odpowiada Brenner. – Zabrał głowę daleko. Ale na miejscu napaści, przy ciele, został plecak.

– W plecaku było jedzenie?

– Jeśli było, to Rudolf je zjadł. Plecak był w strzępach. Ale znaleźliśmy dokumenty i kluczyki do samochodu zaparkowanego w okolicach przełęczy Forno. Dzięki temu ustaliliśmy tożsamość denata i powiązaliśmy go z mężczyzną, którego zaginięcie zgłoszono poprzedniego wieczoru. Poszukiwały go grupy ratownicze. Ostatecznie to ja go znalazłem, ale tylko przez przypadek. To olbrzymi obszar. Wie pani, ilu ludzi odnajduje się całe lata po zaginięciu?

– Nie. Ilu?

– W okolicznych dolinach ginie przynajmniej pięć, sześć osób rocznie. W ubiegłym tygodniu znaleźliśmy ciało mężczyzny, który wybrał się na przejażdżkę rowerową w listopadzie.

– A ataki niedźwiedzi są częste?

– Nie. Ostatni szwajcarski niedźwiedź został zabity w 1904 roku. Trzeba było stu lat, żeby pojawił się tu następny, ale nie pochodził ze Szwajcarii, tylko z okolic Trydentu. Zdarzyło się to właśnie tu, w lipcu 2005 roku, świetnie pamiętam. Sfotografował go niemiecki turysta. Potem zjawiły się kolejne. Ataki przede wszystkim dotyczą innych zwierząt. Tak czy inaczej, zdarzyło się raz, w okolicach masywu Bernina. Niedźwiedź pożarł kobietę, która złamała nogę. W val Poschiavo M13 gonił dwóch turystów z Brescii, ale nic się nie stało. Ten niedźwiedź chodził także po ulicach. Strzelali do niego gumowymi pociskami i rzucali petardami, lecz on wciąż wracał. Był towarzyski, lubił spacerować po okolicy.

– Jak sądzę, miejscowi wcale nie byli z tego powodu zadowoleni – mówi Besana.

– Najczęściej to z winy ludzi niedźwiedzie zbliżają się za bardzo do zamieszkałych miejsc, bo dostają jedzenie. To nie są zwierzęta cyrkowe, trzeba darzyć przyrodę szacunkiem.

– Racja.

– Moja dziewczyna Ladina stworzyła Rudolfowi stronę na Facebooku. Nie chcemy, żeby tego niedźwiedzia usunięto jak M13. On nie jest groźny. Ale to temat, który wzbudza tu kontrowersje. Ludzie dzielą się na frakcje. Przedstawiciele jednego ze stowarzyszeń manifestowali już przed siedzibą władz kantonu, rozrzucili padlinę przed wejściem, wykrzykiwali hasła przeciwko „lobby ekologów". Są wściekli nawet na Włochów, twierdzą, że to wy wysłaliście tu niedźwiedzie. – Brenner się śmieje.

---

21 LIPCA

– Idę się zaszyć w spa dla dorosłych – obwieszcza Besana z ręcznikiem owiniętym wokół bioder.

Nie podoba się mu, że Ilaria bawi się jak dziecko w wielkim basenie pod gołym niebem w ośrodku Ovaverva: z ustami pełnymi wody śmieje się i podtapia w hydromasażu. Kaszle i pluje. Nienasycona próbuje również zjeżdżalni. Krzycząc, mknie w dół po zakrętach z parą trzynastolatków.

Besana nie chce wokół siebie żadnych rozwrzeszczanych dzieci, woli *nude zone*. Wreszcie spokój. Początkowo jest rozczarowany. Nie ma na czym zawiesić oka: sami starcy ze sflaczałymi brzuchami i zwisającymi jajami. Potem zjawiają się dwie młode Niemki. Wchodzą do sauny, zdejmują ręczniki i kładą się na nich. Besana odpręża się na rozgrzanym drewnie, za głową trzyma splecione dłonie. Z widokiem na uda.

Ale przyjemność nie trwa długo. Kątem oka spostrzega mężczyznę, który wchodzi do łaźni razem z jakąś blondynką. Wygląda jak Armando, partner jego byłej żony. Marco zaczyna się pocić, ale nie za sprawą sauny, tylko świadomości tego, co zobaczył. Wstaje i się wyciera. Już nawet nie patrzy na dziewczyny.

Ostatnim razem Marina poprosiła go o radę. „Wiesz, Armando chciałby się ze mną ożenić, ale ja nie wiem, czy mam ochotę na kolejny ślub. Twoim zdaniem powinnam się zgodzić?" Są teraz w dobrych stosunkach. Czasem jedzą razem kolację i nawet się nie kłócą. Besana próbował trzymać fason. „Cóż, zastanów się. Jeśli sprawi ci to radość".

Wracając do domu, sam sobie gratulował. „Świetnie się zachowałem. Mówiłem z nią jak przyjaciel, nie dałem dojść do głosu uczuciom. Znakomicie". Wszystko byłoby super, gdyby zaraz potem nie upił się na umór. Przy trzeciej kolejce zaczął rozmawiać z emerytowanym pracownikiem kolei, który każdego ranka pił kawę corretto. On też był pijany, rzecz jasna. Barman, który znał ich obu, ciągle dolewał im braulio. „Rozumiesz? Moja żona chce wyjść za tego dupka". „To nie pozwól na rozwód – odpowiadał jego rozmówca – zobaczymy, co zrobi". „E tam – bełkotał Besana – potem to ja wyjdę na dupka". „To dla jej dobra", nalegał stary, uderzając ręką w bar. W końcu Besana wyszedł chwiejnym krokiem i rozbił sobie kolano, przewracając się na schodach.

W domu spuścił spodnie do kostek i studiował siniaka, tak jak studiuje się ewidentną oznakę cierpienia. Wypierasz się i to ukrywasz, przede wszystkim sam przed sobą, aż w końcu ranisz się naprawdę. „Pierdolić to", przeklinał, szukając maści. Potem kiedy zauważył, że zamiast voltarenu trzyma w ręku tubkę kleju, bo był zbyt pijany, żeby je odróżnić, zebrało mu się na płacz. Lecz jego dusza była niczym kawiarka zatkana kamieniem, którego nikt nie usunął – od dawna już nie umiał płakać.

Besana spogląda ukradkiem, jak przystało na dziennikarza kroniki kryminalnej. Armando całuje blondynkę, która zdecydowanie nie jest tylko koleżanką. Czy powinien powiedzieć o tym Marinie?

Kręci mu się trochę w głowie, może to przez ukrop. A może nie. Okręca sobie ręcznik wokół talii i wychodzi. Chciałby wziąć chłodny prysznic, ale woli nie ryzykować kontaktu z Armandem, to byłoby zbyt kłopotliwe. Lepiej szybko wrócić do przebieralni, ubrać się i uciec.

– Typowa gryzońska zupa?

– Wolę gulasz z jelenia z polentą – odpowiada Besana, roz-smarowując masło na kromce chleba.

– Podsumujmy – mówi Ilaria i kładzie tablet na stole.

– Teraz? Ale tu jest mnóstwo ludzi.

– To sami cudzoziemcy.

– No dobrze, mamy rozszarpanego przez niedźwiedzia faceta, który i tak by umarł z powodu wstrząsu anafilaktycznego wywo-łanego alergią pokarmową, i kobietę zabitą czekanem podczas napadu. Co dalej?

– Musimy zrozumieć, co ich łączyło – odpowiada Piatti.

– Z pewnością środowisko, bo się znali. I miejsce, Szwajcaria, bo obydwoje jeździli tu na wakacje.

– Wrzucę ich nazwiska do Google'a i zobaczymy, co się stanie.

Ilaria wstukuje szybko litery i kręci głową.

– Nic, nie ma nic. Tylko artykuły o niepowodzeniach finanso-wych D'Ambrosia.

– Ale muszą być nekrologi – sugeruje Besana. – Ludzie tego pokroju dbają o zamieszczanie nekrologów w prasie. Wystarczy je porównać, żeby zobaczyć, jakie nazwiska pojawiają się u obojga.

– Jesteś genialny – mówi Ilaria. – Spojrzę na prasę z ostatnich dni. Wzmianki o nim pojawiają się od 18 lipca, a o niej od 19.

Piatti sama nigdy by na to nie wpadła. Nekrologi? W życiu żadnego nie napisała.

– Oto i znajoma obojga: Vittoria Brivio.

– Ja też znalazłem jedną. Brunella Macchi.

Szukają dalej. Czasem naśmiewają się z retorycznych, pom-patycznych i często niedorzecznych formułek.

– Dlaczego w nekrologach nie ma mężów? Co się z nimi stało? Zazwyczaj figuruje się parami.

– Na pewno zostali otruci.

– Zachowuj się poważnie, Marco. Zaraz sprawdzę.

– Co niby chcesz znaleźć, Piattola? – Besana wzdycha.

– Są! Wygrzebałam masę artykułów! – oznajmia Ilaria po jakimś czasie, jej zupa jest już zimna. – Mąż Vittorii Brivio, Carlo Rigamonti, zmarł w styczniu dwa lata temu, właśnie tutaj, rozbił się swoim prywatnym samolotem. Również Giacomo Pallavicini, mąż Brunelli, skończył marnie latem tego samego roku. Zaginął na lodowcu. Prawdopodobnie wpadł w jakąś szczelinę, ciała nigdy nie odnaleziono.

– Współczuję tym paniom, ale nie rozumiem, jak ich dramaty mogą nas dotyczyć.

– Policja umorzyła te sprawy jako wypadki. Jest jednak pewien szczegół wart zastanowienia. Przynajmniej jeśli chodzi o męża Vittorii.

– To znaczy?

– Znalazłam interesujący artykuł o tym wypadku lotniczym. Opowieść ocalałego. To znajomy Rigamontiego, którego on postanowił zabrać na pokład w ostatniej chwili i który zdążył uciec, zanim samolot się zapalił. Wybrnął z tego ze złamaną ręką i niewielkimi oparzeniami. W wywiadzie mówi, że Rigamonti źle się poczuł i próbował awaryjnie lądować. Skrzydło zahaczyło o stajnię ujeżdżalni. Na szczęście konie były w terenie.

– Słyszałeś, Beck's?

Leżący pod stołem pies podnosi uważnie pysk.

– Zdaniem znajomego to był zawał. Mówił, że Rigamonti miał zamglony wzrok, brakowało mu tchu i z trudem poruszał ustami.

– Sprawa zamknięta – komentuje Besana.

– A gdyby to nie był zawał?

– Piatti, dość tego. Wysłaliśmy zgrabny tekst o niedźwiedziu i jutro wracamy do domu.

– A tropomiozyna?

– Jak powiedział lekarz sądowy, ten człowiek miał wielkiego pecha.

Ilaria kręci głową.

– Jak dla mnie zbyt wiele osób ma tu pecha.

21 LIPCA

W nocy Ilaria wierci się w łóżku. Nie potrafi się wygodnie ułożyć ani się uspokoić. Jest spocona, raz po raz wyciąga rękę, żeby chwycić butelkę wody. Próbuje ugasić pragnienie, ale ma ciągle sucho w ustach. Wciąż widzi scenę z niedźwiedziem. Nie wie nawet, czy śni czy może jej wyobraźnia pracuje. Nie da się tego znieść, choćby tylko w myślach. To tak jakby była tam z tym człowiekiem i z tym zwierzęciem.

Słońce zachodzi, a on przysiada na skale: nagle zaczyna mu brakować tchu. Może powinien był zejść wcześniej na dół. Czuje dziwny ból w klatce piersiowej. Czy to zawał? Kaszle i ma spuchnięty język. Ale po ścieżce przebiega jeleń, co na chwilę zajmuje jego uwagę. Coś wspaniałego. Nigdy wcześniej nie widział jelenia z tak bliska. Potem znów jest mu duszno.

Zaczyna mieć wątpliwości. Nie, niemożliwe. Przecież uprzedził w hotelu, nie mogło dojść do reakcji alergicznej. Drapie się, a swędzenie sprawia, że staje się jeszcze bardziej nerwowy. Z trudem podciąga rękaw i odkrywa ramię. Boże, jest pełne bąbli. Musi natychmiast wezwać pomoc. Gwałtownie przeszukuje plecak, żeby znaleźć komórkę. Nic z tego, nie ma zasięgu. Podnosi się, trzeba jak najszybciej wrócić na dół, zanim zapadnie zmrok, i znaleźć jakieś miejsce z zasięgiem. Ale gdy tylko staje na nogach, kręci mu się w głowie. Opiera się o kije, chwieje się.

Potem jego uszu dobiegają dźwięki galopu, tym razem ociężałego. Czyżby kolejny jeleń? Nie powinien tracić czasu na robienie zdjęć, tylko schodzić w dół. Natychmiast. Znów kaszle. Galop się zbliża. Odwraca się. To nie jeleń.

Krzyczy, ale nie starcza mu głosu, jego gardło jest jakby zatkane. Podnosi kije i wymachuje nimi w powietrzu. Idź sobie. Zaczyna biec, ale brakuje mu sił w nogach, potyka się. Czołga się i odwraca głowę. Teraz stanął. Niedźwiedź patrzy na niego. Chwyta kamień i rzuca w zwierzę. Idź sobie, no już. Potem słyszy trzy zipiące oddechy, jak u wielkiego zasapanego psa. W ciszy rozlega się ryk. Potężny, przerażający.

Próbuje biec, ale znów się przewraca. Podnosi nieco wzrok i przed sobą widzi odlatującego kruka. Nie ma nawet czasu, żeby się obejrzeć, noga straszliwie go boli. Resztkami tchu próbuje krzyknąć, stara się uderzyć niedźwiedzia kijem, ale ten wyślizguje mu się z ręki i stacza w dół ze skarpy. Teraz zwierzę jest nad nim. Mężczyzna zamyka oczy, mocno je zaciska. Czuje coś w rodzaju trzęsienia ziemi, niedźwiedź złapał go i potrząsa nim, wbija swoje pazury w jego klatkę piersiową i plecy. Unosi się kurz, usta są pełne ziemi. Przygniata go olbrzymia masa. Patrzy w niebo o zachodzie słońca, widzi smugę po samolocie. Ryk w uchu wydaje mu się już odległy. Smuga jest długa, lekko przecina po przekątnej bezmiar.

---

22 LIPCA

– Jak możesz mieć ochotę na hamburgera w taki upał?

Jacopo wzrusza ramionami. Sam wybrał restaurację, właśnie dlatego, że robią tu dobre kanapki. I najlepsze frytki w Mediolanie.

Besana się poci. Siedzą w wewnętrznym ogródku, ale to nie zmniejsza jego cierpienia. Ciągle sączy białe wino, od którego poci się jeszcze bardziej.

– Tobie to dobrze – mówi. – Zdecydowałeś, jaki prezent chcesz z okazji matury?

– Rower górski – odpowiada Jacopo.

– A nie chciałeś pojechać do Indii?

– Nie wiem, nie teraz. Muszę zobaczyć, co robią inni.

– Jacy inni? Masz dziewczynę?

Jacopo nie zamierza odsłaniać kart.

– A ty co zamawiasz?

– Chyba doradę. – Besanie odechciewa się oglądać menu.

– Jesteśmy tu od pół godziny, a jeszcze nie zapytałeś, co chcę robić potem.

Zaskoczony Marco gwałtownie podnosi głowę.

– A co? Wybrałeś studia?

– Nie. – Jacopo wybucha śmiechem. – Wiem tylko, że tak właśnie brzmi finałowe pytanie. A oczekiwanie trochę mnie stresuje.

Besana zakłada ręce na piersi.

– Czyli mam od razu zadać finałowe pytanie czy wcale go nie zadawać?

– Tato, posłuchaj, postanowiłem zrobić sobie rok przerwy.

– Ale jeszcze nic nie zrobiłeś w swoim życiu.

– To nieprawda – chłopak protestuje – nauka męczy.

– Nazwijmy to nauką. – Besana traci cierpliwość.

– Będę pracował, tato. Nie musisz mnie utrzymywać, jeszcze tego by brakowało.

– Dlaczego ci się tak spieszy, żeby zacząć pracować?

– No proszę, jesteś niezadowolony. Wiedziałem, że tak będzie. Zamiast być ze mnie dumny. Wszyscy moi koledzy proszą o pieniądze rodziców. A ja nie. Sam chcę je zarobić. To źle?

– Chcesz pracować jako kelner?

– Czemu nie. Cokolwiek. Po prostu nie chcę iść na studia tylko po to, żeby coś robić. Jeszcze nie wiem, co mnie interesuje. Wolę zaczekać, aż rozjaśni mi się w głowie.

– I stracić rok?

– Słuchaj, ty skończyłeś studia i spójrz na siebie.

– Co chcesz przez to powiedzieć? Uważasz mnie za nieudacznika?

Besana jest czerwony na twarzy, nie potrafi ukryć złości i rozczarowania.

– Nie, gdzie tam. Ale jesteś bez grosza. Być może kiedyś zawód dziennikarza to był prestiż, nie wiem...

Marco wściekł się już na dobre. Wstaje od stołu i żegna się gestem ręki.

– Sam sobie zapłać za hamburgera. I jeszcze pozmywaj. Powiem w kuchni, że już nie chcę dorady. Wiesz, kiedyś to był prestiż, ale teraz wszystkie są hodowane.

22 LIPCA

Nowa ustawa chroniąca dzieci ofiar kobietobójstwa, która niedawno weszła w życie, to dla Ilarii prawdziwy przełom. Kluczowym pojęciem jest tu „niegodność dziedziczenia". W skrócie: gdy zapadnie wyrok, winny zostaje wydziedziczony. Czyli teraz dom rodziców należy tylko do niej, ojciec nie jest już właścicielem. Ilaria może go wreszcie sprzedać i kupić dwupokojowe mieszkanie w Mediolanie.

To z pewnością odmieni jej życie. Ale jest to trudne dziedzictwo. Trzeba wrócić do miejscowości, gdzie się wychowywała, i do domku, w którym zabito jej matkę. Będzie musiała znów zobaczyć te miejsca po dwudziestu latach. Mogłaby kogoś wysłać, ale nie ma ochoty. Dom należy opróżnić, a tego przecież nikt za nią nie zrobi. Może nawet mógłby, tyle że ona by tego nie chciała. Jakaś mroczna siła ciągnie ją do tych ścian, jakby mogły pomóc jej coś sobie przypomnieć, po upływie tylu lat.

Nie ma bezpośredniego połączenia, Ilaria musi tam się dostać dwoma pośpiesznymi i busem. Wysiada na głównym placu i rozgląda się wokoło. Z jednej strony wszystko wydaje się takie samo, z drugiej zaś nie rozpoznaje ani jednego sklepu czy baru. Żadnych znajomych twarzy.

Co się stało z mleczarnią Carli? Matka zawsze chodziła tam na cappuccino. Jej kupowała brioszkę z nutellą. Mleczarnia Carli to było coś o wiele więcej. Na zapleczu znajdował się dział z warzywami, bo ludzie przynosili jarzyny z ogródka lub owoce zebrane z drzew. „Dziś mamy czereśnie od Maria – mówiła. – Są takie duże". Był też dział garmażeryjny, bo Carla i jej siostra Marisa świetnie gotowały. Mieszkały same obok sklepu i spędzały wieczory na przygotowywaniu lasagne, pulpetów, tart i ciastek dla swoich klientów. Nigdy nie odpoczywały. Wychodziły, rzecz jasna, razem tylko w niedzielę. Ale to także była praca, w pewnym sensie. Stawiały się na mszę w futrach i biżuterii – miały przecież mnóstwo pieniędzy – a potem godzinami przesiadywały w Europie, jedynej cukierni w miasteczku, gdzie nic nie zamawiały. Trochę dlatego, że były skąpe, a trochę po to, żeby obwieścić swoim klientom: „Nasze ciasta są o wiele lepsze, tych tutaj nawet nie tykamy". Zamiast mleczarni Carli stoi teraz sklep z telefonami komórkowymi.

Nie ma już nawet fryzjerki matki. Była też kosmetyczką i uczyła jogi (zamykała zakład o siódmej i niedługo potem zaczynały się kursy). Ilaria świetnie się bawiła w zakładzie Giusy. Kobieta zawsze przechodziła jakiś kryzys uczuciowy i wszystkim o tym opowiadała. Teraz wystawa pełna jest plastikowych kubków i talerzyków. „Dzieci się bawią" – można przeczytać na szyldzie. Są też gry, plecaki, długopisy i zeszyty, i pozasezonowe karnawałowe gadżety. W związku z tym, że jest lato, w sklepie roi się od dmuchanych flamingów i materacy w kształcie lodów. Morze jest daleko stąd, ale na nizinie jest już teraz wiele basenów.

Nie zmieniły się tylko budynki z lat siedemdziesiątych w kolorze cytrynowym i sraczkowatym. Wraz z nimi przetrwała cukiernia Europa, pomimo niedobrych słodkości. Teraz zbija interes w porze aperitifu, przy wejściu widnieje wielki napis: „Spritz + Happy Hour 2,90 euro". Obok nie ma już optyka, który wyposażał w okulary wszystkich mieszkańców i robił odbitki rodzinnych zdjęć. Jest za to brazylijska restauracja Carioca, która w soboty przemienia się w dyskotekę. Nawet siedziba banku jest nie do poznania, taka zaśniedziała i pełna reklam kredytów, pożyczek i dofinansowań.

Ilaria dociera do bramy i już źle się czuje. Wydaje się jej, że słyszy krzyk matki: „Pamiętajcie, żeby zamknąć! Inaczej psy uciekną". Strasznie się wściekała, kiedy zapominali z ojcem zamknąć bramę. Ugo od razu dawał nogę, uwielbiał biegać jak oszalały po polach. Bimba była bardziej posłuszna, ale gdy jej brat wybiegał, nie mogła oprzeć się pokusie. Często znajdowali je później w remizie strażackiej. Ciekawe, dlaczego wybierały właśnie to miejsce. W innych wypadkach wyławiali je – dosłownie – u pary emerytów, którzy mieli fontannę z karasiami, a psy z radością się w niej bawiły.

Przed zardzewiałą bramą zamkniętą na łańcuch i kłódkę czeka na nią młody mężczyzna w prążkowanym garniturze, z teczką w ręku. Ma nawet wyraz twarzy agenta nieruchomości.

– Pani Piatti?

– Tak, to ja.

Ilaria bierze głęboki oddech i pokazuje mu ogród zaśmiecony i zarośnięty chwastami. Plastikowe plandeki, deski, felgi, zardzewiałe krzesła, rozkopana ziemia. Gorzej niż w powieści Dickensa. Śmieciem jest również fiat panda, przed aresztowaniem zostawiony przez ojca przy wjeździe.

– Trzeba tu zrobić trochę porządku – mówi Ilaria. – Ale znalazłam już faceta, który opróżnia piwnice. Zapewnił mnie, że w ciągu tygodnia wszystko stąd wywiezie.

Tymczasem myśli: „Wiem tylko, że matka nie jest tu pochowana, bo policja przeszukała wszystko".

– Świetnie.

– Proszę za mną.

Ilaria otwiera drzwi na oścież i doznaje wstrząsu. Wszystko zostało, jak było, jest tylko trochę czyściej, bo zatrudniła firmę sprzątającą. Trzysta euro, żeby dom błyszczał.

– To kuchnia. Przestronna i widna. – Ilaria prezentuje kolejne pomieszczenie.

Nie czuje już nóg. Chwyta krzesło, nie może dłużej stać.

– Instalacja elektryczna, rzecz jasna, wymaga dostosowania do norm. Wszystko trzeba zmodernizować – komentuje agent.

– Obawiam się, że tak – potwierdza.

– Podobnie z instalacją hydrauliczną. Płytki ceramiczne są brzydkie. Sprzęt AGD jest stary. Trzeba jeszcze obniżyć cenę.

– Wiem – odpowiada Ilaria.

Z wielkim wysiłkiem wstaje i pokazuje mu salon. Na jednym z regałów wciąż jest pluszowy miś, ostatni prezent od matki. Zupełnie o nim zapomniała. Chce jej się wymiotować.

– Jest duży, bardzo ładny – mówi agent. – Ale okna nie mają izolacji, trzeba wymienić futryny.

Ilaria biegnie do łazienki, mdłości się wzmagają. Nie może nawet rozmawiać. Agent idzie za nią, myśląc, że chce mu pokazać kolejne pomieszczenie.

– Tę łazienkę trzeba całkowicie wyremontować, nic się tu nie nadaje.

Ilaria pochyla się nad muszlą klozetową, a agent nieruchomości pospiesznie się oddala, słysząc torsje.

– Nie chciałem, żeby poczuła się pani źle, przepraszam – mówi przez niedomknięte drzwi. – W gruncie rzeczy to tylko drobne naprawy. Mam znajomego, który zajmuje się takimi rzeczami i może to zrobić w dobrej cenie. Sądzę po prostu, że przed wystawieniem domu na sprzedaż dobrze byłoby zrobić niewielki remont.

Ale Ilaria nie odpowiada, tylko wymiotuje.

---

23 LIPCA

– Ile lat ma pański syn? – pyta sprzedawca w Decathlonie.

– Osiemnaście – odpowiada Besana. – To prezent z okazji matury.

– Woli pan cross country, all mountain czy downhill?

– Nie mam pojęcia, jaka jest różnica?

– Zależy, do czego będzie go używał. A także od tego, jak długie jazdy planuje i po jakim terenie.

Marco drapie się niepewny po głowie. Nie wiedział, że tak trudno jest kupić rower. Kiedyś wystarczyło, że miał określoną liczbę przerzutek, szytki i siodełko. Teraz, żeby zorientować się wśród różnych rodzajów górali, trzeba mieć odpowiedni fakultet. Trudno, musi to zrobić. Wczoraj wieczorem był trochę zbyt ostry wobec syna i w nocy nie mógł spać. Jacopo to tylko dzieciak, w jego wieku Besana wcale się od niego bardzo nie różnił. Po maturze ojciec chciał, żeby koniecznie studiował inżynierię, jak on, a Marco nie chciał o tym słyszeć. Kiedy rozpoczął studia na wydziale humanistycznym, marząc, że zostanie dziennikarzem, z ojcem nie rozmawiał wiele miesięcy.

A jednak w Boże Narodzenie pod choinką znalazł zegarek. Prezent od taty.

– Na przykład ten model – mówi sprzedawca – ma aluminiową, bardzo lekką ramę, hamulce dyskowe i amortyzatory powietrzne, żeby chronić przed upadkiem w trudnym terenie. Ale najlepszy jest ten, z włókna węglowego.

Besana patrzy na cenę: 1299 euro.

– Nie ma czegoś tańszego?

W końcu wybiera Rockrider xc za osiemset euro. Życie zmusi go do pedałowania pod górę, lepiej, żeby trochę potrenował.

W drodze do kasy Marco przystaje w dziale trekkingowo-alpinistycznym i ogląda czekany. Jest ich duży wybór, kosztują od trzydziestu do stu euro. Przy każdym wisi tabliczka z opisem technicznym. „Naja Light to wszechstronny czekan, zapewni ci szybkie postępy na wszystkich klasycznych szlakach dzięki zakrzywionemu uchwytowi i podpórce pod rękę”. Jest też model Hyperlight: „Lekki i skuteczny czekan na wspinaczki lodowe. Dzięki stalowemu ostrzu znakomicie zagłębia się w twardy śnieg i lód”. No właśnie, ostrze: ostra część to „dziób”. Besana ostrożnie dotyka ostrze palcami. Jest zakrzywione ku dołowi, zębate. „Znakomicie się zagłębia”. Również w ludzką czaszkę. Nie trzeba być wysokim ani dobrze zbudowanym, żeby roztrzaskać potylicę ofiary i wbić ostry dziób w mózgowie, rozbryzgując wokół tkankę mózgową. Można użyć również drugiej strony, łopatki służącej do kopania stopni w lodzie. To jak kij czy młot, i rezultat nie jest pewny. Jeśli nie masz wystarczająco siły, może skończyć się na omdleniu zamiast śmierci. Uderzenie dziobem jest natomiast skuteczne. „Ktokolwiek to był – myśli Marco, odkładając czekan – wiedział, że ma w ręku znakomitą broń”.

Młode kobiety żyją bezkarnie, jakby wszystko było do ich dyspozycji. Zwłaszcza te inteligentne. Jako dwudziestolatki potrafią się wypowiadać jak pięćdziesięciolatki, jeśli nie liczyć niespodziewanych uwag w stylu nastolatki, która potrzebuje wsparcia. Na przykład dziś wieczorem nikt nie rozpoznałby w tej wyrafinowanej kochance dziewczyny, która w basenach w Sankt Moritz piszczała w ciemnej zjeżdżalni razem z gimnazjalistą.

– Ilaria, przez ciebie oszaleję – szepcze Nicola.

Ona przygryza wargi z satysfakcją. Potem kładzie się na plecach, zagłębiając głowę w poduszce.

– I jak? Wymyśliłeś już, gdzie zabierzesz mnie na wakacje?

– Chciałbym zobaczyć Kambodżę. Zwiedzić świątynie, a potem poszukać jakiegoś nadmorskiego kurortu.

– Fantastycznie – odpowiada Ilaria – cały rok pracuję z trupami, dzięki Czerwonym Khmerom nie wyjdę z wprawy.

– Przepraszam, nie pomyślałem.

– Żartowałam. Nigdy nigdzie nie byłam, jestem bardzo ciekawa. Czasem myślę, że się pomyliłam, wybierając kronikę kryminalną. Wiesz, jak wspaniale byłoby być wysłanniczką? I objechać świat. Ale ze mnie kretynka.

– Możesz jeszcze zmienić pracę tysiące razy – uspokaja ją Nicola, głaszcząc jej spocone czoło.

– Nie mogę. To moje powołanie. – Przewraca się na bok, żeby lepiej go widzieć. Według niej jest taki przystojny. – Czy finanse były twoim powołaniem?

– Nie sądzę. Mój ojciec dał mi kopa w dupę, żebym studiował na Bocconim. Zaraz potem zacząłem z nim pracować i nie miałem czasu się zastanawiać, czy to lubię.

Ilaria, jak wszyscy młodzi, mogłaby w nieskończoność zadawać pytania sobie i innym, ale Nicola już wstał.

– Przepraszam, kochanie, teraz naprawdę muszę iść – mówi, podnosząc z ziemi koszulę.

– Myślisz, że twoja żona już wróciła do domu? Krótkie są te jej kolacje z koleżankami.

– Tak, niestety są krótkie – odpowiada Nicola, wkładając skarpetki. – Wszystkie są mamami, a ich dzieci ciągle chorują. Mogą je zostawić z babcią czy z nianią na kilka godzin, nie więcej. Potem nadchodzi godzina policyjna. Kopciuszek to dziś nie sierotka tylko matka. Czasem próbuję pójść z Carlottą do restauracji, ale nie możemy skończyć nawet pierwszego dania. Zawsze coś się dzieje. Greta wymiotuje. Pietro ma trzydzieści dziewięć stopni gorączki. Zawsze to samo.

– Myślisz, że uda nam się wyjechać do Kambodży?

– Pewnie, kochanie, pewnie. – Nicola delikatnie całuje jej zamknięte powieki. – Dużo podróżuję w związku z pracą, wiesz przecież. Nie ma w tym nic dziwnego. Carlotta wyjedzie na Elbę ze swoimi rodzicami i dziećmi, a ja dojadę do niej w 15 sierpnia, jak zwykle. Nie ma problemu, najmniejszego.

Ilaria wkłada obszerną koszulkę, która sięga jej prawie do kolan, czuje się zbyt naga.

– Nie mogę się doczekać wyjazdu – mówi z uśmiechem.

---

23 LIPCA

Ilaria je przed komputerem. Cała jej kolacja to lody. Sprawdza, co można zwiedzić w Phnom Penh. Szuka zdjęć świątyń Angkoru. Potem przestaje. Nagle przypomniało się jej, że matka na krótko przed śmiercią ciągle mówiła o podróży. Podróży, w którą miała się wybrać? Czy właśnie odbytej? I gdzie? Z kim? Z mężem? Z siostrą? Sama?

Ilaria ma pustkę w głowie. Zamyka oczy i próbuje się skoncentrować. Przypomina sobie stosy ulotek na kuchennym stole. Przeglądająca je matka w podomce. Ona klęczy na krześle i podgląda, z lizakiem w ustach. Co było na tych okładkach? Statek? Czy to możliwe?

Naraz wszystko jej się doskonale przypomina. Matka odziedziczyła trochę pieniędzy po dziadku i odłożyła je, żeby wybrać się w rejs. Sama. Dlaczego nie zabrała jej ze sobą? Dzieci lubią rejsy. Prawdopodobnie potrzebowała czasu, żeby się w spokoju namyślić. Żeby zadecydować, czy rozstać się z mężem?

Ilaria zaczyna się denerwować. Biegnie, żeby poszukać starego pudła ze zdjęciami matki. Być może uda się jej zrekonstruować bieg wydarzeń. Znajduje czerwoną plastikową torebkę. Oto i ona, je sama, elegancko ubrana, u boku jakiegoś oficera. Próbuje się nawet uśmiechnąć. Na kolejnym zdjęciu ma śmieszny kapelusz na głowie i obejmuje ją animator przebrany za pirata. Widać basen pełen starców i dzieci. Sfotografowała nawet bufet. Potem wyspę z daleka, zdjęcie jest zupełnie rozmazane. Co to za wyspa? Na szczęście zrobiła zdjęcie grupie osób przed tablicą z programem wycieczki, z którego można wywnioskować, że to rejs na Baleary. Ilaria wyobraża ją sobie, jak siedzi na widowni i ogląda jakiś kretyński spektakl. Jak stoi w kolejce, żeby nałożyć sobie na talerz słodkości. To wycieczka *all inclusive*, więc trzeba zjeść wszystko. Potem melancholijnie słucha w barze piosenek z San Remo granych na pianinie. Koszmarność ostatnich wakacji matki jest nie do zniesienia. To była jedyna podróż jej życia.

Teraz niestety jej się przypomina. Jej entuzjazm po powrocie. Mówiła ciągle o tym rejsie, jakby to była najwspanialsza rzecz na świecie. A kiedy tylko zostawała sama z mężem – „Mała i tak poszła spać" – zaczynała płakać. Tymczasem Ilaria nie spała i słuchała. Płakała cicho, starając się nie hałasować. Wiesz, kiedy chodziłam po moście, pomyślałam, że. Może byłoby lepiej, gdyby. Patrzyłam na morze i się zastanawiałam. Mamy córkę, ale. Podczas tego zachodu słońca ja. Mąż nigdy nie dawał jej skończyć. Te płacze go irytowały, być może podobnie jak te rozważania. Ilaria odkłada fotografie na miejsce i wyłącza komputer. Nie ma już ochoty myśleć o Kambodży. Wie tylko, że nigdy nie pojedzie na Baleary. Ani nie wybierze się w żaden rejs.

24 LIPCA

W rozgrzanej od upału szkole cała rodzina Besanów – czy może eksrodzina Besanów – siedzi zamknięta w auli. Dla wielu egzamin maturalny skończył się jakiś czas temu, ale nie dla Jacopo, wylosowali literę „C" („Jak pech to pech, tato"). Tylko Marinie ten dzień wydaje się szczęśliwy („Zacząłeś się uczyć w czerwcu i jeszcze narzekasz?"). Tak czy inaczej, w tym piecu z odrapanymi ścianami, bez papieru toaletowego w łazienkach, zostało tylko dziesięcioro uczniów z nazwiskami zaczynającymi się na B, którzy drżą przed komisją nauczycieli wściekłych ze względu na trzydzieści dziewięć stopni temperatury odczuwalnej. W korytarzu odór. Śmierdzi nastolatkami, którzy myją się z rzadka, i butami sportowymi wkładanymi bez skarpet, odświętnie ubranymi rodzicami, którzy od wielu godzin koczują pod drzwiami („Kurwa, nie działa nawet dystrybutor z wodą"). Potem wreszcie nadchodzi ich kolej. Z sali wynurza się łysy nauczyciel w przemoczonej koszuli oblepiającej plecy. „Besana i Betti". Jacopo zaniepokojony odwraca się do rodziców. Marco kładzie mu dłoń na ramieniu („Połamania nóg"), a Marina go całuje („Mamo, nie całuj mnie, do cholery, mam osiemnaście lat"). Jacopo nie chce być traktowany jak dziecko w obecności Franceski Betti, największej laski w klasie. Wstydzi się. „Powodzenia", mówi do niej, gdy wchodzą do auli zamaszystym krokiem, jakby to był western, a w środku mieścił się saloon. W samo południe, a jakże. Nad strachem związanym z egzaminem przeważa teraz strach – typowy dla wieku dorastania – że nie jest wystarczającym samcem alfa w oczach Franceski, która cierpi z powodu ataków paniki i połyka szybko ostatnie krople xanaxu.

Jacopo siedzi naprzeciwko nauczycieli i cały czas pociera sobie pięty tak, że zaraz spadną mu buty.

– Miejmy nadzieję, że nie będą go pytać o pierwszą wojnę światową – szepcze na ucho Marcowi Marina – opuścił ją.

– Jak to „opuścił"?

– Ech, nie miał czasu. Rewolucję w Rosji też opuścił. Trzymajmy kciuki.

Obok nich matka Franceski Betti wymachuje wachlarzem. To gruba kobieta, z trudem siedząca na niewygodnym krześle – nie do zniesienia nawet dla chudej młodzieży. Ale nikt do niej nie podchodzi, by zaczerpnąć świeżego powietrza. Wydziela zbyt silny zapach surowej cebuli i smażeniny.

– Według ciebie słynna Francesca Betti będzie wyglądała tak samo?

– Przestań, Marco – syczy Marina.

– Wiesz, że do selfie, które publikuje na Instagramie, masturbuje się cała klasa?

– Marco, proszę cię.

– Nazwijmy to „kostiumami kąpielowymi". Jest właściwie naga.

– Dość już, Marco. Ile razy mam powtarzać?

Na te słowa otwierają się drzwi i do środka zagląda Armando. Marina uśmiecha się do niego i daje znak, żeby wszedł. Marco pochmurnieje. Spuszcza głowę i wpatruje się w wygolony kark swojego syna.

– Porozmawiajmy o Caporetto, Besana – mówi nauczycielka historii.

O, kurwa. Buty Jacopo zaczynają drżeć, wygląda, jakby tańczył na siedząco.

– Cóż, Caporetto, hmm. To znaczy, Caporetto. W sumie... Przegrana, tak?

Nauczycielka przytakuje, żeby tylko się streszczał. Tymczasem Marina ściska mocno dłoń Armanda, a Marco odwraca się, żeby nie widzieć. Syn jest w opałach, a żona z niewłaściwym mężczyzną.

24 LIPCA

Zanim Besana zdąży wejść do domu, Anna już gryzie go w szyję.

– Weź mnie tutaj, na stojąco, pod ścianą.

Spieszy jej się, żeby doznać rozkoszy. Może dlatego, że jest toksykolożką i cały dzień pracuje ze śmiercionośnymi substancjami. A może dlatego, że właśnie zakończyła białe małżeństwo, które trwało zbyt długo.

Dla Marca to sytuacja idealna, przynajmniej w tym momencie. Jest taki zgorzkniały. W jakiś sposób musi dać upust swojej złości. Lepiej przemienić ją w namiętność.

Jednak ucieczka – od życia, w którym nagromadziło się zbyt wiele rozczarowań i porażek – trwa krótko. Wszystko odbyło się tak szybko i teraz stoją oboje w przedpokoju, pod pomarańczową ścianą, nieco zdezorientowani. Już po wszystkim?

Anna podciąga spódnicę, Marco podciąga spodnie. Patrzą na siebie i się uśmiechają. Ona poprawia włosy, on koszulę pod paskiem. Spotykają się od kilku miesięcy, jeszcze nie są ze sobą zbyt blisko. Jedynie na tyle, żeby od razu osiągnąć orgazm.

I być może to nawet nie jest bliskość, tylko zwykła, rozpaczliwa konieczność.

– Pójdziemy na kolację?

– Chętnie – odpowiada Anna – mam pustą lodówkę.

Z wygody – lub znów z pośpiechu – wybierają restaurację pod domem. Nawet nie jest jakaś szczególnie dobra. Niedbałość z konieczności w rozbitym życiu.

– Mogę zadać ci pytanie natury zawodowej?

– Dotyczy jakiejś sprawy, nad którą pracujesz? – pyta Anna.

– Mniej więcej. To znaczy, jeszcze nie jestem pewien, czy naprawdę można nazwać to sprawą. Na razie zdarzenie określono jako „wypadek lotniczy".

Marco szuka w telefonie wywiadu z człowiekiem, który opisał objawy Carla Rigamontiego, i czyta jej na głos.

– Czy istnieje substancja wywołująca objawy podobne do zawału?

– Pytanie za milion – odpowiada kobieta. – Jak można udzielić odpowiedzi, mając tak niewiele danych? Dysponujemy tylko wrażeniami świadka, który nie ma pojęcia o medycynie ani o toksykologii. Poza tym samolot spłonął, zgadza się? Na zwęglonym ciele nie można przeprowadzić skomplikowanych badań toksykologicznych. Wiele substancji ulega degradacji w wysokich temperaturach i nie zostawia śladu.

– No, ale spróbuj. Powtarzam objawy: wymioty, brak przytomności umysłu i jasności widzenia, trudności w mówieniu i oddychaniu, paraliż rąk i nóg.

– Brzmi to bardziej jak udar niż zawał. Gdybyśmy chcieli zastanowić się nad jakąś trucizną... Arszenik wpływa na układ nerwowy, ale trochę inaczej: drętwienie i brak czucia kończyn, pieczenie podeszwy stóp, obrzęki twarzy i kostek. Z kolei cyjanek powoduje nudności, wymioty i trudności w oddychaniu, ale nie wywołuje paraliżu kończyn. Strychninę bym wykluczyła, bo prowadzi do swego rodzaju ataku padaczki, konwulsji jak w tężcu, a o tym świadek nie wspominał. Również tal wydaje mi się nieprawdopodobny, objawy są inne. Ach, zaczekaj, jest substancja, która odpowiada dokładnie twojemu opisowi. Toksyna botulinowa.

– Jad kiełbasiany? Zajmowałaś się kiedyś jakimś przypadkiem zatrucia?

– Tak, kilka razy. Ojciec i syn, w okolicach Bergamo. Wylądowali w szpitalu przez konserwy. I jeszcze troje, w Modenie, bo zjedli jarzyny w zalewie. Kilka osób nawet zmarło. Ale nikt nie otruł ich celowo. Co najwyżej nie domknięto słoików.

– Można go użyć do zabijania?

– W piśmiennictwie naukowym nie ma potwierdzonych przypadków – odpowiada Anna, patrząc na mdłą rybę, z całą pewnością mrożoną. – Ale ktoś mógłby spróbować, czemu nie? Przecież to najsilniejsza trucizna występująca naturalnie. O wiele silniejsza niż arszenik czy cyjanek. Wystarczy pięćdziesiąt nanogramów, miliardowy ułamek grama, mikroskopijna dawka, żeby zabić człowieka. Nie ma żadnego smaku, połyka się go bez świadomości. A podczas sekcji nie można go wykryć, jeśli nie ma się do dyspozycji próbek krwi lub moczu albo zawartości żołądka ofiary.

– Kobiety dają go sobie wstrzykiwać w usta lub wokół oczu, jakby nigdy nic. Nikt nie uprzedza ich o ryzyku?

– No co ty, na chirurgii plastycznej zarabia się miliony – mówi Anna, kręcąc głową. – W gruncie rzeczy *Clostridium botulinum* to bardzo niebezpieczny zabójca. To beztlenowa bakteria żyjąca w glebie i wytwarza endospory, które mogą przetrwać na powietrzu przez bardzo długi czas, aż znajdą odpowiednie warunki dla wzrostu drobnoustrojów.

– Naucz mnie wszystkiego, co wiesz, proszę.

Anna wybucha zmysłowym śmiechem. Już od dawna żaden mężczyzna jej tak nie pociągał.

– Skarbie, nauczę cię wszystkiego, czego chcesz – odpowiada.

Besana, zakłopotany, drapie się w ucho.

– Opisano go po raz pierwszy pod koniec dziewiętnastego wieku, po epidemii zakażeń pokarmowych w Belgii. Nazwano go po łacinie *botulus*, czyli „kiełbasa", bo wszystko zaczęło się od kiełbas przygotowywanych w domu. Ale dziś jad kiełbasiany o wiele częściej znajduje się w przetworach lub w konserwach, a nie w wędlinach.

– Jest zakaźny?

– Nie przenosi się z człowieka na człowieka. Ale z ciebie nieuk. – Anna wybucha śmiechem.

Besana się nie poddaje.

– Objawy?

– Zazwyczaj występują bardzo gwałtownie, średnio dwanaście do trzydziestu sześciu godzin od połknięcia toksyny, a czasem nawet wcześniej.

– Wyobrażam sobie, że niełatwo użyć go jako broni.

– Rzeczywiście. Trzeba zwrócić uwagę, jak podaje się toksynę. Nie można w winie, bo alkohol ją niszczy, ani w ciepłych posiłkach czy napojach: nie jest odporna na gotowanie.

– Trzeba być co najmniej chemikiem.

– Lub kimś, kto ma do czynienia z botoksem z przyczyn zawodowych.

24 LIPCA

Ilaria spędziła cały dzień w domu, nic nie robiąc. Nie nastawiła nawet prania, chociaż brudy gromadziły się od tygodnia. Nie poszła na zakupy, mimo że lodówka jest pusta. Nie znosi straconych dni, bo wzmagają jej niepokój. Przede wszystkim nocą. Nie może wtedy zasnąć. Co przekłada się na jej nieudolność.

Czuje się jak w ślepej uliczce, zbyt wąskiej, by zawrócić. Nawet bieg wsteczny jest niebezpieczny, ryzykuje się zniszczenie karoserii i innych zaparkowanych samochodów. Może tylko stać w miejscu i patrzeć w ścianę. Ścianę symbolizującą jej życie, przynajmniej obecne.

„Dni, które się zacięły" – tak je nazywa. Niestety mają zarazem te zaletę i wadę, że stawiają ją wobec dokonanych wyborów. Kocha człowieka, którego prędzej czy później będzie musiała zostawić. Kocha pracę, która nie odwzajemnia jej miłości. I kocha sprawę, która wydaje się nie do rozwiązania.

Jest wytrwała, gotowa ryzykować i krążyć w kółko, w oczekiwaniu, aż coś się odblokuje. Ale czasem nie daje rady. Dziś na przykład nie udało się jej wstać z łóżka. Po raz pierwszy od tylu miesięcy nie stawiła się w redakcji. Krążenie w kółko po redakcji w nadziei, że coś jej dadzą, zaczyna ją męczyć. Wydawało jej się, że ma tyle energii, ale chyba się przeliczyła. Nagle poczuła się bez sił.

Nicola zaproponował, żeby spotkali się na drinka, ale odpisała mu, że jest zajęta. „Pilna robota, przepraszam". W rzeczywistości nie miała ochoty umyć włosów. I wsiąść do metra. Ogólniej rzecz biorąc, zdjąć piżamy. Nie odebrała nawet telefonu od komisarza. Może chciał powiedzieć coś ważnego, kto wie. Przez cały dzień miała włączoną telewizję, choć jej nie oglądała. Jak gospodynie domowe w depresji. Jak jej matka w ostatnim okresie, zanim została zabita.

Dobrze pamięta ten czas. Telewizor włączony wcześnie rano, kiedy szykowała się do szkoły. Śniadania nie było, bo matka zapominała kupić mleko i biszkopty. „Przepraszam", mówiła. I dawała jej pieniądze na jakąś przekąskę. Telewizor włączony, kiedy po południu wracała do domu. A matka zawsze w podomce, siedziała ciągle w tej samej pozycji. Telewizor włączony podczas kolacji, mrożonki podgrzanej w mikrofali. W gruncie rzeczy ojciec zabił ją o wiele wcześniej, ale była zbyt mała, żeby to zrozumieć. Gdyby nie doszło do zbrodni, być może skończyłoby się to samobójstwem. Wie jednak, że tak by się nie stało, bo w takim wypadku matka kolejny raz prosiłaby o wybaczenie.

Ilaria też chciałaby prosić o wybaczenie. Przynajmniej siebie samą. Ale nie zrobi nawet tego. Ściana, którą ma przed sobą, jest zbyt gruba, pochłania wszystkie jej myśli i słowa, ma unicestwiającą moc.

24 LIPCA

– Skalibrowałeś go, Lukas?
– Pewnie.
– Ustawiłeś parametry kamery?
– Tak.
– To jedziemy.

Lukas przesuwa dźwignie w nadajniku. Słychać bzyczenie i dron podnosi się ze skały, na której dwaj mężczyźni rozłożyli swoje rzeczy, u stóp Morteratsch. Jan, glacjolog z uniwersytetu w Zurychu, od lat bada alpejskie lodowce, mierząc ich coroczne wycofywanie spowodowane globalnym ociepleniem. W tym roku ze środków uczelni kupił drona najnowszej generacji, do eksploracji szczelin i obserwacji zachodzących w nich zmian. To swego rodzaju kolonoskopia gór.

Eksploracja szczelin jest niebezpieczna nawet dla najbardziej doświadczonego speleologa: wystarczy jeden fałszywy ruch, złe ustawienie stopy i spadasz w dół, coraz niżej, a lodowiec zamyka się nad twoją głową, nie pozostawiając drogi ucieczki.

O wiele lepiej jest posłużyć się dronem. Dron Jana nazywa się Flyability Gimbal i jest wyspecjalizowany w misjach tego rodzaju. Ma niezwykły kształt, jest otoczony obracającą się kulą z metalowej siatki, która pozwala bezpiecznie odbijać się od przeszkody na trasie i wślizgiwać w najciaśniejsze szczeliny, wykonując slalom po wnętrznościach lodowca.

Słońce grzeje, wierzchnia warstwa śniegu się rozpuściła. To idealny dzień, żeby zejść do wnętrza Morteratsch. Na ekranie widać szare fałdowania lodowca, seraki i odłamki morenowe filmowane okiem drona. Ale może zszedł zbyt nisko.

– Uważaj, zaraz się rozbije, wyrównaj go! – krzyczy Jan do asystenta.

Lukas porusza dźwigniami.

– OK, teraz w porządku. O, ta szczelina wygląda interesująco. Skieruj go na dół.

Dron zaczyna schodzić do niebieskiej otchłani, jak piłka skacze od ściany do ściany, przelatuje pod śnieżnymi mostami, uderza o krawędzie, wypukłości i lodowe stalaktyty.

– *Toll!* Super! – cieszy się Jan. – Zrób nim salto mortale, wtedy będziemy mieć obraz z trzystu sześćdziesięciu stopni.

Zszedł już przynajmniej dwadzieścia metrów pod powierzchnię, obraz się zaciemnia, następnie dron okręca się wokół siebie, a obiektyw uchwyca smugę światła z góry.

– Hej, chwila. Wykonaj jeszcze raz ten sam manewr. Trochę bardziej w lewo. Proszę, też to widzisz?

– Co to jest?

– Według mnie wygląda na but. Nie da się lepiej wyostrzyć?

– Cholera, Jan! Wezwij natychmiast REGA.

– Piatti, pakuj walizkę. Wracamy do Szwajcarii.

– Niedźwiedź znów kogoś rozszarpał?

– Nie. Jakiś dron znalazł trupa w górskiej szczelinie. Zgadnij kto to?

– Mąż Brunelli Macchi? Facet, który zaginął na lodowcu dwa lata temu?

– Giacomo Pallavicini, zgadza się – potwierdza Besana. – Przygotuj się, będę po ciebie za godzinę.

– Redakcja opłaci nam tę podróż?

– To ciekawa historia, Roberto był zadowolony. Trupy z lodowca to znakomity temat – odpowiada Marco. – Pewnie, wyślą nas do Bed and Breakfast. Nie jak za dawnych czasów. Znalazłem starą listę wydatków. Pod hasłem „własny samochód" ludzie wpisywali sto kilometrów, żeby dojechać z Mediolanu do Abbiategrasso. Albo „samochód firmowy", czyli istniały samochody firmowe. Pamiętam je, były granatowe, stały zaparkowane na dziedzińcu. Albo „samochód firm. z kier.", czyli samochód firmowy z kierowcą. To były piękne czasy i nie musiałbym być twoim kierowcą, Piatti. Było też hasło „luksusowy hotel". Nie jakiś zwykły hotel, nie trzygwiazdkowy. Nie. Luksusowy.

Wyjazd z Mediolanu zabiera dużo czasu, ale droga w kierunku Lecco jest przejezdna.

– Czym zajmował się Pallavicini?

– Był finansistą, ważnym finansistą. We wszystkim maczał palce.

– Przeprowadzą sekcję?

– To normalne, w takich wypadkach zawsze ją przeprowadzają. Lodowce wspaniale konserwują. Nawet zawartość żołądka – stwierdza Besana.

– Po dwóch latach?

– Pamiętasz Ötziego? Zmarł pięć tysięcy trzysta lat temu. A mimo to wiadomo, co zjadł tamtego dnia.

– Naprawdę?

– Chleb orkiszowy lub papkę, mięso koziorożca alpejskiego i jelenia z jarzynami.

– Niezły obiadek.

– Badanie zawartości jelit wykazało obecność jaj włosogłówki. W najcięższych przypadkach ten pasożyt powoduje napad dezynterii i silne bóle. Ale ten człowiek nie zmarł przez włosogłówkę.

– A przez co?

– Mamy tu do czynienia z nierozstrzygniętą sprawą z epoki miedzi.

– Został zabity?

– Z obrazu klinicznego wynika, że cieszył się dobrym zdrowiem, chociaż nie brakuje dowodów napięcia psychiczno-fizycznego, przede wszystkim w ostatnich tygodniach. Wysokie wartości arsenu we włosach są związane z obróbką metali, na przykład miedzi. Lecz nie został otruty.

– A co się stało?

– Nowe badania radiologiczne i tomograficzne wykazały obecność grotu w lewej łopatce. Przeszywając ciało, strzała wytworzyła mniej więcej dwucentymetrowy otwór. Grot naruszył ważną tętnicę, powodując nagłą utratę krwi. Choć ten mężczyzna nie doznał obrażeń istotnych narządów wewnętrznych, należy przypuszczać, że rana okazała się śmiertelna.

– Czyli mówisz, że można rozwiązać zagadkę zbrodni sprzed pięciu tysięcy lat?

– Nigdy nie należy tracić nadziei, Piatti – odpowiada Marco. – W 2007 roku nowe badania wykazały uraz czaszki poprzedzający zgon. Co pozwoliło rzucić nowe światło na sprawę Ötziego, ale motyw pozostaje nieznany. Dość głęboka rana cięta prawej dłoni każe myśleć o walce. Walczył, bronił się.

– Niesamowite, to jakby mówić o morderstwie popełnionym dzisiaj.

– Mniej więcej. Ofiara jest płci męskiej, mierzy metr sześćdziesiąt. W chwili śmierci musiała mieć około czterdziestu sześciu lat. Piękny wiek w epoce, w której dożywało się średnio trzydziestu, trzydziestu pięciu lat. Obok ciała znaleziono szczątki jego butów, peleryny, kołczanu, spodni i topora.

– Narodowość?

– Trudny temat. Austria i Włochy długo się spierały, aż w końcu dowiedziono, że ze względu na kilka metrów różnicy zmarł na terytorium włoskim. Tak więc przekazano go muzeum w Bolzano.

– Brakuje tylko badania DNA, żeby poznać imię i nazwisko.

– Ty sobie dowcipkujesz, tymczasem jakiś facet z kantonu Ticino utrzymywał, że to był jego ojciec, zaginiony w lodowcach Tyrolu w latach siedemdziesiątych: rozpoznał go na zdjęciach w gazecie. A jakaś Angielka była pewna, że to jej przodek: brytyjscy badacze odnaleźli w jej DNA cechy genetyczne niemalże identyczne z genami człowieka z Similaun. Zapomnieli jej powiedzieć, że podobnie jak ona miliony osób mają cechy DNA wspólne z Ötzim. Ta kobieta była dumna, że jest jego potomkinią. „Choć dzieli nas co najmniej dwieście pokoleń, czuję, że go kocham", mówiła.

Piatti wybucha śmiechem.

– Na tym szaleństwo się nie kończy. Niektóre kobiety chciały zostać zapłodnione jego nasieniem. Szkoda, że okazało się to niemożliwe: plemniki są zbyt wrażliwe, żeby przetrwać w lodzie.

Marco i Ilaria zatrzymują się na obiad w Chiavennie. Beck's wpatruje się w talerz z bresaolą zamówiony przez Ilarię, bo Besana i tak jest zajęty swoim daniem.

– Przestań mu dawać jedzenie, potem zwymiotuje w samochodzie jak poprzednim razem.

– Biedny Beck's, to tylko bresaola.

– Wszystko jest trucizną i nic nie jest trucizną.

Ilaria się nie śmieje, wydaje się pochłonięta myślami.

– Piatti, co ci jest?

– Ciągle myślę o tym trupie znalezionym w lodowcu po dwóch latach. Co za niesamowita scena.

– Niezbyt. W związku z globalnym ociepleniem i wycofywaniem się lodowca coraz częściej wyłaniają się ciała ludzi, którzy zginęli w górach. Czasem są to zaginieni turyści lub żołnierze z pierwszej wojny światowej, jak ci, których znaleziono na lodowcu Presena, na wysokości prawie trzech tysięcy metrów, zwieszonych głową w dół w szczelinie. Od dzisiejszych młodych z Tyrolu różniły ich tylko buty i ubranie: mundur Kaiserschützen, alpejskich oddziałów wojsk habsburskich. Jeden z nich miał łyżkę zatkniętą za pasem, jak żołnierze, którzy często zmieniali okopy, jedzący ze wspólnego gara.

– Biedacy. Jak zginęli?

– Rana postrzałowa głowy. Pochowano ich przy dźwiękach włoskiego i austriackiego hymnu, bo pochodzili z doliny, z pogranicza, werbowały ich dwa wrogie wojska. Zdarzało się nawet w ciągu bitwy, że ktoś rozpoznawał głos brata lub kuzyna walczącego na froncie nieprzyjaciela. To była „biała wojna", w okopach wydrążonych w śniegu i lodzie. Wielu umierało z wychłodzenia, tutaj zimą temperatura spada nawet do czterdziestu stopni poniżej zera.

– Coś strasznego – mówi Ilaria.

– Ale to właśnie niska temperatura lodowca konserwuje ciała, również narządy wewnętrzne, bo w procesie zamrażania giną drobnoustroje odpowiedzialne za rozkład.

Ilaria jest wstrząśnięta. Ciała jej matki nigdy nie znaleziono. Oddałaby wszystko, żeby się udało. A tym bardziej w ten sposób. Chciałaby ją zobaczyć przez chwilę nietkniętą. Ale zabito ją na nizinie, a nie w Alpach. Dziś została po niej kupka kości, ukryta nie wiadomo gdzie.

– Pamiętasz tę parę Szwajcarów odnalezionych niedawno przy wyciągu na wysokości dwóch tysięcy sześciuset metrów, w kantonie Wallis? Zaginęli w sierpniu 1942 roku – kontynuuje Besana. – Mieli na sobie ubrania z lat czterdziestych, buty z gwoździami, a w kieszeniach dokumenty tożsamości: on był szewcem, a ona nauczycielką. Po zaginięciu ich sześcioro dzieci trafiło do różnych rodzin i wychowywało się oddzielnie. Najmłodsza córka, która dziś ma siedemdziesiąt pięć lat, powiedziała coś, co bardzo mnie uderzyło: „To był pierwszy raz, kiedy ojciec wybrał się z matką w góry".

25 LIPCA

Ilaria rozgląda się wokoło. Ciągle jadą klaustrofobiczną, ciemną doliną poprzedzającą przełęcz Maloja. Pada deszcz. Lodowaty wiatr zgina jodły i modrzewie.

Przejeżdżają pod łukiem. Skały przypominają kształtem parę zwierząt stykających się pyskami.

– Wyglądają jak dwa niedźwiedzie – mówi Ilaria.

Besana kręci głową.

– To dwa świstaki – odpowiada.

– Niedźwiedzie.

– Nie, świstaki.

Ilaria opuszcza szybę, żeby poczuć zapach lasów, wpuszcza do środka zimne powietrze. Potrzebuje go. Żeby ukoić ponure myśli. Groźniejszy jest człowiek czy zwierzę? To pytanie ją dręczy. Może dlatego, że gdzieś wewnątrz siebie zna już odpowiedź. Zwierzęta nie wiedzą, co to sadyzm. Nie lubują się w cudzym cierpieniu. A ludzie tak.

Kiedy dojeżdżają do przełęczy Maloja, droga ginie we mgle. Widoczność jest znikoma, trzeba powoli wchodzić w zakręty. Tylko gdzieniegdzie widać przezierającą przepaść.

– To wąż z Maloja – tłumaczy Besana. – Tak się to nazywa.

– A co to takiego? – Ilarię przeszywa dreszcz, już sama nazwa brzmi złowrogo.

– To zjawisko meteorologiczne. Masy wilgotnego powietrza wznoszą się z doliny Bregaglia i przemieniają w chmury i mgłę. One z kolei przemieszczają się na niewysokim pułapie i tworzą spiralę wokół gór w Sils, Silvaplana i Sankt Moritz. Jak wąż właśnie.

W ciszy przejeżdżają przez Engadynę. Woda w jeziorach jest ciemna i wzburzona, fale wyglądają prawie jak ostrza. Ołowiane niebo otacza wierzchołki lodowców, śnieg na szczytach błyszczy się złowieszczo. Pioruny uderzają w skaliste ściany. Grzmoty rozlegają się nagle, żeby potem zamilknąć w ciszy lasów, jak zbiedzy. Niebo porusza się niespokojnie i z wściekłością się burzy, woda jest uległa, drzewa znoszą wszystko. Tylko krowy są spokojne, nieprzejednane.

– Wyglądasz mi na smutną. – Besana zaczyna się martwić, Ilaria nie odezwała się przez całą kolację. – Nie cieszysz się, że redakcja nas tu wysłała?

Ilaria wzrusza ramionami, próbuje się uśmiechnąć.

– Bardzo – odpowiada.

– Nie nabiorę się. Co się dzieje?

– Sama nie wiem. – Piatti spuszcza wzrok.

– To przez tego faceta?

– Nie. A może też. Ale szczerze mówiąc, nie wiem.

– Cholera, mówisz jak mój syn, kiedy nie chce odsłonić kart. Tylko jakieś półsłówka. Doprowadza mnie to do szału.

Ilaria się nie śmieje, ciągle ma smutne spojrzenie.

– Może przeze mnie robisz głupotę – mówi wreszcie.

Besana wybucha śmiechem.

– Wierz mi, głupoty potrafię robić sam. Nie potrzebuję nikogo, gwarantuję ci to. – Wypija łyk wina i patrzy na nią. – Skąd te wątpliwości?

– To rzeczywistość każe mi tak myśleć – odpowiada Ilaria przygaszonym głosem. – Być może facet po prostu poślizgnął się i wpadł do szczeliny. Być może facet miał wypadek lotniczy i tyle. Boję się, Marco. Samej siebie.

– Rozumiem. Ale to także jest częścią tego zawodu. Nie zawsze można się bać tylko zabójcy. Można się również bać własnych domysłów, to się zdarza. Ale ten strach nie powinien cię blokować. To mogą być słuszne lub błędne domysły. Naszym zadaniem jest je sprawdzić, i tyle.

– „I tyle"? W grę wchodzi nasza kariera.

Marco znów wybucha śmiechem.

– Moja już się skończyła, nie zapominaj. Nie mam już nic do stracenia, nawet małżeństwa. Ono też się skończyło. Jeśli o ciebie chodzi, to albo będziesz ryzykować teraz, albo nigdy.

Ilaria bardzo potrzebuje otuchy.

– Twoim zdaniem to, co robimy, może mieć sens?

– Pytasz, czy wygramy los na loterii? Czy o to, co myślę o tej sprawie?

Ilaria czerwienieje, wstydzi się. Doskonale wie, że czasem niewiele różni się od nastolatki. I że niepewność siebie jest problemem, który może jej doskwierać całe życie.

– O sprawie – mamrocze.

– Myślę, że trzeba wykazać się cierpliwością, Piatti. W cierpliwości nie ma nic zabawnego ani poetyckiego. Ale ta praca na tym właśnie polega. Nigdy nie wiesz, co się wydarzy, a co się nie wydarzy. Możesz tylko się przyglądać. O ile to możliwe, z uwagą.

26 LIPCA

Bardziej niż pogrzeb jest to upamiętnienie. Również dlatego, że nie ma ciała, nadal jest w rękach lekarzy sądowych. U stóp Morteratsch wieje silny wiatr. Milczący pochód idzie drogą, która wyznacza agonię lodu, krok po kroku widząc jego wycofywanie się. Szare jest niebo i szary jest lód, brudny od żwiru. Nie czeka na nich żaden szczyt, chmury skrywają wierzchołki gór, przypierając wszystko do ziemi.

Ilaria i Marco trzymają się na kilkumetrowy dystans, są tu obcy. Szpakowaty, zadbany mężczyzna wygłasza przemowę. Zapewne to krewny. Brat? Mówi banalne rzeczy, ale obecność lodowca jest niebanalna, a słowa rozbrzmiewają ponuro i głęboko.

Obok niego stoi młoda kobieta, która próbuje trzymać się prosto, ale się chwieje, jakby popychał ją wiatr. Raz na jakiś czas odgarnia sobie włosy z twarzy. Czy to wdowa? Brunella?

Nie da się jej spojrzeć w oczy, przykryte wielkimi ciemnymi okularami. Bardzo wymowne natomiast są jej gesty.

Co chwilę odwraca się do krótkowłosej blondynki, tylko trochę rozczochranej, która musi mieć ze dwadzieścia lat więcej. Jakby szukała u niej wsparcia. Ale ta druga nie traci fasonu. Jej elegancja jest sztywna, plecy wyprostowane. Co pewien czas blondynka ściska rękę młodej kobiety i robi to z wielką pewnością, która zdaje się graniczyć z nadzorem. Chwyta i puszcza dłoń, kiedy jej się podoba, w sposób, który wydaje się wystudiowany.

Besana przygląda się blondynce z wytężoną uwagą. Ma wydatny, prosty nos, który wzbudza szacunek. Uderzający jest dobór barw jej ubioru: wiatrówka i spodnie w kolorze kości słoniowej, szal przetykany złotem, tak perfekcyjnie owinięty wokół szyi, że nie rusza się pomimo wiatru. Ma buty trekkingowe, ale trzyma się prosto, jakby była na obcasach. Pociągają go trzy drobne fałdki, które tworzą się jej pod brodą i są zauważalne tylko wtedy, gdy pochyla twarz.

To zupełnie inne fałdki niż pod zaokrąglonym podbródkiem Brunelli, bardziej pulchnej i miękkiej pod każdym względem. Wdowa wygląda zmysłowo, z piersiami ściśniętymi pod czarną wiatrówką, wciętą w talii, i nogami podkreślonymi obcisłymi spodniami. Ma burzę ciemnych, błyszczących, gęstych włosów, za którymi chowa się teraz jak za kurtyną, nie chcąc wyjść na scenę.

Ludzie wokół nich słuchają w milczeniu. Wielu zapewne przybyło, żeby zaznaczyć swoją obecność. Byliby rozkojarzeni, gdyby nie przytłaczający lodowiec, prawdziwy mistrz ceremonii. Nikt nie płacze.

Potem niewielka grupka się wyludnia. Po należnym rytuale przejścia ludzie się rozchodzą i uścisnąwszy wdowę – teraz nie ma już wątpliwości, że to Brunella – ruszają w drogę. Początkowo w pełnej szacunku ciszy, ale tylko przez kilka metrów. Potem, przy pocałunkach na pożegnanie, znów słychać szmer rozmów.

Odpowiedni do okazji, owszem, ale również światowy. „Kto by pomyślał, biedny Giacomo. Gdzie jutro jedziecie?" „Jeszcze nie mogę w to uwierzyć. Co robicie dziś wieczorem?" „Co za tragedia, chodźcie do mnie na kolację".

Besana korzysta z okazji, żeby zbliżyć się do blondynki, jest bardzo ciekawy, kim ona jest. Także ona przypatrywała mu się długo i z taką samą uwagą. Przez chwilę idą obok siebie, z dala od innych. Kobieta się odwraca.

– Był pan znajomym Giacoma? Przepraszam, może popełniam gafę, ale nie mogę sobie przypomnieć pańskiego imienia.

Teraz widzi jej źrenice, nakrapiane, w kolorze zieleni i brązu.

– Nie znałem Giacoma. Nazywam się Marco Besana, jestem dziennikarzem.

Wydaje się to nie robić na niej wrażenia, ledwie podnosi brew. Nie odwraca się, żeby podać mu rękę.

– Vittoria Brivio – mówi tylko. Ale z uśmiechem, być może światowym.

– Jestem tu, bo mam napisać artykuł – kontynuuje spokojnie Besana. – Być może pani mogłaby mi pomóc.

– Dla jakiej gazety?

Besana podaje nazwę, a Vittoria się odwraca, ale powoli, żeby nie dać do zrozumienia, że sprawa może ją interesować.

– Niech pan przyjdzie do mnie jutro na kolację, będziemy mieli czas, żeby o tym pomówić – odpowiada i podaje mu swój numer telefonu.

– Dziękuję – mówi Marco, zapisując. – Przyjechałem tu z koleżanką.

– Proszę przyjść razem z nią, nie ma kłopotu. – Kobieta żegna się z nim. Tyle osób chce z nią rozmawiać w tej chwili. Jakby to ona była wdową. Vittoria rozdaje pocałunki, zamienia dwa słowa z różnymi ludźmi, ale raz na jakiś czas odwraca głowę, żeby sprawdzić, czy Besana naprawdę sobie poszedł.

Tymczasem Ilaria niezauważenie podąża za Brunellą. Notuje w głowie. Kiedy dotrze na dworzec, wyciągnie notatnik i wszystko zapisze, żeby nie zapomnieć wrażeń. Teraz jedynie musi przemknąć niezauważona, co zresztą nie jest dla niej trudne.

Brunella schodzi nieporadnie. Stara się trzymać fason przed ludźmi, którzy podchodzą, by ją objąć i powiedzieć kilka okolicznościowych zdań. Ale kiedy tylko jest z kimś, komu ufa, jak na przykład mężczyzna, który przemawiał, zaczyna przeklinać. „Cholera, ale mnie boli kostka, może ją skręciłam. Kim jest ten stary w okularach? Jakim prawem ta suka się tu zjawiła? Uwolnij mnie od tamtego faceta, ma zabójczy oddech".

Choć czuje, że może powiedzieć wszystko mężczyźnie, który raz po raz ją podtrzymuje, to wydaje się niespokojna. Ciągle szuka wzrokiem swojej koleżanki, blondynki trzymającej ją wcześniej pod rękę. Jakby była to wielopoziomowa komedia, a ona nie mogła się doczekać, aż ściągnie kostium, perukę i zmyje makijaż.

– Gdzie jest Vittoria? – banalne i ludzkie pytanie wymyka się jej z ust, ale zdradza zbytni pośpiech. Ilaria to odnotowuje. Odnotowuje wszystko, choć jeszcze nie wie, czego szuka.

26 LIPCA

– Jakie wrażenie zrobiła na tobie wdowa?

Ilaria już doszła do siebie. Zamówiła nawet rösti z kiełbaską zamiast zupki dla niejadków. Nagle zaczęła znów w to wszystko wierzyć.

– Dziwne – odpowiada Besana. – Zastanawiam się, czy wie coś, czego my nie wiemy.

– To samo pomyślałam. Cały czas patrzyła na tę blondynkę. Dlaczego?

– To Vittoria Brivio – uściśla Marco. – Okazała się bardzo pomocna. Zaprosiła nas jutro do siebie na kolację. Może chce nam coś powiedzieć.

– O swoich podejrzeniach? Miejmy nadzieję.

– Spokojnie, Ilario. Mamy szansę i musimy ją dobrze wykorzystać. To byłby poważny błąd, gdybyśmy ją wystraszyli.

– Jak mam się zachowywać? Powiedz mi.

– Jak ktoś, kogo zaproszono na kolację.

– Mnie nikt nigdy nie zaprasza na kolację. Nie wiem, jak to jest.

– Piattola, to proste: siedź cicho i się uśmiechaj. Tylko tyle.

– Przecież jestem dziennikarką – odpowiada podenerwowana Ilaria.

– Otóż to – kontynuuje Marco. – W pewnych sytuacjach lepiej, żeby ludzie o tym zapomnieli, a tylko ty pamiętała. Musisz wyglądać na nieszkodliwą i słuchać.

– Ty też będziesz udawał, że nie jesteś dziennikarzem?

Czasem Besana zachowuje się jak męski szowinista, Ilaria wcale mu nie ufa pod tym względem.

– Pewnie – odpowiada. – Wiem, kiedy powinienem być natarczywy. A podczas tej kolacji nie powinienem. Będę za to bardzo miły.

– Dobrze ci, że potrafisz to robić na zawołanie.

– Jeśli się przyłożę. – Uśmiecha się nieco zarozumiale.

– Można się tego nauczyć?

– Bycia miłym? – Marco się śmieje. – Zapamiętaj sobie jedną lekcję, Piattola. To równie przydatne jak kurs dziennikarstwa. Teoria na nic się zdaje. Zawodu uczymy się tylko w terenie. Kiedy nie możemy zrobić nic innego, uczymy się wszystkiego.

– Obawiam się, że potrzeba też trochę talentu.

– To na pewno. Przypomina mi się pewien kolega z Rzymu, który miał go nawet za dużo. Posługiwał się nawet swoją żoną.

– W jakim sensie?

– Opowiem ci coś. Żona była zaprzyjaźniona z ówczesną premierową. Poszli na prywatną kolację do premiera. On obiecał, że nic nie napisze. Faktycznie nic się nie działo i nie wyciekły żadne informacje. Następnego dnia napisał jednak artykuł o tym, co ugotowała premierowa. Nie mógł się bez tego obyć. To była dla niego nieodparta pokusa.

– My napiszemy tylko, czy to, co podano nam do jedzenia, było zatrute, obiecuję.

26 LIPCA

– A któż to taki!

Ilaria odwraca się nagle. Alessia wybiega jej naprzeciw z podwójnym wózkiem. Obejmują się.

– Arturo i Brando. Mój mąż lubi porządek alfabetyczny. Mamy przed sobą jeszcze dziewiętnaście liter, ale ja już jestem wykończona.

Naturalnie to Alessia, oficjalna narzeczona *par excellence*, z powołania, wyposażona w nadprzyrodzoną moc tworzenia symbiotycznych par, jako pierwsza z ich grupy wyszła za mąż. Ilaria bez trudu wyobraża sobie dalszy ciąg: finałowy bilans to co najmniej pięciu mężów. Ona jest zdolna wziąć kolejny ślub w każdym wieku. Już ją widzi, jak spotykają się ponownie za pięćdziesiąt lat. „Oto Ettore, mój mąż, pobraliśmy się dwa tygodnie temu". Ettore, piąty lub szósty, może nawet sporo od niej młodszy.

– Ty też masz dom w Engadynie?

Ilaria śmieje się i kręci głową.

– Nie, no co ty. Jestem tu zawodowo.

– Zdolniacha, ja rzuciłam studia przy przedostatnim egzaminie. Mój mąż jest dość absorbujący, chce, żebym cały swój czas poświęcała tylko jemu.

Mówi, jakby praca nie była czymś normalnym, czym muszą zajmować się wszyscy. Zapewne jej mąż jest nie tylko zaborczy, ale i bardzo bogaty. Może jest jej dobrze. I tak go zmieni.

– Zapraszam cię jutro do nas na kolację. Będzie trochę znajomych.

– Dziękuję, chętnie bym przyszła, ale jestem już umówiona, idę do pewnej pani – odpowiada Ilaria.

– Do kogo?

– Do Vittorii Brivio. Znasz ją?

– Pewnie, to znajoma mojego teścia. On jutro też tam będzie. Jest chirurgiem plastycznym. To fantastyczna sprawa, kiedy zacznę się rozlatywać, poskłada mnie na nowo. – Kobieta śmieje się.

Ilaria myśli, że kiedy Alessia zacznie się rozlatywać, będzie przy czwartym mężu.

– Ale musisz znaleźć czas, żeby do nas wpaść, nawet tylko na drinka. Zależy mi, żeby pokazać ci dom, pracowałam nad nim przez całe lata.

Ilaria patrzy na nią zaciekawiona. Alessia używa czasownika „pracować", żeby opowiedzieć o tym, że nadzorowała remont mieszkania, który na pewno zaplanował jakiś architekt. Jeszcze większe wrażenie robi na niej to, że jej koleżanka tak spontanicznie powiedziała, że chciałaby jej pokazać dom, nie zaś poznać ją z mężem. Dom. Nie odwiedzi jej, stały się zbyt różne. O czym miałyby rozmawiać?

– Na pewno przyjdę – odpowiada.

Są w hotelowym ogrodzie, Beck's radośnie wyleguje się na trawniku, rozkoszuje się chłodem. Besana pali papierosa na leżaku w cieniu, podczas gdy Ilaria siedzi przed tabletem. Sprawdza, czy doszło do innych dziwnych zgonów. Na stronie internetowej szwajcarskiej policji jest zakładka *Vermisste Personen aufgefunden* – odnalezione zaginione osoby. Każdej towarzyszy rozpikselowane zdjęcie z racji ochrony danych osobowych.

– Kiedy zaginiona osoba zostaje odnaleziona martwa, zamiast zdjęcia dają świeczkę – mówi Ilaria.

– Wirtualny cmentarz – komentuje Besana. – Czysta poezja.

– Próbowałam kliknąć w ostatnie świeczki.

– I co?

– Pięćdziesięciolatek z Samaden, który udał się na przejażdżkę rowerem górskim w październikowy dzień. Znaleziono go w sierpniu rok później na trudno dostępnej ścieżce powyżej miejscowości Celerina. Ktoś zauważył rower porzucony wśród skał i zawiadomił policję. Nieopodal znaleziono zwłoki.

– Dalej.

– Dziewięćdziesięciosześcioletni łowczy z Gryzonii, który wspiął się na ścieżkę na wysokości dwóch tysięcy trzystu metrów. Być może był zmęczony życiem i chciał zakończyć swój żywot jako kozica, pośród stosów kamieni. Kto wie. Znaleźli go po tygodniu poszukiwań dzięki aplikacji Find my iPhone. Zostawił telefon w samochodzie zaparkowanym niedaleko. Potem helikopter REGA szybko odnalazł ciało.

– Wspinał się w wieku dziewięćdziesięciu sześciu lat?

– Przysięgam, że tak – odpowiada Ilaria. – Ale chodzenie w góry, żeby umrzeć, musi tu być popularne. Był też osiemdziesięcioletni stolarz z S-chanf, który żył samotnie i pewnego listopadowego dnia wyszedł z domu, *mit unbekanntem Ziel*, w nieznanym celu. Jego szczątki odnaleziono w następne lato, w dolinie Buera, nad Zuoz. Nikt nie wie, po co tam poszedł, być może chciał pooglądać koziorożce. Policja nie określa przyczyny śmierci, ale wyklucza udział „osób trzecich".

– Te przypadki chyba nas nie dotyczą – komentuje Besana.

– Wygląda na to, że wiele osób wybiera się na samotne przechadzki w Szwajcarii – kontynuuje Ilaria. – Jakaś kobieta wyruszyła z Churu, chcąc obejść Gryzonię. Znaleźli ją w wodach rzeki Inn, w Dolnej Engadynie. Ponadto wielu kończy pod lawinami, na przykład uprawiając snowboard, lub w szczelinach latem. Jakiś koleś poszedł pojeździć ze znajomymi o północy, po zakrapianym wieczorze, przewrócił się i rozbił głowę o lodową ścianę, a reszta grupy nadal zjeżdżała, śpiewając i rechocząc. Dopiero na dole zorientowali się, że kogoś brakuje, i wezwali pomoc.

– Same frapujące historie, Piattola. Dziękuję.

– Polski turysta na wakacjach w Dolnej Engadynie wyszedł o piątej po południu, żeby pobiegać, a o ósmej jeszcze nie wrócił. Żona wszczęła alarm, do akcji ruszyli zarówno policja kantonalna, jak i ratownicy górscy z dwoma psami lawinowymi. Znaleźli go nazajutrz rano. Zgubił się w lesie i spędził noc w opuszczonym szałasie pasterskim. Na stronie są zdjęcia dwóch owczarków niemieckich, które go uratowały.

Besana schyla się, żeby podrapać Beck'sa po brzuchu.

– Słyszałeś? Te psy p r a c u j ą. Nie to co ty, ciągle się opieprzasz. – Besana wstaje, przeciąga się. – Zabiorę cię na spacer po lesie, Beck's, w przeciwnym razie rozleniwisz się jak ja. I będziesz miał taki sam brzuch.

– Marco, zaczekaj! Jest jakiś Włoch – mówi Ilaria. – Znaleźli jego szczątki we wrześniu. Zaginął dwa lata temu, w pierwszych dniach października.

– Sześćdziesiąt procent ciała znika w ciągu tygodnia. A co dopiero po takim czasie. Zapewne znaleźli sam szkielet – komentuje Besana.

– Tak, rzeczywiście, znaleziono szkielet. Nawet nie cały – odpowiada Ilaria.

– Normalna sprawa. Często znajdują nogę w jednym miejscu, a rękę w drugim. To przez dzikie zwierzęta.

– Można zbadać kości pod względem toksykologicznym?

– Oczywiście, ale wróćmy do tego, co mówiliśmy wcześniej. Musisz wiedzieć, c z e g o s z u k a s z. Kto to był?

– Livio Moser, właściciel galerii pracujący w Szwajcarii i Mediolanie.

– Jak na mój nos, mógł obracać się w tych samych kręgach – mówi Besana. – Bogacze zawsze inwestują w sztukę współczesną. Bycie kolekcjonerem to niemal obowiązek. Nie mówiąc już o tym, że to świetny sposób, żeby prać pieniądze.

– Wieczorem możemy zapytać Vittorię Brivio, czy go znała.

– Piatti, musimy rozróżnić płaszczyzny działania. To bardzo prawdopodobne, że go znała, ale dlaczego mielibyśmy przypuszczać, że go otruto? Gdyby w tych kościach znaleziono coś dziwnego, wszczęliby śledztwo.

– No tak – przytakuje rozczarowana Ilaria. – Rzeczywiście, sprawa została umorzona.

– Jesteś zniechęcona?

– Trochę. Ten seryjny zabójca wszystko przewiduje, jest świetny w zacieraniu śladów.

– Piatti, posłuchaj. Dotychczas mamy do czynienia z serią tragicznych zbiegów okoliczności. Fachowy termin to „pech". Jakiś facet przez pomyłkę zjada czekoladę skażoną tropomiozyną i pechowo natyka się na „problematycznego" niedźwiedzia, jak mówią. Jakaś kobieta pechowo zostaje napadnięta na ulicy przez kogoś, kto chodzi z czekanem. Potem mamy faceta, który pechowo doznaje zawału podczas pilotowania samolotu i rozbija się o stajnię, próbując awaryjnego lądowania. Jeszcze inny pechowo wpada do rozpadliny. A teraz ten koleś, który prawdopodobnie miał pecha i źle się poczuł w lesie. Gdzie w tym wszystkim możemy umieścić seryjnego zabójcę?

– Zbyt wiele razy użyłeś słowa „pech" – odpowiada Ilaria. – Cóż, to nietypowy seryjny zabójca, jeśli się nad tym zastanowić. Nie zostawia podpisów, zmienia *modus operandi*, używa różnych substancji, nie zabija z ostentacją, nie szuka sławy. A nawet się ulatnia.

– I ma wielki fart – dodaje Besana. – A nie pecha. Rzecz jasna, nie mógł przewidzieć nadejścia niedźwiedzia, zapalenia się samolotu czy upadku w rozpadlinę.

– To bardzo ciekawe, Marco. Czyli musimy się skupić na tym, co mógł przewidzieć, a nie odwrotnie.

27 LIPCA

Ilaria rozgląda się wokół w milczeniu. Są na kolacji w wyremontowanej osiemnastowiecznej chacie o drewnianych drzwiach, suficie i podłogach, obok czego stoi kaflowy piec. Ilaria podnosi wzrok i patrzy na duży żyrandol z porożem jelenia. Kelner w białej marynarce podaje polentę i mięso duszone, także z jelenia.

Czuje, że jej telefon wibruje, otwiera torbę i ukradkiem rzuca okiem na wyświetlacz. To SMS od agenta nieruchomości: „Mamy potencjalnego nabywcę, który jest zainteresowany obejrzeniem nieruchomości". Wreszcie jakaś sensowna wiadomość.

Tymczasem Besana właściwie sam wypił już butelkę burgunda. Siedzi przy uwielbiającym polowania doradcy handlowym i chirurgu plastycznym, i nie wie, co powiedzieć.

– Ile kobiet odwiedza twój gabinet i prosi cię o miseczkę E lub F? – pyta myśliwy.

– Miseczki E i F wyszły już z mody – odpowiada chirurg. – Kobiety zaczęły rozumieć, co to umiar, widoczny jest powrót do normalności. Teraz najczęściej proszą o miseczkę C. Rzecz jasna, są i takie, które lubią przesadzać, ale jest ich niewiele.

Jakaś kobieta, będąca w wieku, w którym nie pragnie się już nowego biustu, komentuje zgryźliwie: „Ale widać, że biust był operowany".

– To zależy. – Lekarz jest obojętny na prowokację. – Wolę umieszczać protezę nad mięśniem, w przeciwnym razie, kiedy kobieta się kładzie, jej biust nie opada na bok.

Besana ryzykuje pytanie o jad kiełbasiany, żeby zobaczyć, czy u kogoś wywoła poruszenie. Ale tak się nie dzieje.

– Jad kiełbasiany był prawdziwą rewolucją w medycynie este-tycznej, bo nie służy do wypełniania zmarszczek, tylko sięga głębiej, tam, gdzie zmarszczka się tworzy – objaśnia chirurg. – Trzeba go jednak używać z umiarem, żeby spowolnić proces tworzenia się zmarszczek i jednocześnie nie zahamować mimiki. I należy stosować odpowiednie substancje.

– A jakie to substancje? – Besana jest nad wyraz zaciekawiony.

– We Włoszech dopuszczone są trzy toksyny. Niewiele firm je wytwarza. Jest za to sporo samozwańczych chirurgów, którzy za pieniądze wstrzykują jakieś świństwo.

– Czy to prawda, że niektórzy wyprawiają *botox party*? – pyta rozbawiona Vittoria.

– Och, tak, to zamknięte imprezy, na których spotykają się ofiary botoksu i lasera, kobiety i mężczyźni spędzający wolny czas na operowaniu sobie nosa, piersi czy pośladków. Ale to nie moja bajka – ze śmiechem odpowiada chirurg.

Ilaria wpatruje się w wypchaną kozicę z zegarem między rogami.

– To dzieło szwajcarskiego artysty – objaśnia Vittoria.

– Kupiłaś je u Livia? – pyta mężczyzna w tyrolskiej kurtce z kościanymi guzikami, który dotychczas siedział cicho.

– Tak – odpowiada Vittoria – podczas tej wielkiej wystawy, którą przygotował pięć czy sześć lat temu w swojej galerii.

– Jakże nam brakuje Livia – komentuje jakaś kobieta. – Teraz wszystko przejęła ta jego okropna żona. Ona nie ma pojęcia o sztuce.

– No przecież, wcześniej pracowała jako pielęgniarka – naśmiewa się jej sąsiadka.

– Artyści twierdzą, że im nie płaci – mówi doradca handlowy. – Kilka dni temu spotkałem znajomego rzeźbiarza. Był wściekły. Powiedział, że rok temu sprzedała trzy jego dzieła, a jeszcze nie zobaczył ani grosza.

Besana pochyla się w stronę Vittorii, która siedzi obok niego.

– Co się stało z tym właścicielem galerii?

Kobieta kładzie mu rękę na kolanie i szepcze do ucha:

– Opowiem ci, gdy będziemy sami.

– Oczywiście – odpowiada Besana, nagle oniemiały w związku z tym przypływem czułości pod stołem.

Podczas kolacji Ilaria nie otwiera ust. Trochę jest to spowodowane atmosferą, która wprawia ją w dyskomfort. Nie może znieść tych ludzi i ich światowej gadaniny. Nie zazdrości im. Powiesiłaby się na żyrandolu z jelenim porożem, gdyby miała z nimi żyć. Ale jej złe samopoczucie ma odleglejsze korzenie. „Mamy potencjalnego nabywcę, który jest zainteresowany obejrzeniem nieruchomości". Może naprawdę uda się jej uwolnić od tego miejsca. Jak również od przeszłości, kto wie.

– Nie czuję się zbyt dobrze – szepcze.

Nikt jej nie słucha. Mówią o jakimś schronisku, do którego dojeżdża się kolejką i w którym cudownie jest się napić drinka o zachodzie słońca.

– Nie czuję się zbyt dobrze – powtarza nieco głośniej.

Tylko siedząca obok niej dziewczyna – podobnie jak Piatti nierozmowna przez cały wieczór – zwraca na nią uwagę.

– Chcesz, żebym odwiozła cię do hotelu?

– Dziękuję – odpowiada Ilaria, zasłaniając dłonią twarz. Ma ochotę zwymiotować.

Może powinna pójść do łazienki, żeby nie zwrócić w pokoju tego jelenia serwowanego w nadmiernej dawce. Wstaje, przewraca krzesło, chwieje się. Jest bardzo blada. Wreszcie inni zaczynają ją zauważać.

– Nie czujesz się dobrze, Ilario? – pyta Vittoria.

Do cholery, powtarzała to milion razy. Ale teraz nie może już otwierać ust. Ucieka do przedpokoju, szukając łazienki. Za późno. Wymiotuje na podłogę. Podchodzi do niej pomoc domowa w niebieskim fartuszku.

– Proszę się nie przejmować, proszę pani, ja to posprzątam.

Ilaria nie jest w stanie nawet podziękować, nadal się ślini. Chciałaby coś powiedzieć, ale zamiast tego kaszle.

Potem czuje rękę Marca na plecach, więc się odwraca.

– Zabiorę cię stąd.

Ona kręci głową i bierze głęboki oddech.

– Nie otruli mnie, możesz się nie martwić. – Próbuje się uśmiechnąć. – Musisz tu zostać, to ważne.

W tej samej chwili podchodzi do nich dziewczyna, która wcześniej zaproponowała, że podwiezie ją do hotelu. Różni się od innych, nie tylko ubiorem – polarem za trzydzieści franków i czarnymi pionierkami na gumowej podeszwie.

– Ja ją odwiozę – mówi.

Besana patrzy na koleżankę.

– Wróć tam – odpowiada Ilaria – ja pojadę z nią.

– Wreszcie sobie poszli. – Vittoria uśmiecha się. – Chcesz się czegoś napić?

Besana siada przed kominkiem w fotelu z gotowanej wełny, wielkim klasyku designu.

– Chętnie. Co masz?

– Koniak Lhéraud z 1983 roku, Calvados Dupont Millésimé z 1977 lub Braulio z supermarketu.

Besana śmieje się i wzrusza ramionami.

– Poddaję się, ty wybierz.

Vittoria otwiera dziewiętnastowieczny sekretarzyk zdobiony scenami polowań i stawia na stolę butelkę calvadosu. Potem zapala papierosa.

– Bardzo martwię się o Brunellę. Ciągle myślę o tym filmie z Seanem Connery. Jaki miał tytuł?

– *Na skraju przepaści* – odpowiada Besana.

– Właśnie ten. Nakręcono go tutaj. Scena ze zwłokami wyłaniającymi się z lodu po sześćdziesięciu latach jest niezapomniana. Ona przeżyła to samo. Jej mąż wyglądał tak, jak wtedy, gdy żegnała się z nim, wyjeżdżając do Nowego Jorku.

– Jesteście bardzo zaprzyjaźnione?

– Tak, zwłaszcza od kiedy zostałyśmy same. Te tragedie nas połączyły.

– Przykro mi. W jaki sposób zmarł twój mąż?

– Spadł swoim samolotem. Prawdopodobnie dostał zawału podczas lotu. Próbował awaryjnie lądować, ale mu się nie udało. Nawet nie wiesz, jakie mam poczucie winy.

– Dlaczego?

– Bo leciał mnie odwiedzić. Gdybym do niego pojechała, ta sytuacja nie miałaby miejsca.

Chwilę siedzą w ciszy, potem Vittoria wstaje i siada na poręczy wełnianego fotela. Udem dotyka ramienia Marca.

– Ale opowiedz mi coś o sobie. Jesteś żonaty?

– Rozwiedziony – odpowiada Besana, nie patrząc jej w oczy.

Vittoria opuszkami palców dotyka jego włosów.

– Wiem, co to znaczy być nieszczęśliwym. I w twoich oczach widzę, że i ty to wiesz. – Tymczasem jej ręka przemieszcza się na szyję Marca, pieści mu kark, delikatny, zabójczy punkt. – Ale się nie poddaję. Mam jeszcze tyle ochoty, żeby żyć.

Wstaje z poręczy i siada mu na kolanach. Patrzy mu w oczy. Marco się boi, ale nie wie czego. Nie chodzi o jej urodę i nawet nie o jej elegancję. Przeczuwa po prostu, że jest w niej czegoś za dużo, coś nieosiągalnego. Swego rodzaju dystans, którego nie potrafi zmierzyć, zwłaszcza teraz, gdy stykają się nosami.

– Mogę cię pocałować?

Besana daje znak, że się zgadza, na więcej nie umie się zdobyć.

28 LIPCA

Następnego ranka Besana puka do drzwi Ilarii. Beck's szczeka, bardzo mu zależy, żeby należycie odegrać rolę psa obronnego.

– Kto tam?

– To ja.

Ilaria wpuszcza go do środka, jest jeszcze w piżamie. Ma podkrążone oczy i jest bardzo blada.

– Ciągle źle się czujesz?

– Może mam grypę – odpowiada. Jej oczy są opuchnięte i zmęczone.

– Tylko mi nie mów, że pozwoliłaś mu spać w swoim łóżku. – Besana brodą pokazuje na psa, który po przywitaniu zaszył się pod kołdrą.

Ilaria wzrusza ramionami i się uśmiecha.

– To łóżko dwuosobowe.

– Piattola, przez ciebie będzie miał złe nawyki. W domu będzie próbował wejść mi do łóżka. Śmierdzi. Zmókł na deszczu, wytarzał się na łące w krowich gównach.

– Raz na jakiś czas powinieneś go wykąpać, Marco. Sprezentowałam ci nawet szampon dla psów. Mam nadzieję, że sam go nie użyłeś.

Besana siada na łóżku i głaska głowę psa, który nie ma najmniejszego zamiaru zejść na dół.

– Chyba nasza wersja nie trzyma się kupy, Ilario. Przed chwilą dzwonił do mnie Roberto. Chce, żebyśmy natychmiast wrócili do Mediolanu.

– Dlaczego?

– Aresztowano Senegalczyka, który zabił Martę Guerrę.

– O, cholera, nie. Są pewni?

– Miał jej torebkę.

– Może po prostu ją gdzieś znalazł.

– Nie sądzę. Siedział już za napad i usiłowanie morderstwa. Groził nożem kioskarzowi, żeby ukraść pieniądze z kasy.

– Właśnie, nożem. Nie wydaje ci się dziwne, żeby Senegalczyk chodził z czekanem?

– Słuchaj, Piatti, nie możemy tu zostać, nie płacą nam już za hotel.

– Moglibyśmy przynajmniej zaczekać na wyniki sekcji – nalega Ilaria.

– Robią drastyczne cięcia, zamykają cotygodniowe dodatki i wydania internetowe, wszyscy jesteśmy o krok od zwolnień. Kto miałby nam opłacić wakacje w Engadynie?

– To nie są wakacje.

– Mamy niewiele danych, Piatti. Ten seryjny zabójca jak na razie istnieje tylko w naszej wyobraźni.

Ilaria kiwa głową i składa swoje ubrania, żeby włożyć je do walizki.

– Kim jest dziewczyna, która cię odwiozła?

– Ma na imię Dafne. To *life coach* Vittorii.

– *Life coach*? A co to, kurwa, za profesja?

– Opowiadała mi o psychoterapii opierającej się na technikach oddychania w lesie, na świeżym powietrzu. W celu zyskania samoświadomości czy coś w tym stylu. Ale czułam się zbyt źle, by jej słuchać. Stawałyśmy trzy razy, bo musiałam wymiotować.

– Co za bzdury.

– Była miła – mówi Ilaria, wkładając koszulkę do walizki. – Znacznie różni się od innych. A ty? Dowiedziałeś się czegoś?

Besana odwraca się, niby chcąc podrapać psa za uchem.

– Niczego – odpowiada.

28 LIPCA

Zaraz po przyjeździe do Mediolanu Ilaria dzwoni do córki Marty Guerry. Nie zamierza odpuścić. Nikt jej nie prosił, żeby nadal zajmowała się tą sprawą, więc musi wymyślić pretekst, żeby spotkać się z Dilettą.

– Artykuł o mojej matce, naprawdę?

– Tak, do magazynu. Chcieliśmy wyjść poza kronikę kryminalną, opowiedzieć, kim była, co robiła, przedstawić jej pasje.

– Cóż, to wspaniały pomysł – odpowiada Diletta. – Mama by się cieszyła, dziękuję.

– Wiem, że była artystką. Czy można zobaczyć jej pracownię? A może nawet jej dom?

– Oczywiście. Dom i pracownia znajdują się w tym samym budynku. Proszę wybrać dzień w przyszłym tygodniu. Wyjeżdżam nad morze, ale na pewno pojawię się w Mediolanie.

– Tak naprawdę powinnam dostarczyć artykuł jutro – kłamie Ilaria.

– Ach, rozumiem. Dla mnie to trochę kłopot, muszę się jeszcze spakować.

– Zabiorę pani tylko godzinę.

– Zgoda. Możemy się zobaczyć około szóstej. Wyślę pani adres na WhatsAppie.

W pracowni Marty, olbrzymiej jak na artystkę jej kalibru – ale przecież cały budynek należał do niej – nie ma śladu woskowych rzeźb. Ilaria spodziewała się pseudodziewiętnastowiecznych popiersi, tymczasem o puste ściany są oparte obrazy konceptualne. Naturalnie nie są piękne, a w dodatku zbyt duże jak na niemuzealne ściany, jednak spowija je nimb tajemnicy. To obrazy pokryte liczbami. Liczby nadrukowano na zdjęcia gór. Tylko jeden się wyróżnia. To reprodukcja obrazu Füsslego *Przysięga trzech konfederatów na Rütli*, na którym gęste cyfry stanowią przedłużenie miecza.

– Myślałam, że rzeźbiła w wosku – mówi Ilaria.

– Tak, nazywała to „okresem miodu”. Potem pewnego dnia wyrzuciła całą kolekcję rzeźb na śmietnik. Przestały się jej podobać. I całkowicie zmieniła swój styl. Chciała urządzić wielką wystawę tych obrazów. Miała zaskoczyć wszystkich, jej zdaniem.

– Co oznaczają te liczby?

– Nie wiem. Matka tłumaczyła, że liczby mówią, że zawsze mówią prawdę.

– Mogę zrobić zdjęcie?

– Oczywiście – odpowiada. – Gdzie miałyby się podziać te obrazy? Nie kupowały ich nawet jej koleżanki. – Diletta zagryza wargi. – Ale proszę tego nie pisać.

Potem wewnętrznymi schodami idą piętro wyżej. Po amfiladzie salonów dochodzi się do niewielkiej pracowni, bardzo zabałaganionej, pełnej książek. Ilaria próbuje wszystkiemu się przyjrzeć: monografie o niedźwiedziach, historie trucizn, starożytne traktaty botaniczne. Obok komputera zauważa zeszyt pełen notatek i zaczyna go przeglądać.

– Pisała powieść?

– Nie, nie, nie umiała napisać nawet maila, mama miała głęboką dysleksję. To tylko ta jej obsesja na punkcie Giovanny Bonanno, seryjnej trucicielki z osiemnastego wieku.

– Stara od octu?

– Pani też o niej słyszała?

– Pani matka często o niej wspominała na swoim facebookowym profilu.

– Pewnie. To była jej kolejna mania, pojechała nawet na Sycylię zobaczyć akta procesu. Chyba musiała się czymś zająć, jak sądzę. Żeby nie myśleć zbyt wiele o śmierci mojego ojca. – Diletta bierze głęboki oddech.

– Straciła pani również ojca?

– Tak, oboje rodziców w ciągu jednego roku. To było ciężkie.

– Współczuję. Co mu się stało?

– Nowotwór złośliwy. Zmarł po paru miesiącach.

„Nazywam się Giovanna Bonanno, urodziłam się w tym mieście, w Palermo, jestem wdową pod Vincenzu, mam około siedemdziesięciu pięciu lat i utrzymuję się z jałmużny".

Tak rozpoczynają się zeznania Starej od octu przed sądem królewskim w Palermo.

Twierdziła, że wszystko zaczęło się przez przypadek, dwa lata i kilka miesięcy wcześniej („W dniu, którego nie pomnę"). Giovanna usłyszała od kogoś, że jakaś dziewczynka wypiła przez pomyłkę „płyn nazywany octem, który służy do zabijania wszy", i cały czas wymiotowała. Dziewczynka zmarłaby, gdyby nie podano jej oliwy z oliwek.

„Wówczas ja – tłumaczyła Giovanna, jakby to była najnormalniejsza rzecz na świecie – nie mając środków do życia, postanowiłam nabrać biegłości co do tego octu, żeby zarobić kilka talarów".

Giovanna wiedziała, że ów ocet w porównaniu ze zwykłymi truciznami miał pewną zaletę: nikt go nie znał, więc nikt nie mógł podejrzewać morderstwa. Był to zwyczajny płyn przeciw wszom. Komu przyszłoby do głowy, żeby używać go jako broni *ad homines occidendum*?

Giovanna dowiedziała się, że sprzedawał go don Saverio La Monica, zielarz z ulicy Gioja Mia w pobliżu Papireto. I postanowiła dokonać próby. Bardzo okrutnej.

Kupiła „trzy ziarenka w szklanym flakoniku", buteleczkę, potem wzięła małego psa i przywiązała go sznurkiem przy Porta Dossuna. Zmieszała ocet z chlebem i podała go psu. Po kilku godzinach wróciła i ujrzała psiego trupa wśród wymiocin.

Ale Giovanna była sprytna. Wiedziała, że otrucie łatwo odkryć. Wystarczyło sprawdzić, czy ofiara traci włosy. Tak więc zaczęła ciągnąć psa za sierść, ale nic się nie wydarzyło. I wtedy

Giovanna zrozumiała, że trafił jej się świetny biznes. Należało tylko porozpowiadać, że to substancja, której przygotowanie spowite jest tajemnicą.

„Twierdząc, że jestem w posiadaniu wody, która zmieszana z jedzeniem i piciem doprowadza do wymiotów, a następnie do śmierci, tak że nie można wykryć przyczyny, bo nie zostawia oznak zewnętrznych, rozgłaszałam wieść o occie, nazywając go wodą, ażeby nie odsłonić tajemnicy".

Pewnego dnia przyszła do niej sąsiadka, niejaka Angela La Fata, pytając, czy zna kogoś, kto potrafi czynić uroki, bo chciała śmierci swojego męża. Innymi słowy prosiła o czar. Była zakochana („uwikłana w nieprawej bliskości") w niejakim Giuseppe Billotcie, wędrownym sprzedawcy gorących posiłków – ówczesnego street foodu – który był gotów ją poślubić, gdyby owdowiała.

„Słysząc to – wyznała Giovanna – powiedziałam, że nie znam żadnej czarownicy, ale że posiadam pewną wodę..."

Cena wynosiła sześć talarów, ale Angela tyle nie miała. Zostawiła jednego talara jako zaliczkę i obiecała, że odda wszystko, gdy już będzie po sprawie. Z początku środek nie działał: mąż Angeli pił ocet na wszy w winie, ale jedynie wymiotował. Zaniepokojona Angela wróciła do Bonanno. Coś było nie tak. On nadal mógł stać o własnych siłach i chodzić. Tak więc zwiększyły dawkę.

Po kilku dniach Giovanna Bonanno przechodziła obok domu Angeli La Fata i ujrzała ją w czerni. Mąż nie żył, więc Giovanna zażądała brakujących pięciu talarów. Angeli jednak to nie obchodziło. Powiedziała, że została jej jedna fiolka i może ją oddać.

„Nie chciała mi nic dać – uskarżała się stara – za środek lepszy niż czary, na które tylko trwoni się pieniądze".

– Spritza?

– Z dużą ilością lodu – odpowiada Ilaria. Cała jest spocona.

– No to posłuchajmy. Dlaczego tak ci się spieszyło? Co odkryłaś?

– Marta Guerra miała obsesję na punkcie pewnej osiemnastowiecznej trucicielki – mówi szeptem Piatti, rozglądając się wokół.

– No i?

– To była seryjna trucicielka, Marco. Moim zdaniem Marta szukała analogii z naszym seryjnym zabójcą.

– Teraz bredzisz, Piattola. – Besana wzdycha.

– Dlatego ją zabili. Bo zrozumiała coś, co nam umyka.

Besana wypija łyk spritza.

– Ja też mam wiadomość.

– Jaką?

– Aresztowany Senegalczyk dziś w nocy zmarł w więzieniu.

– Otruty?

– Przykro mi, ale nie. To się stało podczas bójki, został ugodzony nożem.

– Cholera. Nie będzie można udowodnić jego niewinności.

– Słuchaj, wydaje mi się, że za bardzo zależy nam na ściganiu seryjnego zabójcy. Być może on nie istnieje.

– Nie istnieje? – Ilaria czerwienieje ze złości. – To jak wyjaśnisz tę serię trupów?

– To tylko przypuszczenia, które wysnułaś w chwili nudy, smutku.

Ilaria kręci głową.

– Nie zgadzam się, przykro mi. Poza tym także mąż Marty Guerry umarł. Zbyt dużo jest tych wdów.

– Na co umarł?

– Na raka, jak mówią – odpowiada Ilaria.

– O ile wiem, trudno kogoś w ten sposób zabić.

– Jesteśmy pewni, że to naprawdę była choroba?

Marco wyciąga telefon z kieszeni i dzwoni.

– Cześć, nie przeszkadzam?

Ilaria patrzy na niego. Besana rozmawia o karcie pacjenta i nowotworze wątroby.

– Jasne. Dzięki.

– Przepraszam, z kim rozmawiałeś?

– Z onkologiem, który zajmował się mężem Marty Guerry – odpowiada spokojnie Besana. – To mój znajomy.

– Skąd wiesz, że się nim zajmował?

– Bo jest najsłynniejszy w całych Włoszech. Trudno żeby bogaci ludzie zwracali się do kogoś anonimowego.

– I co powiedział?

– Że jesteś wizjonerką. Wiesz, ile miał przerzutów?

– Dobrze, już dobrze – mówi Ilaria. – A inni?

– Jacy inni?

28 LIPCA

– Przecież mi obiecałeś – mówi Ilaria.

– Ja też chciałbym uciec z tobą do Kambodży, co ty myślisz – odpowiada poirytowany Nicola. – Posiadanie dzieci to ciężka sprawa.

Ilaria wstaje z łóżka, otwiera szufladę i wkłada spraną koszulę nocną w kratkę.

– Tak zazwyczaj śpisz? – Nicola patrzy na nią.

– Należała do mamy. Wkładam ją, kiedy mam ochotę.

– Przepraszam, kochanie, przepraszam. – Nicola chwyta ją za rękę. – To nie moja wina.

Ilaria odwraca wzrok.

– Wystarczyło nic nie obiecywać – odpowiada.

– Miałem nadzieję, że się uda, Ilario.

– Ja też. Ale nasze nadzieje nie są sobie równe. Ty trzymasz wszystko w ręku, a to niesprawiedliwe.

– Wiem, że to niesprawiedliwe, ale nie mogę nic zrobić. Moja teściowa ma złamane biodro, żona jest sama z dziećmi. A ja miałbym wyjechać do Kambodży?

– Jutro jedziesz do Korei. Jaka jest różnica?

– To w sprawach zawodowych. Jest różnica. Poza tym nie będzie mnie tylko cztery dni. Pojadę, pójdę na zebranie i wrócę.

Ilaria nie ma ochoty targować się o liczbę dni. Cztery by jej wystarczyły, ale tego nie mówi.

– Tym lepiej – odpowiada. – Ja też mam masę roboty.

Nicola uśmiecha się z ulgą. Pochyla się, żeby ją pocałować, ale ona go odpycha.

– Być może zapomniałeś, że jestem dziennikarką – mówi – i mam swoje źródła. Więc mogę się dowiedzieć, czy niejaka Antonia Righetti była hospitalizowana ze złamaniem biodra w którymkolwiek szpitalu w mieście.

Nicola blednie.

– Teraz będziesz mnie sprawdzać jak przestępcę?

– Nie, sprawdzam tylko kłamstwa. Jeśli wolisz jechać nad morze z żoną, chcę, żebyś mi o tym powiedział.

Nicola szybkim krokiem podchodzi do drzwi i je otwiera.

– Skoro tak, to idę sobie.

– Skoro tak, to możesz sobie iść – odpowiada Ilaria.

Besana szuka kluczy w kieszeniach spodni, które kleją mu się do ud. Jego koszula jest mokra pod pachami, śmierdzi lipcowym autobusem, czuć od niego piwo, które wypił jako jedyne pocieszenie po całym dniu spędzonym na szkoleniu. Podnosi głowę i widzi ją. Co ona robi pod jego drzwiami?

Przez chwilę się wstydzi. Budynku z lat siedemdziesiątych, w którym mieszka, swojej ulicy – arabski sklep rzeźniczy, bliskowschodni fast food, bar pełen emerytów, rumuńska pralnia, peryferyjny fryzjer – balkonów pełnych suszarek z bielizną i plastikowych krzesełek, zardzewiałych rowerów i roślin niepodlanych przez staruszki w kapciach. Patrzy na nią: blond włosy prosto od fryzjera w centrum miasta, wygląda pięknie w swojej jedwabnej sukience w kwiaty, butach na niewielkich obcasach, które w każdej chwili mogą utknąć w kratce ściekowej tuż obok. Jej dłonie, miękkie od kremu, są upierścienione, paznokcie zadbane, ściska luksusową torebkę, która nawet pusta mogłaby stanowić pokusę dla złodzieja. Uśmiecha się do niego.

– Niespodzianka!

Marco podchodzi bliżej, powłócząc nogami.

– Byłaś na zakupach w okolicy?

Vittoria śmieje się, ona też odczuwa lekki dyskomfort.

– Przyznam, że nie znam okolicy.

– Niedaleko jest Chinka, która sprzedaje sukienki podobne do twojej po dziesięć euro.

Ona patrzy na niego w milczeniu. Skóra Vittorii jest lekko opalona, wygładzona zastrzykami witaminowymi, jej usta błyszczą, a zęby lśnią po zabiegach wybielających.

– Chcesz się czegoś napić? W domu zawsze mam piwo – mówi Besana.

Vittoria opuszcza głowę, żeby ukryć uśmiech jak u nastoletniej dziewczyny, która uciekła z domu.

– Chętnie – odpowiada. – Jest tak gorąco.

– Najpierw jednak muszę wyprowadzić Beck'sa, nie sikał od pięciu godzin.

– Jasne. Pójdę z tobą.

– W porządku. Zaczekaj na mnie tutaj. Winda jest zepsuta, lepiej, żebyś tylko raz weszła piechotą na szóste piętro.

Besana wchodzi do domu, Beck's skacze na niego, ale on odgania go gestem ręki. Musi szybko posprzątać. Na podłodze leżą brudne majtki, w domu walają się zwinięte skarpetki, pod prysznicem suszą się koszule – czy kibel jest czysty? – w zlewie piętrzy się stos niepozmywanych naczyń, w śmietniku pełno jest butelek, w każdym kącie czają się filiżanki z zaschniętą kawą. Co za wstyd. Już samo mieszkanie jest okropne, jak ma wpuścić taką kobietę do tego domu? Tymczasem pies chodzi za nim, trzymając smycz w pysku. Nie może kazać zbyt długo czekać, ani jej, ani psu – brakowałoby tylko, żeby zsikał się w przedpokoju.

Wraca na dół jeszcze bardziej spocony. Beck's ciągnie go w stronę parku, równie brzydkiego jak cała dzielnica.

– Pracujesz nad jakąś ważną sprawą?

– Gdzie tam. Dziś znowu jakieś pieprzone nudy, jakby było nam mało – odpowiada Besana. – Obowiązek rozwoju zawodowego nigdy się nie kończy! Uchwalili nową ustawę, z inicjatywy Unii Europejskiej: wszyscy dziennikarze, wliczając emerytów, muszą chodzić na szkolenia. Nie będę ci mówił, jakie to jest upierdliwe.

– A jeśli się nie pójdzie?

– Mogą wszcząć postępowanie dyscyplinarne. Nic mnie nie obchodzi, że będzie mnie prześwietlać Stowarzyszenie Dziennikarzy, mógłby to być wreszcie pretekst, żeby mnie ostatecznie wyrzucić i zabronić mi współpracy.

– A czego dotyczą szkolenia?

– Same bzdury. Gdyby uczyli pisać po włosku, byłoby to bardziej przydatne. Znam wiele osób, które mogłyby z tego skorzystać.

Vittoria śmieje się. Marco wyciąga z kieszeni wymiętą kartkę.

– Sama posłuchaj. „Deontologia i zniesławienie". „Płeć, pochodzenie etniczne i orientacja seksualna: odmienność w mediach". *„Search Engine Optimization* i *Search Engine Marketing*, czyli jak zyskać widoczność swojej strony internetowej w przeglądarce". Wszystko w ten deseń.

– A ty co wybrałeś?

– Wiele kursów jest płatnych. Ciągłe szkolenie stało się biznesem. Więc wybrałem: „Odpowiedzialność prawną w starych i nowych mediach". Przynajmniej jest bezpłatna.

– Dostajecie też oceny? – Vittoria puszcza do niego oko.

– Ty sobie żartujesz, a usadzili nas w odrapanej auli, ściśniętych jak licealistów, mój kolega z ławki to paryski korespondent gazety.

– Cóż, regres jest podniecający. Sprawi, że poczujesz się młodszy.

Besana podnosi dłoń poirytowany.

– Straciłem dziesięć lat życia. Szkoleniowiec mówił nieprzerwanie przez osiem godzin. Bez żadnych wykresów, tabeli, prezentacji. Ale na biurku trzymał stos egzemplarzy swojego podręcznika, który właśnie się ukazał. Oto dlaczego kurs był bezpłatny.

Vittoria wybucha śmiechem. Besana to dla niej egzotyczne zwierzę.

– Dwie godziny, żeby powiedzieć, że nie istnieje prawo do zapomnienia. I kolejne dwie, żeby objaśnić nowy „Kodeks deontologii", który uznaje media społeczne za źródło informacji dziennikarskich. Wolne pole dla fake newsów. To koniec imperium.

Vittoria gładzi jego policzek.

– No już, jest po sprawie.

– Tak, dla pięciu punktów warto poddać się takiej udręce. W przyszłym miesiącu zapisałem się na kolejny kurs zatytułowany: „Instagram a dziennikarstwo: logika i strategia użycia dla wykreowania cyfrowej reputacji". Jest wart szesnaście punktów. I będę miał cyfrową reputację.

Potem patrzą na siebie. Besana zastanawia się, dlaczego opowiedział jej to wszystko. To przecież nie może interesować kobiety takiej jak ona. Ale nie ma czasu na rozmyślania. Vittoria wspięła się na czubki palców, żeby go pocałować.

– Zabierz mnie do siebie, Marco.

29 LIPCA

Ilaria z ciekawości sprawdza stronę chirurga plastycznego, którego spotkała u Vittorii. Ludovico Crivelli, teść Alessii, jej koleżanki ze studiów. Cóż za interesujący zbieg okoliczności: druga żona, młodsza o dwadzieścia lat, pracuje z nim w gabinecie, jest dietetyczką i alergolożką. No proszę. Czyli ci ludzie świetnie znają zarówno jad kiełbasiany, jak i tropomiozynę. Jaki może mieć to związek z ofiarami?

Po kilku godzinach dzwoni do Besany.

– Poszukałam trochę informacji o tym chirurgu plastycznym. To specjalista od BBL: Brazilian Butt Lift – opowiada Marcowi. – Pobiera się tłuszcz z brzucha lub z kolana za pomocą mikrorurek cienkich jak igły i przenosi do pośladków, żeby je podnieść.

– Ja też chciałbym usunąć sobie brzuch. Ale gdzie miałbym go przenieść?

– Posłuchaj mnie, zamiast się wygłupiać. Problem polega na tym, że tłuszcz powinien zostać wstrzyknięty pod skórę, a nie w mięsień. To bardzo delikatna operacja: jeśli tłuszcz dostanie się do krwiobiegu, może spowodować zator tłuszczowy.

– Zator gazowy, chciałaś powiedzieć.

– Nie, właśnie tłuszczowy. To szczególna postać zatoru płucnego, wywołana obecnością fragmentu tkanki tłuszczowej w naczyniu transportującym krew do płuc.

– Przepraszam, dlaczego mi to wszystko opowiadasz?

– Bo to bardzo niebezpieczny zabieg. Umiera jeden na trzy tysiące pacjentów.

– No i? Co to ma wspólnego z tą sprawą?

– Zaczekaj – mówi Ilaria – jeszcze nie skończyłam.

– Chcesz powiedzieć, że zabił kogoś swoim tłuszczem?

– Crivelli miał sprawę o spowodowanie śmierci przez zaniedbanie. Jakaś dziewczyna po lipofillingu pośladków zapadła w śpiączkę, a potem umarła. Sekcja wykazała obecność tłuszczu w mięśniach.

– A ta pacjentka miała związek z naszymi ofiarami?

– Nie, nie miała z nimi nic wspólnego. Sprawdziłam.

– Czyli zrobiłaś mi zupełnie zbyteczny wykład z medycyny. Dziękuję, Piatti, wypełniłaś istotną lukę w mojej wiedzy ogólnej.

– Nie pozwalasz mi mówić.

Besana wzdycha.

– Wypadek wydarzył się w klinice w Lugano należącej do Carla Rigamontiego – kontynuuje Ilaria. – Świat jest mały, co?

Besana jest w domu z Vittorią, przechodzi do kuchni i wygląda przez okno, żeby nie było go słychać.

– Do czego zmierzasz?

– Warto dodać, że Crivelli został uniewinniony, a całą winą obarczono pielęgniarkę. Klinika musiała wypłacić olbrzymie odszkodowanie. Czyli Rigamonti miał z nim porachunki.

– Gdyby tak było, dlaczego Vittoria miałaby go zapraszać na kolację?

– Bo Crivelli dał jej zniżkę na poprawianie urody?

– Ona nie miała operacji – protestuje szeptem Marco.

– Jasne, jest całkowicie naturalna. Ja mam więcej zmarszczek.

– Piatti, mam gości. Skończyłaś?

– Prawie.

– To się pospiesz.

– Wiesz, kim jest żona Crivellego? Alergolożką.

– Bardzo modna specjalizacja. Dziś wszyscy są na coś uczuleni.

– Nie rozumiesz? Komu może przyjść do głowy, żeby zabić tropomiozyną?

PALERMO 1788

Podczas procesu wyszło na jaw także pewne oszustwo (czy też żart, jak twierdziły oskarżone). Pewnego dnia do Giovanny Bonanno przyszła Agata Demma. Chciała się pozbyć pomocy domowej mającej romans z jej zięciem, który oszalał z miłości i przestał zajmować się dziećmi.

„Postanowiłyśmy jednak spłatać jej figla i wyciągnąć od niej pieniądze", wyznała Giovanna.

Kobieta jak zawsze poprosiła o rzucenie uroku, a Bonanno odpowiedziała, że może dać jej specjalną wodę, którą należy polać schody, zanim przejdzie nimi dziewczyna. Nie zamierzała trwonić w ten sposób octu na wszy, wcisnęła jej „wodę garbarską" i zainkasowała osiem talarów. Naturalnie pomocy domowej nic się nie stało, a Demma udała się natychmiast do wspólniczki Bonanno z reklamacją („Poskarżyłam się, że mnie okantowała i zabrała osiem talarów").

W międzyczasie wieść zaczęła się roznosić. I wiele kobiet pukało do drzwi Giovanny Bonanno z prośbą o tajemniczy płyn.

„To prawda, że ta woda ma moc uśmiercenia tego, kto jej zażyje, tak że nie można rozpoznać przyczyny?"

„To prawda, kto jej zażyje, umiera w ciągu kilku dni – odpowiadała wszystkim Giovanna – nie dając objawów otrucia, trup nie czernieje, a jeśli pociągnąć go za włosy, to nie zostają w ręku. Jeśli zaś będzie wymiotował, to się nie bójcie, bo gdy lekarz obejrzy wymiociny, nie będzie umiał ustalić ich powodu".

Pewna kobieta imieniem Rosalia chciała słynnego eliksiru, żeby pozbyć się męża. Motyw? Don Agostino Caracciolo, urzędnik władz burbońskich, przejadł jej majątek, a w dodatku nie pozwalał jej się prostytuować („Nie zezwala, żeby wzięła się do roboty"). Tak przynajmniej opowiadała. W rzeczywistości jej działalność przynosiła większe dochody: była fałszerką. Należała do bandy, która wypuszczała na rynek złote monety podrabiane dzięki spolerowaniu zewnętrznych krawędzi oryginału. Problem polegał na tym, że Caracciolo miał posadę rządową i nie mógł tolerować, żeby jego żona niszczyła mu reputację urzędnika państwowego.

Rosalia zatem postanowiła przejść do czynu. Podała mu ocet z pierwszej fiolki i zaczęła obserwować, co się dzieje. Ale szybko zdjął ją strach, „bo kiedy wymiotował, potwornie krzyczał, zwijając się z bólu w żołądku". Wówczas matka Rosalii, donna Michela, wzięła sprawy w swoje ręce i udała się do Bonanno z prośbą o pomoc.

„Jeśli córka nie będzie chciała dać więcej wody mężowi – powiedziała – rozwalę jej łeb o ścianę".

„Jeśli nie da więcej tej wody mężowi – odparła Giovanna – nic się nie stanie, zostanie kaleką, a wy będziecie żyć w nędzy, choć mnie będziecie musiały zapłacić tak czy inaczej".

Donna Michela przyznała jej rację, sprzedała srebrny sztuciec za uncję i piętnaście talarów. A Rosalia zapłaciła jej sześcioma talarami i dwoma zepsutymi miedzianymi świecznikami.

Według zeznań sąsiadów do domu nie przybył żaden lekarz, kiedy Agostino umierał. Żona wyszła tylko, krzycząc: „Pomocy, pomocy! Wezwijcie spowiednika, mąż mi umiera!". Ksiądz zjawił się jednak zbyt późno. Wdowa, znów według relacji sąsiadów, nie wydawała się niepocieszona. Usprawiedliwiała się: „Umieram z przerażenia". Ale nikt jej nie wierzył, również dlatego, że w kolejnych dniach Rosalia nie nosiła żałoby. Wprost przeciwnie. Widywano ją ubraną „odświętnie" z modną fryzurą pełną loków („cała ufryzowana") i ognistoczerwoną przepaską we włosach. A przecież wyszła za don Agostina zaledwie dwa miesiące wcześniej.

Ani ona, ani matka nie zostały nigdy przesłuchane. Podczas procesu siedziały w więzieniu za rozprowadzanie fałszywych monet i być może nikt nie chciał skierować światła na burbońskiego urzędnika.

30 LIPCA

Ilaria szuka Besany przez cały dzień. Jego telefon jest ciągle wyłączony. Zostawia mu wiadomości głosowe na WhatsAppie: „Mam ci coś ważnego do powiedzenia. Gdzie, do cholery, się podziewasz?" – a on nie dzwoni. Może zepsuł mu się telefon? Postanawia odwiedzić go w domu.

Widzi, jak parkuje przed wejściem. W samochodzie ktoś z nim jest. Chwilę potem Vittoria otwiera drzwi. Zakłopotana Ilaria wita się z obydwojgiem.

– Co tu robisz?

– Marco, muszę z tobą porozmawiać. Szukam cię cały dzień.

Besana prycha.

– Vicky, weź klucze. Za pięć minut będę na górze.

Gdy tylko Vittoria znika, Ilaria patrzy na niego wybałuszonymi oczami.

– Co to znaczy? Jesteś z nią?

– Piatti, zajmij się swoimi sprawami. Nie jestem twoim narzeczonym.

– Marco, uważaj. Robisz duży błąd.

– Dlaczego?

– Zbyt się różnicie. Ty w jej świecie jesteś niczym niedźwiedź w cyrku.

– Jak śmiesz? – Besana próbuje się uspokoić i rusza w kierunku wejścia. – Przepraszam, muszę cię zostawić. Jesteśmy zaproszeni na kolację.

– Mój Boże, zacząłeś już mówić jak ona – odpowiada osłupiała Ilaria.

– Słuchaj, Piatti, ostatnio nie jest z tobą dobrze. Masz obsesję na punkcie nieistniejących seryjnych zabójców i stałaś się zbyt agresywna. Może powinien cię zobaczyć jakiś dobry specjalista?

Teraz naprawdę przesadził. Z trudem przychodzi mu nawet zrozumienie ładunku przemocy, jaki tkwi w tych słowach.

– Spierdalaj – odpowiada Ilaria. – Kompletnie zwariowałeś. Ta suka zrobiła ci pranie mózgu.

Besana odwraca się gwałtownie.

– Słucham?

– Powiedziałam, że ta suka zrobiła ci pranie mózgu – powtarza Piatti z uniesionym podbródkiem.

Marco przystaje, patrzy na nią. Ilaria czuje, jak przeszywa ją pogardliwe spojrzenie. Co mu się stało?

– Nasza współpraca kończy się tutaj – obwieszcza Besana.

Ilaria z niedowierzaniem kręci głową.

– Ale nie nasza przyjaźń, mam nadzieję.

Besana uśmiecha się do niej sarkastycznie.

– Piatti, ja się zestarzałem, a ty podrosłaś. To nie może przetrwać.

Odwraca się i wkłada klucz do zamka. Ale Ilaria chwyta go za koszulę.

– Dlaczego? Dlaczego to nie może przetrwać?

– Bo my zbyt się od siebie różnimy – odpowiada, odwracając się i pchając ręką drzwi.

– Marco? Zaczekaj! – krzyczy ona. – Pozwól mi tylko powiedzieć, dlaczego przyszłam.

– Nie interesuje mnie to.

Ilaria przytrzymuje stopą drzwi.

– Nie interesuje cię, że wzrost Senegalczyka nie zgadza się ze wzrostem zabójcy z nagrań kamer? – Ilaria próbuje się uśmiechnąć. – Udało mi się to nawet powiedzieć w objętości nieprzekraczającej stu dwudziestu znaków.

Ale Besana już się odwrócił w drugą stronę.

– Nie, nie interesuje mnie to.

30 LIPCA

Gwałtowny letni deszcz spada nagle na Mediolan. Ilaria wbiega do najbliższego baru. Przypomina się jej, że nic nie jadła od wczorajszego wieczoru. Staje i patrzy na przygnębiającą ladę. Jest tylko kilka tostów z szynką i serem. Białe i matowe wyglądają jak mydło.

– Może mi pan odgrzać jednego?

Siada przy stoliku, sala jest pusta. Obrus z czerwonej satyny pokrywają okruchy, pośrodku leży zmięta, zatłuszczona serwetka, której nikt nie wyrzucił.

– Co do picia? – krzyczy ktoś zza lady.

– Butelkę wody niegazowanej – odpowiada instynktownie.
Potem się rozmyśla: – Jednak nie. Poproszę spritza, dziękuję.

To jej pierwszy samotny aperitif. Przez chwilę myśli o dniu,
kiedy Besana odkrył przed nią ten rytuał, którego należy prze-
strzegać z nabożną czcią, i kiedy wraz ze swoim pierwszym
spritzem dostała swój pierwszy tablet. Wyjmuje go z torby, osło-
na jest już zniszczona, gładzi go. To jedyny towarzysz drogi, jaki
jej pozostał. Tyle razem przeszli.

Potem dostaje tost, jest zwęglony, ale i tak go zjada. Spritz
jest rozwodniony, nie ma smaku, lód dryfuje na powierzchni
jak góra lodowa. Ilaria bierze do ust słomkę, gryzie ją. Myślała,
że prawie dorobiła się nowego życia. A oto znów rozlicza się
z zupełną pustką.

Do gazety jej nie przyjęli: „Gratulacje, Piatti, gratulacje”;
w sierpniu nie wyjedzie z mężczyzną, w którym jest zakochana: „Zarezerwuję także hotel w kurorcie!”; a teraz nawet Besana się jej pozbył. To najgorszy ból – po nim nie spodziewała
się zdrady. Zaciska zęby na słomce.

Potem tablet się rozświetla. Przypomina jej o „wydarzeniu”
zapisanym w kalendarzu. Na ekranie pojawia się biały pasek
z napisem: „Dom. Jutro 18.30 (zejdź na dół, żeby otworzyć)”.
Nie musi schodzić ani otwierać, doskonale wie, że jutro uda się
do biura nieruchomości i do domu, w którym zabito jej matkę,
i będzie musiała opowiadać nabywcom: „Popatrzcie, jak widno,
ile okien. Jest też ogród!”. Policzą metraż, porozmawiają o in-
stalacji elektrycznej niespełniającej norm i ustalą cenę za to, co
tam przeżyła. Czy ona może się jeszcze czegoś bać?

Wstaje i dumnym krokiem podchodzi do kasy, płaci za spa-
lonego tosta i rozwodnionego spritza. Śmiało otwiera portfel
i zostawia nawet napiwek.

Część druga

Sierpień

8 SIERPNIA

– Czego chcesz? – pyta niegrzecznie Besana.

– Mam ważne wieści – ogłasza Ilaria podnieconym głosem. – Muszę cię zobaczyć.

– To niemożliwe, jestem za granicą.

– Gdzie?

– W Szwajcarii – odpowiada oschle.

– Ach, rozumiem – mówi Ilaria. – Zaprosiła cię do siebie.

– To nie twoja sprawa.

– A jednak tak. Kup sobie „Blicka", skoro tam jesteś.

– Ten szmatławiec?

– Zobacz wiadomość na pierwszej stronie. Mogła być nasza. Chcesz, żebym przeczytała ci tytuł? „Włoch znaleziony na lodowcu został otruty".

– Zaczekaj, oddzwonię.

Marco zakłada Beck'sowi smycz i mówi, że musi na chwilę wyjść. Zanim oddzwoni do Ilarii, idzie na dworzec, żeby kupić gazetę. Ogląda ją i chowa do kieszeni. Potem wyciąga komórkę.

– Piattola, musisz mi to przetłumaczyć.

– Nie podają nazwisk, ale wiadomo, o kim mowa. Badanie toksykologiczne wykazało obecność akonityny. To substancja, której zazwyczaj się nie szuka, ale tydzień temu odnaleziono jego plecak. Zdaje się, że w środku była fiolka z *Aconitum remedy 201*, na zapalenie zatok i nerwoból nerwu trójdzielnego. Policja kantonalna kazała zbadać zawartość: nie był to roztwór homeopatyczny.

– Więc kazano zrobić drugą sekcję?

– Właśnie tak.

– Cholera – odpowiada Besana. – Vittoria nic mi nie mówiła, prawdopodobnie Brunella jeszcze o tym nie wie.

– Chyba i ja wpadnę do Szwajcarii – oznajmia Ilaria. – Wiem, że jesteś bardzo zajęty, ale może dasz się namówić na spritza? Będę dziś wieczorem.

– Beck's się ucieszy, że cię zobaczy.

– A ty nie?

– Po tym, co mi powiedziałaś...

– Ja? Raczej to ty...

– Piattola, dosyć. – Marco robi krótką pauzę. – Czekam na ciebie.

Ilaria kończy rozmowę i patrzy na telefon, chciałaby go ucałować. Czyli to nie koniec. „Cała naprzód!" – mówi do ściany naprzeciw siebie. Zamontowała na niej kilka półek na książki i powiesiła zdjęcie psa Marca, którego traktuje już, jakby należał do niej. Wie, że czasem jest trochę infantylna. Ale na tym również polega jej siła. Nic nie kalkuluje, nie rozpycha się łokciami. Kieruje się przeczuciami. Oto prawdziwy napęd. Uczucia. Kieruje się uczuciami i kroczy naprzód. Kieruje się uczuciami i nigdy się nie zatrzyma.

8 SIERPNIA

Kiedy Besana wraca do domu, Vittoria stoi przy drzwiach z torbą przewieszoną przez ramię.

– Muszę szybko dostać się do Brunelli – mówi. – Policja ją przesłuchuje.

– Wiem o wszystkim – odpowiada Marco, wyciągając z kieszeni „Blicka".

Vittoria chwyta gazetę, potem z trudem odszukuje w torbie okulary. Opiera się o ścianę, żeby przeczytać artykuł. Z każdą linijką trzy zmarszczki na czole stają się coraz głębsze.

– A to dranie – komentuje.

– Na tym polega nasza praca – odpowiada wzniośle Besana.

– Piszą tak, jakby to ona zabiła. – Oddaje mu gazetę, uderzając go nią w pierś.

– Przecież to nie ja napisałem – protestuje Marco.

– Muszę lecieć – mówi Vittoria i otwiera drzwi na oścież.

– Chcesz, żebym poszedł z tobą?

– Wolę pójść sama – odpowiada. – Brunella pewnie jest w szoku.

– Zgoda, zaczekam tu na ciebie.

Kiedy tylko Besana zostaje sam, wyszukuje w telefonie numer do znajomej toksykolożki.

– Cześć, Anno.

– Gdzie się podziewałeś? Od tygodni nie dajesz znaku życia.

– Jestem na wakacjach z synem – kłamie. – Jesteś jeszcze w Mediolanie?

– W taki upał, no co ty. W tej chwili leżę na plaży. W Apulii, z koleżankami – mówi, po czym robi pełną podejrzeń pauzę. – Potrzebujesz czegoś?

– No cóż, rzeczywiście. – Besana jest nieco zakłopotany.

– Wal.

Marco pokrótce opowiada jej wszystko.

– No nieźle – mówi Anna – od lat nie słyszałam, żeby ktoś mówił o tojadzie. W czasach Trajana był tak rozpowszechniony, że cesarz zakazał go hodować w prywatnych ogrodach. Podczas wojny maczali w nim nawet groty strzał. Ale dziś nie jest już taki modny.

– To silna trucizna?

– Bardzo, wystarczy mniej niż sześć miligramów.

– Nie ma smaku?

– Wprost przeciwnie. Od razu można się zorientować, bo ma gorzki smak i daje uczucie palenia, następnie zaś drętwienia w ustach.

– Objawy?

– Spowolnienie oddychania i tętna, mrowienie w całym ciele, paraliż mięśni, zamglenie wzroku, brzęczenie w uszach, gardło zaciska się aż po uduszenie. Innymi słowy, okrutny koniec.

– Powoli?

– Nie, bardzo gwałtownie.

– Cholera – komentuje Besana.

– Potrzebne ci są jeszcze jakieś informacje czy mogę iść się wykąpać?

8 SIERPNIA

Około szóstej po południu Vittoria wraca do domu. Zdejmuje żakiet i buty. Wycieńczona opada na kanapę.

– Jak poszło? – Besana nalewa jej kieliszek Pouilly Fumé.

– Brunella jest w strasznym stanie – mówi Vittoria, wypijając łyk wina.

Opiera głowę o poręcz, a nagie stopy kładzie na udach Marca. On je gładzi. To najbardziej zadbane stopy, jakie kiedykolwiek widział. Prześlizguje się palcem po czerwonym lakierze, a potem po miękkiej i pachnącej kremem skórze.

– Podejrzewają ją?

– Nie, co ty. Była w Nowym Jorku. Kiedy zadzwonili do niej z informacją, że jej mąż zaginął dzień wcześniej, dostała napadu paniki. To ja pomogłam jej zarezerwować pierwszy lot do Zurychu, przestała kojarzyć cokolwiek.

– Czyli przesłuchano ją jako świadka.

– O tyle, o ile mogła coś wiedzieć – odpowiada Vittoria. – Bardziej przydatna okazała się Mary.

– Kto taki?

– Gosposia. Pamiętała, że Giacomo miał zapalenie zatok i narzekał, bo skończył mu się lek homeopatyczny. Dzień wcześniej poszedł kupić nową fiolkę. Kojarzą go nawet farmaceutki z apteki, bo jak zawsze się przechwalał. Opowiadał wszystkim, że dotrze przez lodowiec na Munt Pers.

– Jak mogą to pamiętać po latach?

– Bo dwa dni później dowiedziały się o zaginięciu, wiadomość była na pierwszej stronie „Engadiner Post". Wiesz, o takich rzeczach w dolinie mówią wszyscy. Nie dzieje się tutaj wiele więcej.

– To nie autosugestia? Często się zdarza, że świadkowie mają fałszywe wspomnienia, bo zbrodnia robi na nich wrażenie.

– Nie, nie. Policja sprawdziła komputer w aptece i płatności kartą kredytową Giacoma. Teraz maglują właściciela.

– A może to był błąd producenta?

– Rozważali tę wersję. Tak też twierdzi aptekarz. Sądzę, że zrobią inspekcję w fabryce.

– Co o tym myśli Brunella?

Vittoria się uśmiecha.

– Brunella nic nie myśli. Jest poruszona, to inna sprawa. Co przeszkadza jej myśleć. Jest krucha i impulsywna, traci głowę z byle powodu. Tym bardziej w takiej sytuacji.

– A ty co o tym myślisz?

– Że to mógł być wypadek – odpowiada spokojnie Vittoria. – I że firmy farmaceutyczne nie mogą sobie na takie wypadki pozwalać.

– A gdyby ktoś otruł go umyślnie?

– Nie wiem po co. Z pewnością niewielu ludzi jest w stanie wspiąć się tak wysoko. Giacomo był doświadczonym alpinistą, nie było łatwo dotrzymać mu kroku. Był także szaleńcem, jeśli mam być szczera. Kiedy opowiadał nam o swoich wyczynach, łapałyśmy się z Brunellą za głowę. Wydawał się lekkomyślny, ruszał na szlak w niepogodę, nie obchodziły go śnieg i wiatr.

– Zgoda – nalega Marco – ale ktoś mógł majstrować przy fiolkach jeszcze na dole. Zanim wyruszył.

– Niby kto?

– Ciebie o to pytam. Miał wrogów?

– W świecie finansjery na pewno. Ale to ludzie, którzy pozbywają się przeciwników w inny sposób, zapewniam cię.

Besana przerywa, żeby spojrzeć na telefon, właśnie otrzymał wiadomość.

– Kto to? – pyta podejrzliwie Vittoria.

– Mój syn – odpowiada Marco. Podnosi telefon, żeby pokazać jej zdjęcia dwojga młodych. – Wysłał mi selfie ze swoją dziewczyną. Nawet nie wiedziałem, że kogoś ma. W ten sposób mi to oznajmia.

– Jak ładnie wyglądają. Poznasz mnie z nim kiedyś?

– Pewnie – odpowiada Marco, choć wolałby nie. I od razu zmienia temat. – Dziś wieczorem wrócisz do Brunelli?

– Chyba tak, jest w rozsypce.

– Nie będzie ci przykro, jeśli pójdę na kolację z Ilarią?

– Jak to? Jest tutaj?

– My też musimy coś napisać. Wiesz o tym, prawda?

– Czyli to był wywiad?

– Za kogo mnie masz? Pomówię z policją, nie będzie o tobie słowa.

– Chciałabym to zobaczyć.

Vittoria unosi stopy i zdejmuje je z ud Besany. Wystarczy jeden gest, żeby dała do zrozumienia, że jest, a po chwili może jej nie być. Ale Marco nie daje się zbić z pantałyku, łapie ją za obie stopy, trzyma je mocno jak królika. Patrzą sobie prosto w oczy.

– Nie rzucaj mi wyzwań – mówi.

Vittoria odrzuca głowę i wybucha głośnym śmiechem.

– Co za facet – odpowiada.

8 SIERPNIA

– Kurczak curry? Jesteś pewna? – pyta Besana.

– Cóż, jesteśmy w tajskiej restauracji – odpowiada Ilaria. – Odradzasz?

– Gdzieżby, musi być świetny. Tylko że przypomina mi o babce, która dodała do niego tojadu.

– Tojad w curry? – Ilaria zastyga z uniesionym widelcem, zmieniła zdanie, może zamówi smażony ryż z warzywami.

– Tak – odpowiada spokojnie Besana, tymczasem sam ma przed sobą krewetki w sosie z mango. – To była Hinduska zamieszkała w Londynie. Pozbyła się w ten sposób swojego eks. Weszła do jego domu, otworzyła lodówkę, wsypała sproszkowany tojad do curry i zaczekała, aż zje ze swoją nową narzeczoną.

– Ona też umarła?

– Nie, cudem udało się ją odratować. Nie jesz?

– Nienawidzę cię. Zawsze potrafisz zepsuć mi kolację.

– Wolisz moje krewetki z tropomiozyną?

Ilaria uderza się ręką w czoło. Ale się śmieje.

– Rozmawiałem z Grace – obwieszcza Besana. – Pamiętasz moją znajomą kryminolożkę?

– Jak mogłabym ją zapomnieć. Dała jakiś profil? Mógłby być bardzo przydatny. – Ilaria wierci się na krześle.

– Była na jakiejś konferencji, miała niewiele czasu, ale zdążyła mi go dać.

– I co powiedziała?

– Że możesz mieć rację, Piatti. Tylko niech ci się nie poprzewraca w głowie.

– Czyli również według niej to może być seryjny zabójca?

– Tak – przyznaje Besana.

– A profil?

– Dała mi różne profile. Ciągle zbyt mało wiemy. Truciciele to skomplikowana rasa.

– To znaczy? Mów, mów!

– Na razie powiem, że dzielą się na dwie kategorie. Typ S i typ R.

– Co to znaczy?

– „S" oznacza *specific victim*, czyli truciciela, który chce zabić kogoś określonego. A „R" to *random victim*, czyli ktoś, kto truje przypadkową ofiarę. Na przykład korzystając z wodociągu. Ale to nie jest takie proste. Bo istnieje truciciel z a k a m u f l o w a n y, który udaje, że jest *random*, a tymczasem jest *specific* i chce wykazać przypadkowość czyjejś śmierci, ukrywając ją wśród innych. Podała mi przykład kolesia z Pasadeny w Teksasie, który chciał zabić syna, żeby zainkasować jego polisę na życie. Dodał cyjanku do cukierków w Halloween i, żeby zmylić śledczych, otruł także inne dzieci z dzielnicy, które wylądowały w szpitalu. Natomiast syn zmarł.

– O Boże.

– Grace mówi, że to nieprawda, jakoby większość trucicieli stanowiły kobiety, jak zwykło się uważać. Jeśli spojrzeć na statystyki rozwiązanych spraw, to przeważają mężczyźni. Ale jest też możliwe, że kobiety są lepsze w tym, żeby nie dać się złapać.

– „Lepsze" w jakim sensie?

– Używają na przykład mniej ogranych trucizn. Jeśli zastosujesz szczególną substancję niebędącą arszenikiem, cyjankiem, strychniną i talem czy innym metalem ciężkim, można się wywinąć.

– Jak Stara od octu.

– Jak ona. Wiesz dlaczego?

– Nie.

– Bo podczas sekcji wykonuje się rutynowe badanie toksykologiczne. Jeśli nie przeprowadzi się celowych badań, sprawdza się jedynie obecność substancji wskazanych w standardowych protokołach.

– Dlatego dopóki nie znaleźli plecaka, nie szukali akonityny?

– Zgadza się.

– Czyli jeśli nie szukasz czegoś określonego, to tego nie znajdziesz.

– To tak jak szukać igły w stogu siana.

– A jaki jest profil truciciela?

– To psychopatyczny narcyz pozbawiony współczucia jak wszyscy inni mordercy. Różni się od reszty tylko dwiema rzeczami, jak mówi Grace. Pierwsza: nie chce zmierzyć się ze swoją ofiarą fizycznie. Jeśli dźgasz kogoś nożem w brzuch albo go dusisz lub do niego strzelasz, to masz bezpośredni kontakt z ofiarą. Tutaj nie. Być może nie widzisz nawet, jak umiera.

– Czyli to tchórz. A druga różnica?

– Zazwyczaj truciciele są powiązani ze światem medycyny lub chemii. Są w jakiejś mierze zaznajomieni z substancjami toksycznymi. Wiedzą, gdzie je dostać, jak ich używać, jakie dają skutki.

– Nigdy nie byłabym do tego zdolna.

– Wiem, Piatti, ale ty nie jesteś wyznacznikiem. Nie umiesz prowadzić, gotować, nie umiesz robić wielu rzeczy.

– Dziękuję.

– Chciałem ci powiedzieć, że stoi za tym wiedza, badania. Również zwyczajów ofiary. A to bardzo ważne. Bo żeby uśmiercić kogoś tropomiozyną, trzeba wiedzieć o uczuleniu danej osoby na skorupiaki. To samo dotyczy tojadu: trzeba wiedzieć, że ta konkretna osoba stosuje krople homeopatyczne z akonityną na zapalenie zatok.

– W takim razie jedynym przypadkiem, który się nie zgadza, jest zabójstwo Marty Guerry.

– Grace mówi, że nie odbiega tak bardzo od profilu, bo nieznany sprawca uderzył ją w głowę, w ciemnościach. I że prawdopodobnie ta nagła zmiana *modus operandi* była wywołana złością lub pilną koniecznością zamknięcia ust niewygodnemu świadkowi.

– Właśnie tak uważam – odpowiada Ilaria. – Jakieś inne szczegóły, żeby go zlokalizować?

– Ach tak, byłbym zapomniał. Według Grace truciciele są zazwyczaj infantylni i niedojrzali. Nie przypadkiem trucizna jest ulubioną bronią nastolatków, także do robienia żartów, które potem kończą się tragedią.

Ilaria przytakuje.

– Zgoda. Tchórz i dzieciuch. To typ S. Ofiary nie wydają mi się przypadkowe.

– Tak, sądzę, że masz rację. Ale może też się maskować, czyli udawać, że jest *random*, a być *specific*.

– Czyli taki, którego interesuje tylko jedna ofiara, a eliminuje kolejne osoby, żeby zmylić trop?

– Ale gdy o tym myślę, to też się nie zgadza.

– Dlaczego?

– Zdaje mi się, że nasz zabójca robi wszystko, żeby tych zgonów ze sobą nie powiązano – odpowiada Besana.

8 SIERPNIA

– Do jutra – mówi Marco, zostawiając Ilarię przed wejściem do hotelu.

Ona macha mu ręką, jej oczy się śmieją.

Besana czuje się szczęśliwy. Brakowało mu pogawędek z Piatti. W gruncie rzeczy o pewnych sprawach może rozmawiać tylko z nią. Kronika kryminalna to swego rodzaju choroba: kto nie jest zakażony, nie może zrozumieć. Tylko oni są w stanie pracować bez ustanku i nie mieć ochoty na zmianę tematu.

Żałuje też tego, jak źle ją potraktował, nie zasługiwała na to. Gdy uczciwie myśli o ich stosunkach, musi przyznać, że się zmieniły. Nie jest już takie oczywiste, kto komu pomaga. Bez Ilarii czuł się bardzo samotny. Ona ma o wiele więcej możliwości, żeby znaleźć kolegów, z którymi mogłaby dzielić się tą pasją. Po raz pierwszy zdaje sobie sprawę, że jest zazdrosny.

Wyobraża sobie Piatti zżytą z kimś innym, nawet młodszym. I rozumie, że ta wizja jest nie do zniesienia. Robi przegląd całej redakcji, żeby wykluczyć możliwych kandydatów. Wliczając w to kobiety. Martinelli nie. Jest indywidualistką i jest zbyt ambitna. Byłaby w stanie wykraść informacje nawet własnej matce. Zupełnie nie nadaje się do pracy w parze, na szczęście. Gavino? Ten dupek? Nie powinien go bagatelizować, to świętoszek. Usłużny, miły dla wszystkich, choć nie ma jaj ani talentu. Gdyby się zorientował, że Ilaria jest o wiele zdolniejsza od niego, mógłby mu ją odbić. Nie, Besana, może być spokojny. Gavino jest zbyt głupi, żeby zrozumieć, że ktoś inny może być od niego inteligentniejszy. Milesi na szczęście przeszedł do telewizji. Szczwany lis. Nie chcąc ryzykować cięć etatowych, załatwił sobie prowadzenie programu. A gdyby wziął ją do siebie? O Boże, rzecz jasna, Ilaria nie jest telegeniczna. Świetnie pisze, ale nie potrafi mówić do kamery, zaczęłaby się jąkać. Może bardziej niebezpieczny jest Ferrucci.

Rówieśnik Ilarii ma o wiele więcej śmiałości. Poza tym to synalek godny swojego tatusia, byłego dyrektora. Ma mocne plecy i jest zaprawiony w boju. Na szczęście aż za bardzo. Piattola, dzięki Bogu, nie jest glamour. I nie ma też władzy.

Besana oddycha z ulgą. Być może przez jakiś czas będzie jeszcze tylko jego. Ta wspaniała, wybitna osóbka, której nikt jak dotąd nie zauważył. Czuje się egoistą. Ale nawet gdyby nim nie był, to nie mógłby dla niej nic zrobić. Bo już się nie liczy. Kocha swoją pracę i tyle, tak było zawsze. Nie myśli o powrocie. Ilaria jest jak on, oboje należą do tego samego gatunku. Jedyne, co mogli zrobić, to się nawzajem odnaleźć.

8 SIERPNIA

Pokój Ilarii jest aż nadto przytulny. Kołdra ma zagięty róg jak zaproszenie, by położyć się do łóżka, na komódce leży czekoladka na dobranoc, ręczniki znów zmieniono. Co jej po tej całej troskliwości? Czuje się jeszcze bardziej samotna.

Myśli o Nicoli. Wrócili do siebie, ale teraz go nie ma, wyjechał na wakacje z żoną. Gdzie? Do luksusowego hotelu, który co noc oczekuje ich wśród bezosobowych i pełnych troski rytuałów? Zjedzą razem taką czekoladkę? Wymienią się świeżo rozwiniętymi ręcznikami? Rozbebeszą to doskonale pościelone łóżko, śmiejąc się zmysłowo i wyrzucając nadmiar poduszek?

Ma ochotę zniszczyć tę przytulność. Bierze poduszki i rzuca je na ziemię. Wyrzuca swoją dawkę czekolady i endorfin do śmieci, trafiając w sam środek. Żeby zrobić na przekór sobie lub jakiemuś ustanowionemu porządkowi, rozrzuca ręczniki.

Nie potrzebuje takiej troski. Woli, żeby nie dbano o nią wcale niż niewłaściwie. Gdyby mogła, przepaliłaby również żarówki.

To przyćmione światło jest nie do zniesienia dla kogoś, kto nie może spojrzeć z miłością na drugą osobę, bez reflektorów uwidoczniających wady. Rzuca okiem na telefon, który leży w niebezpiecznej odległości na komódce, jak zaproszenie, jak czekoladka. Nie, nie musi wysyłać żadnej wiadomości. Nie rób tego. Nie rób. Włącza telewizję z nadzieją, że zajmie jej myśli. Ale trafia na nieodpowiedni program.

Dwoje staruszków opowiada o swojej miłości, trzymają się za ręce. Nigdy nie widziała starszej pary zakochanych. Ojciec zabił jej matkę, zanim zdążyła się zestarzeć. Babcie były wdowami, nigdy nie poznała ich mężów, wirtualnych krewnych, którzy nigdy nie wzięli jej na ręce. Jej ciotka niedawno się rozwiodła. Tak oto ma do czynienia z czymś, czego nie zaznała i czego nigdy może nie zaznać. Między staruszkami jest uczucie, którego nie potrafi nawet nazwać. Wie tylko, że jest utkane z czułości, tak podpowiada jej instynkt.

Wścieka się. To niesprawiedliwe. Zupełnie niesprawiedliwe. Odwraca się w stronę kuszącego telefonu. Telefon również na nią patrzy, z niewinnym obliczem wiernego przyjaciela. Ilaria doskonale wie, że z tym niewinnym wyglądem jest jak u nastolatki, przez którą trafia się do więzienia. Ale nie może się oprzeć.

„Pierdol się" – pisze w uniesieniu. Chwilę się zastanawia, coraz bardziej nieprzytomna. „Koniec z nami" – dodaje w pośpiechu. Niestety z tą samą prędkością wysyła wiadomość. Potem żałuje. Mogłaby ją jeszcze skasować, ale wiadomość od razu zostaje odczytana.

I nadchodzi odpowiedź: „Dlaczego każesz mi się pierdolić?". Ilaria na chwilę zamyka oczy i rozmyśla. Wyjaśnienie jest bardzo długie i skomplikowane. Powinna zacząć od czekoladki na komódce i od swojej matki, która nigdy się nie zestarzała. Potem widzi, że nadawca to Besana. Wybucha śmiechem. Pomyliła się. Śmieje się nieprzerwanie, a w głowie słyszy walca, francuską piosenkę. To *La valse de l'amour* Edith Piaf. Również przez pomyłkę, gdy z wściekłością wyłączała telewizor, włączyła radio. Śmieje się jeszcze głośniej. „Przepraszam, to nie było do ciebie", odpisuje do Besany. Widzi, że on coś pisze. Potem przerywa. I znów zaczyna. Potem przestaje. I znów niewiadoma reakcji. Ilaria czeka, kark boli ją od napięcia. „Dobrze zrobiłaś – odpowiada Marco – ale zarezerwuj te słowa na osobiste spotkanie, spójrz w oczy, telefon to przeklęte urządzenie, nie ufaj mu. Ufaj tylko mnie".

9 SIERPNIA

Może będzie padać. Niebo jest szare, łąki i lasy lśnią żywą zielenią, a wiatr marszczy powierzchnię jezior, ciemną jak żelazo.

Ilaria, Marco i Vittoria idą wzdłuż jeziora Sils. Beck's rzuca się cały czas do wody, po czym wraca i moczy wszystkich, wytrzepując się tuż obok. Raz na jakiś czas znika i pojawia się znów z gałęzią w pysku.

Teraz wdał się w dyskusję ze starszą panią w filcowym kapeluszu z bażancim piórem, w długiej spódnicy i botkach. Beck's szczeka, podczas gdy ona coś do niego mówi z uniesionym palcem wskazującym.

– Przecież to Elsa – mówi Vittoria, podchodząc bliżej.

– To twoja znajoma?

– Tak, Elsa Cattaneo. Jest trochę stuknięta.

Kiedy docierają na miejsce, kobieta nadal przemawia do Beck'sa, który usiadł i słucha jej ze spuszczonymi uszami.

– Tojadu używali chłopi, żeby pozbyć się wilków, lisów i nieposłusznych psów jak ty – głosi i się odwraca. – To wasz pies? Rzucił się między kwiaty tojadu. Wytłumaczyłam mu, że nie powinien tego robić, bo to niebezpieczne. Tojad jest toksyczny nawet w dotyku. Nie umiera się, ale można się zatruć.

Następnie Elsa zauważa Vittorię:

– Och, cześć, Vicky! Myślałam, że jestem tu jedyna w taką pogodę. – Kobieta wskazuje brodą błyskawice nad przełęczą Julier.

– Który to tojad? – pyta Ilaria.

– To te piękne fioletowe kwiaty, kochana – odpowiada Elsa. – Tam dalej rośnie ich cała kępa. Ale nie wolno ich dotykać.

Ilaria patrzy na roślinę, która mierzy tyle, co ona.

– Widzisz? Korony wyglądają jak hełmy – kontynuuje Elsa, opierając się ręką o jej ramię. – W Szwajcarii nazwa zwyczajowa to *Blaue Eisenhut*, „niebieski hełm". Natomiast Anglicy mówią na nie *Devil's Helmet*, „hełm diabła", albo *Monkshood*, „mnisi kaptur".

– Są wspaniałe – mówi Ilaria.

– Wiem – odpowiada kobieta. – Owidiusz powiadał, że nasiona *Aconitum napellus* były w ślinie Cerbera.

– Dlaczego *napellus*? – pyta Ilaria.

– Ze względu na kształt korzenia, wygląda jak mała rzepa. To stamtąd wydobywa się truciznę.

Besana podejrzliwie przygląda się roślinie.

– Nie potrafię odróżnić geranium od azalii – mamrocze.

– A ten delikatny kwiatuszek – kontynuuje Elsa, wskazując roślinę Ilarii – to *Colchicum autumnale*. Ale można go zobaczyć również latem. Jest śmiercionośny.

– Naprawdę?

– Interesują cię rośliny trujące, skarbie?

– Cóż, są fascynujące.

– Całkowicie się zgadzam – odpowiada kobieta, żegnając się ze wszystkimi. – Miłego spaceru.

Vittoria podchodzi do Marca i Ilarii.

– Hoduje rośliny trujące w swojej posiadłości w Sils – szepcze. – Nazywają go Poison Garden Engadyny. Ale nikomu go nie pokazuje.

---

9 SIERPNIA

– Zjemy obiad na wyspie? Możemy zawsze wrócić łodzią, jeśli będzie padać – proponuje Vittoria.

Besana od razu się zgadza, nie może się doczekać, aż wypije litrową butelkę piwa. Kiedy kelnerka przynosi deskę lokalnych mięs i alpejskich serów, Ilaria przełamuje lody. Nie poszła na ten spacer dla p r z y j e m n o ś c i przebywania z Vittorią.

– A Ginevra Landi? Znasz ją? – pyta nagle.

– Z widzenia, nie przepadam za nią. Dlaczego pytasz?

– Bo ciało jej męża odnaleziono pod koniec zeszłego lata. Wiem, że zaginął przed dwoma laty.

– Tak, po kilku miesiącach zaprzestali poszukiwań. Nikt nie wiedział, gdzie się wybrał. Nawet żona. Byli w separacji, nawet ze sobą nie rozmawiali.

– Jaka ona jest?

– Powiem ci tylko, że dotarła na uroczystość upamiętniającą jej męża z godzinnym opóźnieniem. Staliśmy wszyscy z urną nad Inn, w deszczu, a jej nie było. Byliśmy przemoczeni, zziębnięci na kość. Już mieliśmy sami wrzucić prochy do rzeki.

– Szkoda – komentuje Ilaria.

– Dlaczego szkoda?

– Że go skremowano. Nie można ekshumować szczątków – odpowiada Piatti.

– Co za koszmar – komentuje Vittoria. – A niby po co?

– Żeby wykonać bardziej pogłębione badania toksykologiczne.

– Jak zawsze Piatti ma dziwne pomysły. – Besana wzdycha.

Ilaria mrozi go wzrokiem.

– Marco, proszę cię.

Vittoria się usztywnia.

– Chyba nie napiszesz, że nie lubię Ginevry Landi?

– Nie pracuję w kronice towarzyskiej – odpowiada Ilaria. – Zajmuję się zbrodniami, a nie plotkami.

– Livio miał wysokie ciśnienie, lekarze odradzali mu tutaj przyjeżdżać ze względu na wysokość. A co dopiero górskie przechadzki. Nawet znajomi na niego krzyczeli. Powinnaś się lepiej przygotować, Ilario.

Kilka kropel spada na obrus. Vittoria już wstała.

– Może lepiej, żebyśmy poszli, za chwilę przypłynie łódź.

Chwyta smycz Beck'sa, który od razu wstaje. Ilaria patrzy na nią, mrużąc oczy, ale nie z powodu światła. Nienawidzi jej. Udało się jej omotać nawet psa.

– Wracam piechotą – odpowiada.

9 SIERPNIA

Późnym popołudniem Marco otrzymuje wiadomość na Whats-Appie: „Weszłam po kryjomu do Poison Garden. Mam zdjęcia. Zobaczmy się, to pilne". W ciągu dwudziestu minut jest już w holu hotelu Ilarii. Ona czeka na niego w czytelni.

– Oszalałaś? To najście domu.

Uśmiechnięta Ilaria wzrusza ramionami.

– Trudno.

– Jak tego dokonałaś?

– Ogród znajduje się za zamkniętą furtką z dwiema białymi czaszkami i napisem: „Achtung! Te rośliny mogą zabić".

Sprawdziłam, czy w domu nikogo nie ma, i przeszłam na drugą stronę.

– Zupełnie zwariowałaś – komentuje Marco.

– To ona zwariowała, wierz mi. Urządziła sobie ogród jak w Alnwick Castle. Chcesz zobaczyć zdjęcia? Użyłam PlantNet, aplikacji do rozpoznawania roślin. Teraz znam nawet ich nazwy naukowe.

Besana siada obok niej i wkłada okulary.

– To *Ricinus communis*, rycyna – tłumaczy Ilaria, dumna ze zdobytych kompetencji w zakresie roślin trujących. – Popatrz, jakie piękne liście. Ale zawierają rycynę, zabójczą toksynę, której ekstrakt pozyskuje się w laboratorium. Wystarczy maleńkie ziarenko, żeby kogoś wykończyć.

– Znam ją – odpowiada Besana. – Bułgarskie tajne służby w 1978 roku usunęły tak dziennikarza wrogiego reżimowi komunistycznemu, zbiegłego do Londynu. Ostrym czubkiem parasola wprowadzili mu w udo dawkę rycyny. Po trzech dniach już nie żył.

– Czy ta roślina nie jest fantastyczna? Spójrz, jak pięknie kwitnie latem. Kwiaty są takie czerwone, krągłe i spiczaste. Wzruszają mnie.

– Daj już spokój, Piatti. I tak nie masz balkonu. Idźmy dalej.

– To *Atropa belladonna*, która wydaje takie czarne jagody, widzisz? Wystarczą cztery, żeby zabić dziecko. Wieki temu w Wenecji kobiety wyciskały sobie sok do oczu, żeby rozszerzyć źrenice i mieć bardziej uwodzicielskie spojrzenie. Oto dlaczego nazywa się „belladonna". To skutek atropiny, substancji zawartej w jagodach. Tylko że na dłuższą metę traci się od tego wzrok. Tak chciałam dotknąć tych fioletowych płatków, ale należy unikać styczności ze skórą. Szkoda.

– Mam nadzieję, że niczego nie dotykałaś.

– Jasne, że nie. Ale w pewnym momencie, gdy próbowałam się stamtąd wydostać, straciłam równowagę i spadłam w dół.

Na szczęście wylądowałam na żwirze, skończyło się na kilku zadrapaniach. – Ilaria przechodzi do kolejnego zdjęcia. – To *Ruta graveolens*, dość pospolita roślina. We Włoszech używa się jej do aromatyzowania grappy. Ale gdy dotkniesz jej soków, a potem opalisz się na słońcu, twoje ręce pokryją się pęcherzami. Jeśli nie włożysz rękawic ochronnych, nabawisz się oparzeń trzeciego stopnia. A tę roślinę rozpoznajesz?

– To wawrzyn? Jest trujący?

– Naturalnie nie jest to używany w kuchni *Laurus nobilis*. To *Prunus laurocerasus*, sadzony zwykle jako żywopłot. Zawiera kwas cyjanowodorowy, którego solą jest cyjanek. W dziewiętnastym wieku używano go do zabijania motyli. Łapano je i wpuszczano do słoika po dżemie, po czym dodawano liście laurowiśni. Motyle umierały otrute.

– Nie wiedziałem o tym.

– Weszłam nawet do szklarni, w której trzyma rośliny źle znoszące zimno. Jak *Brugmansia arborea*, czyli bieluń. Widzisz, jakie piękne kwiaty? Nazywają je „trąbami aniołów". Ale można o nich powiedzieć wszystko, tylko że nie są anielskie. Zawierają skopolaminę, halucynogenny alkaloid. Kiedyś angielskie damy dodawały go do herbaty, żeby odurzyć koleżanki i usłyszeć ich sekrety. – Ilaria chichocze.

– Ty chyba też się czegoś nawdychałaś, Piatti.

– Możliwe. Popatrz, to *Giusquiamo*, ma bardzo ostry zapach, który w pewnych wypadkach powoduje zawroty głowy, czasem nawet omdlenia. Nie radzę ci go próbować, bo skutki są jeszcze poważniejsze: zamglony wzrok, wymioty, halucynacje, drgawki, aż po śpiączkę. Szekspir uśmierca w ten sposób ojca Hamleta. To właśnie tę truciznę wlano mu do ucha, kiedy spał. No i, rzecz jasna, znalazłam króla wszystkich kwiatów-zabójców: tojad. Oto i on. Ale już dobrze go znamy.

Ilaria nie ma najmniejszej ochoty jeść kolacji u Vittorii, jak zaproponował Marco. Woli już raczej zjeść sama. Poprosiła, żeby doradzono jej tanią restaurację, do której chodzą miejscowi, i wskazano jej pizzerię prowadzoną przez Portugalczyków. Lokal pęka w szwach, jest bardzo gwarno. Ilaria szuka wzrokiem wolnego stolika i spostrzega Dafne, dziewczynę, która odwiozła ją do domu, gdy źle się poczuła. Siedzi w kącie przed kuflem piwa. Ilaria podchodzi i wita się z nią.

– Czekasz na kogoś?

– Co ty, zawsze jem kolację sama. Przysiądź się do mnie – podaje jej menu – ja już zamówiłam.

– Co wybrałaś?

– Pizzę z salami, rösti z jajkiem, parówki i frytki.

– O matko! – Ilaria wybałusza oczy. – Jak ty to robisz, że jesteś taka chuda?

– Dużo chodzę pieszo, wcześnie rano i o zachodzie słońca.

– Ja chyba zamówię sałatkę i krupnik.

W tej samej chwili Ilaria otrzymuje wiadomość na WhatsAppie i blednie. Drżą jej ręce, choć to tylko banalne: „Tęsknię za tobą”.

– Dobrze się czujesz?

– To nic takiego – odpowiada.

– No już, wal. Chodzi o faceta?

– Niestety żonaty. – Ilaria opuszcza wzrok.

– Nie dajesz rady z tym skończyć?

– Próbowałam wiele razy.

– Mogę ci pomóc – obwieszcza Dafne z uśmiechem.

– Jak?

– Za pomocą hipnozy. Lub bioenergii, jak wolisz. Albo kreatywnej wizualizacji. Lub za pomocą innych technik psychofizycznych. Na tym polega moja praca.

– *Life coach*, no tak. – Ilaria uśmiecha się.

– Jak myślisz, skąd znam takich ludzi jak Vittoria i Brunella? Nie należę do ich kręgów. Nie mają ze mną nic wspólnego.

– Zdecydowanie. Na szczęście bardzo się od nich różnisz.

– Ty też. Nie masz nic wspólnego z tymi snobującymi się dziennikarkami, które spotykałam na kolacjach u nich.

– Ile masz lat, Dafne?

– Dwadzieścia siedem.

– Jak ja!

Ilaria jest poruszona tą informacją. Wreszcie ktoś w jej wieku i podobny do niej.

– Wróciłaś tu z powodu tej historii z tojadem? Vittoria mi opowiadała. Kto by się spodziewał zabójstwa?

– Nie tylko jednego – dodaje w uniesieniu Ilaria. Potem żałuje. Ale jest za późno, już to powiedziała.

– Jak to? Czyżbym przegapiła jakieś inne morderstwo?

Ilaria nie wie, czy może jej ufać.

– Obiecasz, że nikomu nie powiesz?

– Obiecuję.

– Wiesz, wyrobiłam sobie zdanie o tej sytuacji. Myślę, że te wszystkie śmierci coś łączy.

– Jakie śmierci?

Ilaria opowiada o swojej teorii. Jest przejęta, a tymczasem jej zupa stygnie. O wiele większy jest u niej głód mówienia, zapomniała nawet o otrzymanej przed chwilą wiadomości.

– Seryjny zabójca? – mówi Dafne i gwiżdże.

– Może mogłabyś mi pomóc.

– Chętnie. A jak?

– Potrzebuję informacji. O tych ludziach, bo zbyt mało o nich wiem. Ty znasz ich lepiej.

– To zależy. Spróbujmy.

– Elsa Cattaneo?

– Pewnie, wszyscy ją znają. Przynajmniej ze słyszenia. Podobno ma dość osobliwy ogródek.

– Wiem o tym. Byłam tam dzisiaj.

– Wpuściła cię? Słyszałam, że nikomu go nie pokazuje.

– Nie do końca. Przeszłam przez ogrodzenie – wyznaje Ilaria.

– Cholera, niezła jesteś. Czyli naprawdę istnieje?

– Jest cudowny. Wiesz, zawsze lubiłam rośliny. Właśnie odkryłam, że mogą być równie groźne jak ludzie. Tylko że w odróżnieniu od ludzi nie wyrządzają zła umyślnie.

– Jak zwierzęta, jak niedźwiedź – promienieje Dafne. – Mam nadzieję, że n i g d y go nie znajdą. Mam na myśli Rudolfa. To byłoby straszne, gdyby go odstrzelili.

– Zgadzam się. – Ilaria wzdycha. – Co wiesz o Elsie?

– Obecnie jest na emeryturze, ale wykładała na uniwersytecie. Chyba historię.

– Żyje sama czy z kimś?

– Teraz sama. To wdowa i straciła jedynego syna. Zabił się z miłości w wieku dziewiętnastu lat.

– Co za straszna historia.

– O wiele straszniejsza niż myślisz: zginęła również jego dziewczyna, niejaka Ruth. On tego nie mógł znieść. To się stało we wczesnych latach dziewięćdziesiątych. Podczas imprezy na jachcie dziewczyna zmarła z przedawkowania. A oni tam byli.

– Jacy oni?

– Pallavicini, Rigamonti, D'Ambrosio i Moser.

– To zasadnicza sprawa. – Ilaria chciałaby ucałować Dafne. – Był proces?

– Nie wiem, tego mi nie mówiono. Ale krążą plotki, że byli winni i kryli się nawzajem.

– Kurwa mać, to ważna poszlaka. – Ilaria jest nad wyraz poruszona. – Znałaś też Livia Mosera?

– Skremowano go w pośpiechu – odpowiada Dafne. – Choć zawsze wszystkim powtarzał, że chce być pochowany na cmentarzu na przełęczy Maloja, gdzie jest grób Segantiniego.

– A jego żona?

– Mówią o niej źle, jest okropna. Ale on był gorszy, z tego, co zrozumiałam. Odmawiał płacenia alimentów na syna, który cierpi na jakąś wyniszczającą chorobę.

– A Giacomo Pallavicini?

– Mogę być szczera? To zostanie między nami?

– Naturalnie.

– Dziwkarz. I nie mówię tylko o kobietach, ale również o tym, jak traktował pieniądze, znajomych. Nie można mu było ufać. Nie robił nic gratis. Zależało mu tylko na żonie.

– Bardzo się kochali?

– Wcale. Chyba że rozważać miłość-nienawiść jako miłość. To był burzliwy związek. Vittoria poradziła Brunelli, żeby na jakiś czas wyjechała.

– To dlatego była w Nowym Jorku, kiedy zginął?

– Tak, oczywiście. Byli na krawędzi, zapewniam cię.

– A Carlo Rigamonti?

– Człowiek-zagadka.

– W jakim sensie?

– Nie potrafię ci powiedzieć. W tym środowisku wszyscy są tacy fałszywi, trudno rozpoznać, kogo się ma przed sobą. – Dafne wypija łyk piwa. – Cóż, Carlo był... bardzo dobrze wychowany. Wielki pan, bez wątpienia. Zawsze czuły, uprzejmy, uśmiechnięty. Ale miał też ciemną stronę, którą bardzo dobrze maskował. To byli źli ludzie. Po żadnym z nich nie płakałam.

Dafne wstaje od stołu i proponuje Ilarii, żeby wróciły piechotą, skrótem przez las.

– Przecież jest ciemno – odpowiada Ilaria, trochę wystraszona.

– Czego się boisz, niedźwiedzia?

– No cóż, szczerze mówiąc...

– Byłoby cudownie go spotkać. Takie szczęście zdarza się nielicznym.

– Wolałabym, żeby to szczęście nie spotkało mnie.

– One są nieszkodliwe.

– Cóż. Nie wiesz, jak wyglądało ciało D'Ambrosia. Ja niestety widziałam zdjęcia z sekcji.

– Pewnie go sprowokował, czymś w niego rzucił. Gdy spotkasz niedźwiedzia, musisz po prostu zachować spokój.

– Łatwo powiedzieć.

– Trzeba stanąć, nie zaczepiać go i zaczekać w ciszy, aż sobie pójdzie. Jeśli będzie o krok od ciebie, nie wolno ci go przestraszyć. Nie wolno krzyczeć, machać kijem czy rzucać kamieniami. To wielki błąd. Można w ten sposób wywołać bardzo gwałtowną reakcję obronną. Jeśli jesteś cicho i wycofasz się powoli, tylko zaryczy, gdyby przypadkiem się ciebie przestraszył.

– Naprawdę chcesz iść przez las?

– No już, cykorze, mam latarkę. Sztuka polega na tym, żeby rozmawiać, hałasować, nawet tylko klaskać lub uderzać butami w podłoże. Niedźwiedzie bardzo strzegą swojej prywatności. Pierwsza reguła to „nie nachodź cudzej przestrzeni bez zapowiedzi". W Ameryce nie odnotowano ataków grizzly na grupy ponadsześcioosobowe.

– Ale nas jest dwie.

– Cóż, będziemy głośno i dużo gadać. Mają dobry słuch, choć nie tak doskonały jak jelenie.

W połowie lasu Dafne kładzie dłoń na ramieniu Ilarii.

– Cicho – szepcze – jest tu jakieś zwierzę. Czuję jego zapach. Ilaria łapie się jej ręki, jest przerażona. Słychać szelest. Wycofują się powoli, nie mówiąc ani słowa. Znów szelest, potem trzeszczenie gałęzi. Dafne trzyma latarkę nisko, żeby nie przestraszyć zwierzęcia. Potem głuchy odgłos. Ilaria już ma krzyknąć, ale Dafne szybko zatyka jej usta ręką.

– Nie bój się – mówi jej wprost do ucha. – To tylko kozica. Patrzą na zwierzę, a ono patrzy na nie. Potem oddala się w dwóch podskokach.

Teraz Ilaria odczuwa pełnię ekscytacji.

– Co za emocje, o Boże, ale emocje.

– Widzisz, że warto było pójść lasem?

9 SIERPNIA

Ilaria wraca do hotelu i zaczyna poszukiwania historii dziewczyny zmarłej podczas imprezy. To nazwisko coś jej mówi. Szuka dalej i zakrywa twarz rękami. Postanawia od razu zadzwonić do Besany. Choć jest pierwsza w nocy.

– Nie spałeś, prawda?

– Ja nie. Ale obudziłaś Vittorię – odpowiada poirytowany.

– Vittoria, Vittoria... liczy się tylko ona. Pamiętaj, że jesteś tu w pracy.

– Nie, przykro mi. Byłem tu na wakacjach ze znajomą. A potem przyjechałaś ty, żeby się naprzykrzać.

– Nie będę nawet komentować.

– Dziś byłaś wobec niej zbyt agresywna, chyba nie sądzisz, że jej się to podobało.

– Agresywna? Ja? Jeśli chcesz wiedzieć, co o tym myślę...

– Nie – przerywa jej Besana – nie chcę tego wiedzieć, Piatti, nie nauczyłaś się jeszcze, że w pierwszej kolejności należy podać wiadomość?

– Jaką wiadomość?

– Skoro nie wiesz, to po co do mnie zadzwoniłaś?

– To nie do końca jest wiadomość – odpowiada Ilaria i nagle zaczyna znów się jąkać, jak w swoich początkach, gdy była na stażu.

– To nie brzmi obiecująco – komentuje Besana.

– To odkrycie, Marco. Odkryłam coś. Czy nie tak dociera się do wiadomości?

– Nie kłóć się, Ilario. Jest pierwsza w nocy. To nie jest pora na kłótnie.

– Zgadzam się. – Bierze głęboki oddech. – Tytuł artykułu brzmi: „Dziewczyna zmarła podczas seks-imprezy na jachcie na Szmaragdowym Wybrzeżu". Wiesz, kim była ta dziewczyna? To Ruth Vital. Córka aptekarza, Andreasa Vitala. Tego samego, który sprzedał fiolkę z tojadem Pallaviciniemu. A wiesz, kto był na tym jachcie? Pallavicini, Rigamonti i Moser.

– Mów dalej – prosi Besana.

– To się wydarzyło we wczesnych latach dziewięćdziesiątych. Szesnastoletnia dziewczyna była ze znajomymi na wakacjach na Szmaragdowym Wybrzeżu. Pewnego ranka znaleziono ją martwą w łazience jachtu zacumowanego w Porto Cervo. Właściciel jachtu, finansista z Brescii, twierdził, że nic nie wiedział i że poszedł spać, kiedy dziewczyna jeszcze żyła. Prawda jest taka, że tego wieczoru na jachcie odbyła się tłumna impreza narkotykowa. Policjanci z wydziału kryminalnego znaleźli na pokładzie dziesiątki butelek po szampanie, wódce, whisky oraz duże ilości kokainy i amfetaminy, jak również seks-zabawki. Portowi pracownicy widzieli, jak po nabrzeżu przetaczały się tłumy kobiet i mężczyzn. Według policji zwłoki nie nosiły śladów przemocy, a zgon mógł być spowodowany zatruciem w związku ze zmieszaniem narkotyków z alkoholem. Ale prasa donosiła również o dziwnych śladach krwi na ciele dziewczyny. Uczestnicy imprezy zniknęli bez śladu. Lecz dzięki właścicielowi jachtu, którego przycisnęli śledczy, szybko zaczęły pojawiać się nazwiska ludzi z mediolańskiej burżuazji. I tutaj na scenę wkroczyła nasza trójka. Byli sądzeni w sprawie o nieumyślne zabójstwo. Zostali oczyszczeni ze wszystkich zarzutów. Skazano – ale tylko za handel narkotykami – pewnego młodego marynarza. Sprawę umorzono i uznano zgon za przypadkową śmierć. Wiesz, kto był chłopakiem Ruth Vital?

– A co? Ma to jakiś związek?

– Miał na imię Federico. Federico Orlandi. Był synem Elsy Cattaneo.

– Tej wariatki od Poison Garden?

– Właśnie jej. Popełnił samobójstwo z miłości w wieku dziewiętnastu lat.

– Z miłości do Ruth Vital? Cholera.

– Miesiąc po imprezie.

– Niech to szlag – komentuje Besana. – Trafiony zatopiony.

– W sumie to nie. Bo sprawy D'Ambrosia nie da się wytłumaczyć. Dafne, która opowiedziała mi to wszystko, musiała się pomylić. Przeprowadziłam kwerendę i dowiedziałam się, że Achille nie mógł z nimi być dwadzieścia pięć lat temu, mieszkał wtedy w Brazylii i nie ruszał się stamtąd przez wiele lat. Żeby uniknąć nieprzyjemności finansowych. Ale jestem pewna, że to wszystko się ze sobą wiąże.

– Może tropiomiozyna trafiła do tej czekolady przez pomyłkę.

– Nie sądzę. Mamy do czynienia z zabójcą, który sprawdza każdy szczegół, jest bardzo precyzyjny i dla każdej ofiary szykuje morderstwo na jej miarę.

– Mamy też tytuł: „Trucizna ad personam" – odpowiada Besana. – Brakuje tylko artykułu.

– Ładny. Podoba mi się – mówi Ilaria.

– Cholera, ty mi się podobasz, Piatti. Jesteś rasową dziennikarką, pozwól sobie to powiedzieć.

Besana musi pamiętać, żeby nie traktować jej źle. Mimo że
Piatti dzwoni do niego w środku nocy i jest niemiła wobec jego
dziewczyny. Nie może stracić kogoś takiego jak ona.

– To był komplement? Dobrze się czujesz, Marco? – Jej ton
jest pełen szczerej troski.

– Mówię tylko, że to ciekawa poszlaka. Mogę teraz pójść spać?

PALERMO, PAŹDZIERNIK 1788

Być może Giovanny Bonanno nigdy by nie odkryto, gdyby matka
jednej z ofiar nie wniosła skargi, doprowadzając tym samym do
procesu.

„Nazywam się Maria Costanzo, jestem wdową po Lorenzu, zajmuję się handlem winem, mam sklep w dzielnicy Olivuzza i tam-
że mieszkam. Miałam syna imieniem Francesco, zamieszkałe-
go z Rosą Mangano".

Zeznała, że pewnej sierpniowej nocy syn zjawił się w domu około czwartej czy piątej. Był wściekły, bo właśnie zastał żonę w łóżku
z niejakim Emanuelem Cascino, który się na niego rzucił. Potem
się pogodzili, ale pewnego wrześniowego dnia Francesco zaczął
się źle czuć. Ciągle wymiotował, odczuwał „wielki żar w żołądku"
i palenie w gardle. Pomimo starań don Giuseppe Ciofalo, lekarza,
dwudziestego siódmego dnia tego samego miesiąca syn zmarł.

Maria była pogrążona w smutku i przekonana, że jego śmierć
nie była naturalna. „Podejrzewałam, że synowa rzuciła na niego
urok, bo łączył ją nieprawy związek z Cascino, który spowodował
między nimi zatarg", opowiadała.

Porozmawiała o tym ze znajomą i ojcem spowiednikiem, który doradził jej, żeby przedstawiła wszystko wymiarowi sprawiedliwości.

„Tak więc poszłam do don Matteo Fodale, kapitana komisarza Palermo, któremu wyłuszczyłam co powyżej".

Rosa Costanzo, wdowa po Francescu, miała dwadzieścia trzy lata. Wyszła za mąż jako piętnastolatka, a gdy skończyła dwadzieścia lat, wraz z mężem zawarła znajomość z niejakim Emanuelem Cascino, ogrodnikiem. Po paru latach, zważywszy, że Emanuele był ciągle u nich w domu, zarówno za dnia, jak i nocą („jedliśmy razem i wydawaliśmy na jedzenie wszystkie jego pieniądze zamiast pieniędzy mojego męża"), zakochali się w sobie.

Pewnej nocy męża wezwano do pomocy przy wożeniu siana na wieś. Cascino od razu z tego skorzystał, by dostać się do ich domu. Zaczęli rozmawiać: ona leżała na łóżku („które było na ziemi"), a on siedział na ostatnim stopniu schodów. Mąż wrócił nagle i zastał ich w tej sytuacji. Cascino w napadzie paniki chwycił kij i zaczął krzyczeć: „Ty gnido! Wynoś się stąd!".

Pewnego dnia Rosa spotkała przypadkiem Emanuelego i zwierzyła mu się, że mąż ją pobił. „Mam pomysł", odparł i opowiedział o pewnej swojej znajomej, którą widział w żałobnym stroju. Zwierzyła mu się, że jej mąż umarł po siedmiu dniach od wypicia wody, którą mu podała. Wodę tę pozyskała dzięki Marii Pitarrze, innej znajomej Cascina. „Czy ty dałabyś ją mężowi?", spytał Rosę. Ta spojrzała na niego: „Przynieś mi ją". Emanuele jednak jej nie ufał: „A czy nie będzie tak, że mu tej wody nie dasz, a ja stracę pieniądze?". Ona zaś miała gotową odpowiedź: „A czy nie będzie tak, że mąż mój umrze, a ja zostanę bez grosza?". I tak udało się jej wydrzeć obietnicę: „Daję ci słowo, że się z tobą ożenię". Rosa uśmiechnęła się i postanowiła, że nie od razu poda wodę mężowi, ale dopiero wtedy, gdy ten znów ją pobije. Niestety to właśnie się wydarzyło.

Hasło, żeby odebrać truciznę, brzmiało: „Moja ciotka upuściła owoc granatu". Początkowo Rosa narobiła bałaganu: wlała płyn do glinianego naczynia, tracąc połowę, bo glina go pochłonęła. Ale Cascino dostarczył jej kolejną porcję. Rosa dolała specyfiku do makaronu z soczewicą i do wina, a mąż zaczął wymiotować. Doktor leczył go chrzanem owiniętym w hostię, ale na nic się to zdało. Francesco ciągle wymiotował. Po pięciu dniach około drugiej w nocy umarł.

Emanuele i Rosa mogli wreszcie wziąć ślub. 9 października miały się pojawić zapowiedzi, ale w nocy około drugiej zjawił się u nich don Matteo Fodale, kapitan komisarz Palermo, w towarzystwie kilku oficerów. I ich aresztował.

10 SIERPNIA

W Val Roseg roi się od rowerów górskich i elektrycznych, bryczek z zaprzęgiem konnym i wózków spacerowych. Grupka dzieci karmi wiewiórki, a rodzice robią im zdjęcia. Beck's natomiast ugania się za wiewiórkami, bierze rozbieg i za każdym razem kończy fiaskiem, wspina się na sosnę, trzymając pysk w górze, i patrzy na rude kity przemykające wśród gałęzi.

– Piatti, idziesz za wolno – mówi Besana, zakładając psu smycz.

– Spałam dwie godziny, jestem zmęczona. Przez całą noc szukałam informacji o Elsie Cattaneo.

– I znalazłaś coś ciekawego?

– Och, tak. Dużo. Chociażby o mężu. Był ważnym wydawcą. Znaleźli go martwego w łóżku. Jak się zdaje, był to zawał.

– On też miałby zostać otruty?

– Kto wie. Nie przeprowadzono śledztwa, nigdy się tego nie dowiemy. Wiadomo tylko, że Elsa odziedziczyła prawdziwą fortunę.

Przez jakiś czas zarządzała wydawnictwem, być może myśląc o przyszłości syna. Ale po jego samobójstwie sprzedała je dużej grupie wydawniczej.

– Cóż, nie wydaje mi się to przestępstwem. A nawet sądzę, że to mądry wybór, biorąc pod uwagę, jak obecnie mają się sprawy na rynku wydawniczym.

– Ona zajmowała się czymś zupełnie innym i pracowała do niedawna. Dopiero w zeszłym roku przeszła na emeryturę.

– A co robiła?

– Była profesorem zwyczajnym historii nowożytnej. Zajmowała się inkwizycją i historią czarów i czarownic.

– Trujące rośliny, inkwizycja, czarownice. To niezła wizytówka. Czy prowadziła również wykłady o Starej od octu?

– Tego nie wiem. Ale napisała wiele książek. Właśnie wydała monografię o czarownicach w Szwajcarii, którą prezentuje dziś po południu w Waldhaus, w Sils Maria.

– Musimy tam pójść.

– Raczej tak.

– Coś jeszcze?

– Bardzo kochała syna. Stworzyła dość szczególną fundację jego imienia. Poza tym, że zadedykowała mu Poison Garden.

– Co to za fundacja?

– Małe muzeum historii trucizn.

– Nie wiedziałem nawet, że istnieje.

– Ja też nie. Może moglibyśmy je odwiedzić. Czytałam, że muzeum jest interaktywne, można zapoznać się z zastosowaniem substancji toksycznych w trucicielstwie i medycynie. Są tam trujące rośliny i zwierzęta jak *Loxosceles rufescens* z Chile, czarna wdowa czy ptasznik z Ameryki Południowej. Jest też sekcja historyczna ukazująca słynne przypadki trucicielstwa: Sokrates i cykuta, cesarz Klaudiusz, żmija Kleopatry, rzecz jasna, Lukrecja Borgia, aż po KGB i bułgarskie tajne służby, wrogów politycznych eliminowanych rycyną, gaz bojowy i radioaktywny polon.

– Ona naprawdę ma obsesję na punkcie trucizn. Niezły sposób, żeby upamiętnić syna.

– Też tak pomyślałam. I byłam przekonana, że chłopak się otruł. Ale nie. Powiesił się. Bez związku z tym wszystkim.

10 SIERPNIA

Kiedy Ilaria i Marco dojeżdżają do hotelu Waldhaus, prezentacja trwa już od pół godziny. W wielkiej przeszkolonej sali z widokiem na las został tylko jeden wolny stolik, obok Vittorii, która wita się z nimi, przytykając palec wskazujący do ust. Nie wiadomo, czy posyła całusa, czy też prosi o zachowanie ciszy.

– Szwajcaria to ojczyzna polowań na czarownice – mówi Elsa Cattaneo. – Przez trzy stulecia wysłano na stos ponad dziesięć tysięcy osób, przede wszystkim kobiety oskarżane o uprawianie magii. Nie w każdym kantonie kara była surowa, do najgorszej rzezi doszło w kantonie Vaud, a tymczasem genewskie sądy były bardziej pobłażliwe. Przyczyny polowania były rozmaite: mógł to być sąsiad, którego okradziono, spalił mu się dom lub stracił dziecko, a on przypisywał wszystkie te nieszczęścia złym urokom. Lub naturalna klęska, epidemia dżumy albo grad. Pewnego razu w miejscowości w Gryzonii grad zniszczył cały plon. Chłopi byli rozwścieczeni: chwycili widły i dom po domu odłowili wszystkie miejscowe czarownice, i spalili je na rynku. To przez ich złe uroki spadł grad. Zamiast obwiniać niebo czy przeznaczenie, łatwiej było znaleźć kozła ofiarnego.

Nagły grzmot sprawił, że szyby się zatrzęsły, na sali ktoś się śmieje. Elsa przerywa na chwilę.

– Ale kim były te czarownice? Mówiłam, że prawie zawsze były to kobiety, w owych czasach zazwyczaj kucharki, znachorki lub akuszerki. To zajęcia, w których używa się ziół, eliksirów i maści. Więc łatwo było je posądzić o uprawianie czarnej magii. Nie bez powodu często przedstawiano je z chochlą w ręku przed kotłem. Ich rzemiosło miało dwie strony: „Kto potrafi leczyć, umie też zabić", jak powiedziała pewna słynna czarownica przed sądem inkwizycyjnym. Typowe czarownice były podeszłe wiekiem, miały przynajmniej pięćdziesiąt, sześćdziesiąt lat, co w tym czasie uchodziło za wiek zaawansowany. Trochę dlatego, że dopiero po menopauzie mogły zająć się położnictwem czy cudzym potomstwem, a trochę dlatego, że starzejąc się, stawały się swarliwe i aspołeczne, a sąsiedzi znosili ich obecność coraz gorzej.

Kiedy Elsa kończy wykład, prowadzący spotkanie, poeta języka retoromańskiego z brodą w stylu Segantiniego, pyta publiczność, czy są jakieś pytania. Ilaria natychmiast podnosi rękę.

– Czytałam ciekawą książkę o seryjnej trucicielce z osiemnastego wieku, Giovannie Bonanno, Starej od octu. Zapewne i pani o niej słyszała. Czy można to uznać za przypadek uprawiania czarów?

Elsa się rozpromienia.

– To interesujące pytanie – odpowiada. – Doskonale znam przebieg tego procesu. To była ważna sprawa, bo Giovannę Bonanno skazano na śmierć za „trucicielstwo", nie zaś za „czary". Ona sama, gdy ktoś posądzał ją o czary, mówiła, że nie zna się na magii i że nie potrafi rzucać żadnych uroków. Innymi słowy potraktowano ją jako zabójczynię, nie zaś czarownicę. W roku 1789 w Palermo nie ma już inkwizycji. Wicekról Domenico Caracciolo, oświeceniowiec i bliski francuskim filozofom, nie wierzy w czary i w 1783 roku obala trybunał Świętego Oficjum. I tak oto Bonanno, która jeszcze kilka lat wcześniej byłaby traktowana jak czarownica, jest sądzona za trucicielstwo i ma obrońcę z urzędu. To świecki, nowoczesny proces. Rzecz jasna nadal stosowano tortury, ciągle istniała kara śmierci. Ale zasada się zmienia. Giovanna jest winna, bo zabiła.

– Można ją uważać za seryjną zabójczynię z osiemnastego wieku?

– Oczywiście – odpowiada Elsa – otruła co najmniej sześć osób, o ile się nie mylę. Czy nie wystarczą trzy, żeby być seryjnym mordercą?

Besana wstaje podczas oklasków. Dałby się zabić za papierosa. Wychodzi na zewnątrz, a Ilaria idzie za nim.

– „Trucicielstwo", a nie „czary" – powtarza Marco z uśmiechem.

W tej samej chwili słychać grzmot i z wściekłością zaczyna padać gęsty grad.

10 SIERPNIA

W sali jadalnej Waldhausu jest mnóstwo Włochów, po wykładzie wszystkich zaproszono na koktajl na cześć Elsy Cattaneo. Ilaria widzi Dafne i idzie, żeby ją uściskać. Besana rzucił się już do stolika z napojami i wraca z dwoma kieliszkami szampana. Zaraz potem dołącza do nich Vittoria, ona również trzyma kieliszek.

– Jaki cudowny jest ten hotel – mówi Ilaria.

– Cóż, to zabytek narodowy – odpowiada Vittoria. – Bywali tu wszyscy wielcy dwudziestego wieku: Einstein, Jung, Thomas Mann, Moravia z Morante, Richard Strauss, Luchino Visconti. Hermann Hesse wracał tu każdego lata, mówił, że Sils to raj na ziemi. Widziałaś Welte-Mignon? To swego rodzaju automatyczny fortepian na dziurkowany papier, który podczas przyjęć wygrywał polki, walce i fokstrota. Odrestaurowano go, czasem go włączają.

– Co za miejsce – komentuje Ilaria.

– Podobała wam się prezentacja?

– Tak, Elsa jest naprawdę świetna – odpowiada Besana. Potem odwraca się nagle. – Przecież to Furlan! Co on tu robi? Kto go zaprosił?

Wskazuje brodą chudego faceta w sztruksowej marynarce i wyszukanych okularach, który kręci się przy bufecie, przedstawiając się każdemu. Potem zaczyna intensywną rozmowę z Brunellą.

– Biegnij ratować swoją przyjaciółkę – mówi do Vittorii.

– Dlaczego? Kto to?

– Kolega, którego niestety bardzo dobrze znam, nie można mu ufać. Znany z publikowania fałszywych wiadomości i zmyślonych wywiadów.

Vittoria wybucha śmiechem.

– Ależ mnie bawią twoje opowieści.

– Nie ma w tym nic zabawnego, zapewniam cię. Kiedyś zmarł pewien znany muzyk, wysłali nas, żebyśmy zrobili reportaż: ja dla mojej gazety, a Furlan dla swojej. Najpierw chciałem porozmawiać z wdową, ale ona zamknęła się w domu i odmówiła wszelkich kontaktów z prasą. Musiałem się zadowolić wywiadem ze starym skrzypkiem. I nie uwierzysz: następnego dnia Furlan napisał, że zadzwonił do drzwi wdowy, a ona rzuciła mu się na szyję, zaprosiła go do środka i opowiedziała masę anegdot o mężu. Anegdoty były prawdziwe, ale wywiadu nigdy nie przeprowadzono. Furlan zawsze tak robi. Idzie na konferencję prasową z aktorem, a potem to sprzedaje jako wywiad na wyłączność. Podczas kolacji zasłyszy jakiś tekst z ust znanego polityka, po czym mówi, że to oficjalna deklaracja. Manipuluje wszystkim, co mu się powie. Brunella powinna uważać.

– Nie mogę jej zabronić rozmawiać z dziennikarzem.

– Może nawet o tym nie wie. Furlan nie zwykł się przedstawiać. Zaczyna z kimś rozmawiać, a następnego dnia ta osoba trafia do gazety.

Tymczasem Ilaria udaje się po kolejne tartinki do bufetu. Widzi, jak Elsa Cattaneo wznosi toast z jakimś mężczyzną, którego nazywa Andreas. Czyżby to Vital, ten aptekarz? Sprawdza na Facebooku. Tak, to właśnie on. Ilaria podchodzi do nich pod pretekstem, żeby kelner napełnił jej kieliszek.

– Pytali cię o Ruth? – pyta szeptem Elsa.

– Policja? Nie – odpowiada Vital.

Potem Elsa zauważa Ilarię i od razu zmienia temat.

– Twoja żona ciągle ma bóle kręgosłupa?

– Od kiedy uprawia pilates, trochę jej się poprawiło.

---

10 SIERPNIA

– A kuku, zgadnij, gdzie dziś mam zebranie?

– Gdzie?

– W Zurychu, tyle że jest zmyślone – odpowiada Nicola. – Jestem tu, w twoim hotelu.

Ilaria myśli od razu, że się nie wydepilowała.

– O Boże – mówi.

– Nie cieszysz się?

– Pewnie, że się cieszę – mamrocze Ilaria.

– Podaj mi numer pokoju, zaraz będę na górze.

– Nie – odpowiada nieco oschle. – To ja będę za minutę na dole.

– Ale dlaczego?

Ilaria nie może wyznać, że musi natychmiast złapać maszynkę i ogolić nią nogi, trudno, jeśli potem włosy odrosną mocniejsze.

– Napijmy się czegoś w holu, jak dwoje zakochanych na urlopie – zmyśla wymówkę. – Trochę rytualnie, trochę uroczyście.

Po drugiej stronie cisza. Ilaria, niechcący, powiedziała coś ważnego. Co Nicola rozpoznaje. Do tego stopnia, że czuje się zakłopotany. Co za gruboskórność, tak od razu pójść do niej do pokoju. Właśnie w miejscu, gdzie nikt ich nie zna, z czego mogliby skorzystać, żeby odegrać role narzeczonych.

– Masz rację – przyznaje mężczyzna. – Masz rację, przepraszam. Będę udawał, że cię nie znam, a kiedy będziesz w holu, zadam sobie pytanie: „Kim jest ta piękna dziewczyna?". I zrobię wszystko, żeby cię poderwać.

Ilaria wybucha śmiechem. Gdyby wiedział, że to tylko kwestia włosów na nogach.

– Będzie ci bardzo trudno, zdążyłam do tego przywyknąć, mam tylu adoratorów – oznajmia zmysłowym głosem. Lepiej, żeby autoironia nie była zbyt wyczuwalna.

– Czekam na ciebie – mówi podekscytowany Nicola.

Ilaria w obliczu paniki goli się na sucho, drapiąc skórę nóg. Szpera w walizce. Nie wzięła nawet jednej pary przyzwoitych majtek, ma tylko sztuczne strzępiące się figi. Żadnych pończoch samonośnych, jedynie podkolanówki. Nie znosi niespodzianek. Przeszukuje saszetkę, żeby znaleźć coś do makijażu. Ale nie ma zbyt wiele. W pośpiechu maluje sobie rzęsy, zostawiając czarne ślady na powiekach. Rozczesuje nieumyte włosy, które opadają strąkami wokół twarzy. Może lepiej je związać? Nie wzięła perfum, więc rozsmarowuje sobie na szyi hotelowy balsam do ciała, przynajmniej ładnie pachnie. Potem szybko wychodzi z pokoju. W windzie przegląda się w lustrze. Próbuje samą siebie przekonać. „Ładna ze mnie dziewczyna. W sumie, to ładna ze mnie dziewczyna. Czy ładna ze mnie dziewczyna?" Terapia przeciwlękowa nie działa, kurwa mać, a zostały jeszcze tylko dwa piętra. Drzwi się otwierają i wjeżdża w nią wózek pchany przez pokojowego.

Ilaria nie daje za wygraną. Próbuje dotrzeć do holu wyprostowana, naśladuje chód Vittorii. Ona zawsze usztywnia plecy i podbródek. Tej to dobrze. Jest już na miejscu i od razu wszystko jej opada. Staje jak nieborak przed Nicolą, ręce zwisają jej wzdłuż ciała i cała się garbi. Przypływ emocji jest zbyt silny, Ilaria nie może wprost uwierzyć, że on przyjechał.

– Ilario – mówi.

A ona czeka. Boi się nawet wyobrażać, co będzie dalej, nie chce sobie tego sama popsuć.

– Ilario, kochanie moje wielkie.

Ona wydaje się mieć bezdech.

– Ale wybacz, nie możemy spać razem, żona będzie dzwonić w nocy lub jutro rano, więc zamówiłem inny pokój – mówi jednym tchem, bez żadnej przerwy, bez przecinków.

11 SIERPNIA

Ilaria słyszy, jak dzwoni telefon, ale nie ma siły otworzyć oczu, późno poszli spać z Nicolą. „Jeszcze pięć minut, proszę". Kładzie palec na wyświetlaczu i odrzuca rozmowę. Po chwili jednak telefon znów dzwoni. Ilaria widzi imię Marca. Sprawdza godzinę, nie ma jeszcze ósmej.

– Co się stało?

– Kolejny trup, Piatti.

Ilaria siada na łóżku.

– Co takiego?

– Wczoraj w nocy, samochód wjechał do jeziora Sils. Wiesz, kto siedział za kierownicą?

– Nie. Kto?

– Roger Fuchs, architekt.

– Nic mi to nie mówi.

– Znajomy Rigamontiego, który był z nim w samolocie. Dowiedziałem się od Vittorii.

– Cholera, co za pech. Przeżyć wypadek lotniczy, żeby kilka lat później zginąć w wypadku samochodowym, w tym samym miejscu. Jeśli przyjmiemy, że to był pech. W gruncie rzeczy był świadkiem. A gdyby to było zabójstwo?

– My też tak pomyśleliśmy.

– My?

– Ja z Vittorią.

– To i d ź c i e na policję – odpowiada poirytowana Ilaria.

– No już, Piatti, nie bądź taka. Musisz zadzwonić natychmiast do Hofera, ma z tobą dobre relacje. Jeśli nie połączą faktów, nie zrobią zaawansowanego badania toksykologicznego. Ciekawe, jakiej substancji nie do pomyślenia użył tym razem.

– Rozkaz – odpowiada Ilaria.

Wstaje i wkłada bluzę z kapturem. Nie znosi tego „my". Nastawia kawę, potem pójdzie na śniadanie, na razie wypije espresso.

Zanim zadzwoni do lekarza sądowego, szuka informacji o Fuchsie. Te same kręgi: wyremontował dom Vittorii, Brunelli i nawet chirurga plastycznego Crivellego. Wszystko opisano w magazynie architektonicznym, w reportażu poświęconym luksusowym domom w górach. Jak on wybiera ofiary? Należą do tego samego świata, zgoda. Ale dlaczego właśnie te osoby a nie inne? Zabójca chciał mu zamknąć usta czy chciał go zabić już poprzednim razem? Niemożliwe, Fuchs wsiadł do samolotu w ostatniej chwili. Jego obecność nie była przewidziana. Z Besaną popełnili olbrzymi błąd. Powinni byli go odszukać i z nim porozmawiać. Teraz jest już za późno.

– To się stało tam, jesteśmy na miejscu. – Besana wskazuje policyjny radiowóz zaparkowany na plaży nad jeziorem Sils. Dwóch policjantów dokonuje pomiarów. – Widzisz? Prowadzono tu prace remontowe i usunięto balustradę.

– Hofer powiedział, że denat miał wysokie stężenie alkoholu we krwi – opowiada Ilaria. – Poza tym była noc i lało. Przejechał przez barierki i wpadł prosto do jeziora.

– Mówił coś jeszcze?

– Że to była śmierć w wyniku utopienia. Jeszcze żył, kiedy wpadł do wody. Jakiś turysta od razu wezwał pomoc, ale wszystko działo się zbyt szybko. Fuchs zdołał odpiąć pasy bezpieczeństwa, ale nie udało mu się otworzyć okna, bo instalacja elektryczna w kontakcie z wodą blokuje się w ciągu minuty. Próbował wybić przednią szybę parasolem. Tak wywnioskowali, bo szyba była porysowana, a jego znaleziono z parasolem w ręku.

– To wielki błąd próbować wybić przednią szybę – komentuje Besana. – Te szyby są wzmocnione, często składają się z dwóch warstw. Właściwie nie ma mowy, żeby mogło się to udać pod wodą. Powinien był spróbować z bocznymi szybami.

– Dlaczego nie próbował otworzyć drzwi?

– Jeszcze gorzej, prawie się nie da, dopóki samochód całkowicie nie wypełni się wodą. Z powodu różnicy ciśnień.

– Przepraszam, skąd to wszystko wiesz?

– Zajmowałem się sprawą dwojga turystów, którzy wypadli za burtę z promu podczas rozładowywania. Nie mieli nawet trzydziestu lat, oboje zginęli.

– Ale co się stało?

– Prom przybił do brzegu i zaczęto rozładunek. Dwa samochody już zjechały na ląd. Oni wyjeżdżali na wstecznym i nie zauważyli, że prom się poruszył i oddalił od nabrzeża. Ona miała nawet zapięty pas.

Policjanci gestem każą im odejść.

– Chyba nic nam nie opowiedzą – mówi Besana.

11 SIERPNIA

W aptece tłum ludzi, kolejka jak to w Szwajcarii jest uporząd-kowana – wszyscy grzecznie czekają za żółtą linią. Nadeszła już prawie kolej Ilarii i Marca. Przed nimi jakaś blondynka próbu-je zakupić leki, które we Włoszech są bardzo łatwo dostępne.

– Jak to nie można kupić kardioaspiryny?

– Potrzebna jest r e c e p t a, proszę pani.

– Dobrze, przejdźmy dalej. Poproszę melatoninę w tabletkach, dziękuję.

– Nie możemy jej sprzedać.

– Na melatoninę też trzeba mieć receptę? – Blondynka traci cierpliwość, cały czas uderza nerwowo portfelem o ladę. – Mój lekarz jest na urlopie, co ja mam zrobić?

– Przykro mi, takie są zasady.

– W porządku, w takim razie poproszę opakowanie czopków z kortyzonem.

Zakłopotana farmaceutka kręci głową.

– Jeśli sobie pani życzy, mogę zaoferować ziołowe zamienniki, świetne przy pani dolegliwościach – odpowiada – ale bez kor-tyzonu.

Zrozpaczona blondynka odwraca się do Piatti i Besany.

– Oszaleli?

– Proszę zapytać o truciznę – odpowiada Besana – na to nie trzeba mieć recepty.

Blondynka wybucha śmiechem. Potem odwraca się na pięcie i wychodzi.

– W czym mogę pomóc? – pyta ich farmaceutka.

– Jesteśmy dziennikarzami, chcielibyśmy porozmawiać z panem Andreasem Vitalem.

Dziewczyna wskazuje mężczyznę w białym kitlu, który wychodzi z zaplecza z pudełkiem w ręku.

– To on – mówi. Potem podchodzi do aptekarza i coś do niego szepcze.

Andreas Vital patrzy w ich stronę, zostawia leki na kontuarze i kieruje się do nich.

– *Grüezi*. Chcieliście ze mną rozmawiać?

– Lepiej byłoby na osobności – odpowiada Besana. – Chodzi o Ruth.

Aptekarz patrzy z powagą i przytakuje.

Na zapleczu wskazuje Marcowi i Ilarii dwa krzesła. On stoi.

– Cieszę się, że przyjechaliście. Już nikt nie mówi o mojej córce. Nigdy nie wymierzono sprawiedliwości. Nikt nie zapłacił za jej zabójstwo.

– Zabójstwo?

– Ruth była świetną dziewczyną. Nie zażywała narkotyków – mówi – nawet nie piła alkoholu. N i e m o g ł a.

– Dlaczego?

– Bo cały czas sprawdzał ją trener. Miała być w reprezentacji narodowej.

– W jakiej dyscyplinie?

– Narciarstwo biegowe. W wieku szesnastu lat zajęła drugie miejsce w zawodach Skimarathon. Drugie wśród kobiet, rzecz jasna. Była nadzieją kombinacji norweskiej.

– Czyli według pana nie zmarła z przedawkowania?

– Na pewno nie przyjęła tych środków z własnej woli – odpowiada aptekarz. – Moja córka nigdy nie naraziłaby na szwank swojej kariery sportowej. Tyle się poświęcała. To było całe jej życie, najważniejsza rzecz.

– Razem z Federico?

Vital kręci głową.

– Kolejna nieszczęsna ofiara, biedny chłopak. On także był nadzieją klubu narciarskiego. Uprawiał narciarstwo alpejskie. Wygrywał wszystkie zawody w swojej kategorii, był świetny w slalomie gigancie. Oboje żyli dla sportu.

– Często widuje się pan z panią Cattaneo?

– Oczywiście, ma tutaj posiadłość. Jesteśmy zaprzyjaźnieni.

– I rozmawiacie także o śmierci Ruth?

– Teraz już nie, unikamy tego tematu. Ale dużo o tym mówiliśmy. Ona jest takiego samego zdania. Że ją zabito.

– Dlaczego wszystkich uniewinniono?

– Z braku dowodów.

– Jak Ruth się znalazła na tym jachcie?

– Po prostu była na wakacjach, gościła u swojej koleżanki. Zaproszono ją na imprezę.

– Wie pan, że tego wieczoru na jachcie był również Pallavicini. Nie sądzi pan, że może to skomplikować pańską sytuację?

– Pallavicini przychodził do mojej apteki od lat. A ja zawsze traktowałem go jak wszystkich innych klientów. To on mnie nie rozpoznawał.

– Przychodzili do pana również Rigamonti i Moser?

– Nie, oni nie. Może jeździli do Sankt Moritz lub nie kupowali leków osobiście. Często przychodzą kobiety. Mówią: „Mąż jest przeziębiony". „Męża bolą plecy". A my nie wiemy nawet, jak wyglądają ci ich mężowie.

– Ale Pallavicini sam kupował krople na bazie tojadu.

– Ta fiolka była fabrycznie zamknięta – odpowiada aptekarz. – Zresztą, gdybym chciał go otruć, to proszę mi wierzyć, zrobiłbym to wcześniej.

Marco otwiera drzwi, wszystkie światła są zgaszone.

– Wróciłem! – krzyczy.

Bez odpowiedzi. Może Vittoria jest jeszcze poza domem. Albo w wannie. Wiesza marynarkę i wchodzi do kuchni: na podłodze leżą kawałki potłuczonego szkła i ceramiki. Co się stało? Otwiera szufladę i wyciąga nóż. Skrada się przez ciemny korytarz, plecami trzymając się ściany. Dociera do salonu, nikogo nie ma. Przechodzi dalej. Otwiera na oścież drzwi do pokoju Vittorii. W półmroku słyszy, że ktoś kaszle. Podbiega do łóżka.

– Jesteś ranna?

– Co takiego?

Jej głos brzmi, jakby wzięła zbyt dużo środków uspokajających. Besana widzi, że Vittoria płacze. To zduszony, niemal szeptany płacz. Słabe szlochanie. Marco siada obok niej i chwyta jej dłoń.

– Wszystko dobrze?

Vittoria kręci głową.

– Co się stało?

– Margherita, moja córka. – Jej głos jest zdławiony niepokojem, słowa z trudem wydobywają się z gardła – nie wiem już, jak mam się wobec niej zachowywać.

Marco wzdycha z ulgą.

– Myślałem, że cię napadli.

– Dlaczego?

– Przez to, co zobaczyłem na podłodze w kuchni.

– To ja potłukłam te talerze i szklanki. Musiałam się wyżyć.

Marco ma przed sobą inną Vittorię, będącą poza kontrolą. Widzi teraz kobietę, której nie zna.

– Co zrobiła twoja córka?

– Znów uciekła ze wspólnoty.

– Ma problem z narkotykami?

– Tak, niestety. Od wielu lat. Przestaje i zaczyna na nowo. Z tego nie da się wyjść.

Besana delikatnie głaszcze jej włosy.

– Bardzo mi przykro.

– To tylko moja wina. Powinnam była ją obronić.

– Przed kim?

– Przed tym, kto ją skrzywdził.

– Chłopak?

– Daj spokój.

– Dlaczego nic mi nie powiedziałaś?

– Nie lubię o tym mówić. – Vittoria nie patrzy mu w oczy.

– Gdzie jest ta wspólnota?

– W Brianzie. To już czwarta, bo w innych nie byli dostatecznie uważni. Zapewniali mnie, że stamtąd nie wyjdzie, że jest ostry nadzór.

– Mam zadzwonić do znajomych z policji? Mogliby pomóc jej szukać.

– Dziękuję – odpowiada Vittoria, niemal bezgłośnie.

– Chcesz coś zjeść?

– Nie. Chcę tu pobyć sama. Muszę pospać.

– Moja obecność ci przeszkadza?

– Tak.

– Nie sądzisz, że dobrze by ci zrobiło pomówić o tym? Przyniosę ci kieliszek wina i mi opowiesz.

– Nie mam nic do opowiadania.

Besana wstaje i wzdycha.

– W porządku, zostawię cię w spokoju.

Alessia tak bardzo nalegała, że Ilaria nie mogła odmówić. Zastanawiała się nawet nad powodem tych nacisków. W gruncie rzeczy nie widziały się przez pięć lat i nikt nie rozpaczał. Żadnych wiadomości czy telefonów. Może Alessii zależy na pokazaniu swojego domu w Szwajcarii właśnie jej, bo tylko Piatti może zrozumieć, jaki to awans. Któż inny dokonałby porównań z wcześniejszym życiem? Ilaria dobrze pamięta dom, w którym wychowała się Alessia, córka taksówkarza i urzędniczki. Było to jedno z tych mieszkań, gdzie wszyscy siedzą w kuchni, żeby nie brudzić w salonie. Pokój dzieliła z bratem pomimo różnicy wieku. Mieli jedną łazienkę na czworo.

Ilaria wchodzi do olbrzymiego salonu. Stoją w nim antyki w stylu alpejskim i designerskie fotele, z jasnych drewnianych belek pod sufitem zwisa nowoczesny, barwny żyrandol. Alessia bierze ją za rękę i pokazuje jej kuchnię, całą w drewnie i stali, z barem i supernowoczesnym wyposażeniem, jest nawet chłodziarko-piwniczka, żeby trzymać wina w odpowiedniej temperaturze. Koleżanka zabiera ją do jednej z sypialni – zasadniczo niczym się nie różnią, we wszystkich pełno jest kołder i poduszek z ekologicznego futra. Zwiedzają nawet kamienno-drewniane łazienki, z których jedna mieści saunę.

– Cóż, jak w bajce – komentuje Ilaria.

– Ładnie, prawda? Ten dom doprowadził mnie do szaleństwa. Musiałam przyjeżdżać co tydzień. Już nie mogłam wytrzymać. Poza sezonem nie ma tu nikogo, można się zastrzelić. Ty jak zawsze jesteś tu na wakacjach?

Zapomniała już, że istnieją ludzie, którzy pracują.

– Nie jestem na wakacjach, mówiłam ci przecież. Jestem dziennikarką.

– W dziale sportowym? Zajmujesz się polo? Mój mąż uwielbia polo!

– Nie, zajmuję się przestępstwami.

Alessia wydaje z siebie okrzyk zachwytu.

– Przepadam za przestępstwami.

– Cieszę się – odpowiada Ilaria.

Zapomniała również, że matkę Ilarii zabito. Piatti natomiast doskonale pamięta noc, gdy opowiadała jej swoją historię, leżały we dwie na trawie w opustoszałym parku i popijały piwo z butelki.

– Dobrze znałam Giacoma Pallaviciniego. Naturalnie nie był moim przyjacielem. Był za stary. Ale spotykał się z moim teściem. Kto mógł go otruć?

– Bardzo bym chciała wiedzieć, uwierz mi.

Przez chwilę Ilarię kusi, żeby zadać jej kilka pytań i dowiedzieć się czegoś więcej o ofierze. Mogłoby to być przydatne. Ale górę bierze konieczność ucieczki z tego doskonałego domu i od tej dziewczyny, która nie ma już nic wspólnego ze znajomą z przeszłości.

– Cóż, muszę iść. Cieszę się, że znów cię zobaczyłam. Świetnie sobie radzisz.

– Już? Jeszcze nie zaproponowałam ci nic do picia. Wstawiłam do lodówki butelkę szampana.

– Dziękuję, ale naprawdę się spieszę. Dziś wieczorem muszę dostarczyć tekst – kłamie.

W tej samej chwili widzi faceta w skarpetkach, który wałęsa się po salonie, ziewając. Ze wszystkich rzeczy w całym domu Alessia zapomniała jej pokazać tylko swojego męża.

– Dafne? Co robisz dziś wieczorem?

– A co niby mam robić? Jak zawsze jem kolację. No już, wpadnij do mnie.

Ilaria od razu przyjmuje zaproszenie. Uwielbia Dafne, to jedyna podobna do niej osoba w całej dolinie. Namiary, które wysłała jej na WhatsAppie, wskazują kolejną portugalską knajpę. „Lokalne jedzenie" – głosi napis na szyldzie. I nie jest to zwykła kuchnia portugalska, tylko engadyńska, są również dania spoza karty: *pastéis de bacalhau, arroz de polvo, francesinha.*

Ilaria wreszcie może się wyżyć, opowiada jej o niespodziance Nicoli, o tym, co czuła, o strachu, o rozczarowaniu. A on rozpłynął się jak zawsze.

– Cóż, p o z b ą d ź s i ę g o – proponuje Dafne.

Ilaria wybucha śmiechem.

– Odrobiną tojadu?

– Już byłaś w ogrodzie Elsy. – Dafne przymruża oko. – Jeśli wolisz, możemy zawsze zagwizdać na Rudolfa. Jest wyszkolony.

Śmieją się razem jak wariatki. Trzeba przecież to trochę oddramatyzować. Kto powiedział, że w kronice kryminalnej ze względu na jej ponury charakter nie ma miejsca na żarty?

Dafne nagle odwraca się. Zobaczyła, jak do środka wchodzi Brunella.

– Co ona robi w takim miejscu? – pyta Ilaria.

– Przyszła się p r z y w i t a ć ze swoim trenerem jazdy konnej – odpowiada Dafne ze złośliwym uśmieszkiem. – Brunella szaleje za swoimi trenerami. Tenisa, golfa, narciarstwa. Jest bardzo wysportowana.

Znów się śmieją. Potem machają do niej ręką z pozdrowieniami. Brunella podchodzi do ich stolika. Piszczy, gwiżdże, parska. Jak wiewiórka, świstak i klaczka w jednym, ale przede wszystkim nastolatka. Ilekroć używa nieco dziwnego w swoim mniemaniu słowa, ubiera je w cudzysłów ruchem palców. I mówi „hashtag coś tam".

– Hej, no proszę. Uciekłam z kolacji, hashtag *dobranoc*. – Zaznacza ten wyraz w cudzysłowie, zginając palec wskazujący i środkowy. – Tutaj przynajmniej jest trochę życia. Jacyś młodsi ludzie, na Boga. *Cool? Fun?* Niby gdzie? Ale się wynudziłam. Więc zmyśliłam ból głowy. Pa, pa. I zjawiłam się tutaj, hashtag *bestoftheday*.

Brunella się śmieje, w przeciwieństwie do Dafne i Ilarii. Nie są w stanie.

– Dobra, dziewczyny, idę. Inaczej moi znajomi będą protestować, beze mnie impreza nie może się zacząć. – Żegna się z nimi kolejnym wybuchem śmiechu, takim śmiechem dla śmiechu, bez którego niektórzy nie potrafią się obyć. – B a w c i e   s i ę   d o b r z e.

Dafne i Ilaria patrzą na siebie.

– Biedaczka – komentuje Dafne.

– Ja nawet jako czternastolatka taka nie byłam – mówi Ilaria.

– Nigdzie nie pasuje. Ani w swoim snobistycznym światku, ani wśród górali, i nie zdaje sobie z tego sprawy. Nie nabijają się z niej tylko dlatego, że jest bardzo bogata i nigdy nic nie wiadomo, to właśnie jest najgorsze.

---

12 SIERPNIA

Ktoś naciska nerwowo dzwonek. Pomoc domowa zapewne poszła na zakupy. Besana idzie do wejścia i otwiera drzwi. Widzi przed sobą rozdygotaną Brunellę.

– Vittoria jeszcze śpi?

– Nie wiem, jest w swoim pokoju i nie życzy sobie, żeby jej przeszkadzano. Źle się czuje.

– Muszę z nią porozmawiać, stała się straszna rzecz – nalega Brunella, wchodząc do salonu.

Opada na kanapę i wyciąga komórkę z torby. Chwilę przy niej majstruje, po czym podaje ją Marcowi.

– Przeczytaj ten wywiad. Nigdy nie udzieliłam żadnego wywiadu! Nie spotkałam się z żadnym dziennikarzem! Wszystko zmyślił! Nic takiego nie mówiłam.

Besana przegląda szybko stronę internetową. I tak już wie.

– Gadałaś z nim przez pół godziny w hotelu Waldhaus.

– Z tym facetem z brodą? Nie mówił, że jest dziennikarzem. Przedstawił się jako znajomy Elsy.

– Jest dziennikarzem. Bardzo nieuczciwym w dodatku. Jako że wiem, jak potrafi się zachować, poprosiłem Vittorię, żeby cię uprzedziła. Nie zrobiła tego?

Brunella kręci głową.

– Nie. A ja dałam się nabrać, hashtag *cozakretynka*.

Besana patrzy na nią, marszcząc brwi. Jak można być kimś takim? Brunella zachowuje się jak mała dziewczynka, choć ma prawie czterdzieści lat.

– Co ja teraz zrobię?

– Możesz wysłać dementi.

– Że co?

Marco zaczyna tracić cierpliwość, mniej więcej jak wtedy, gdy chciał skłonić syna do nauki.

– Napiszę ci, jeśli chcesz. Ty tylko podpiszesz, dobrze?

Brunella przytakuje.

Nosi perfumy o korzennym zapachu, bardzo intensywnym, który Marcowi wydaje się mdlący. Używała go jedna jego była i natychmiast go rozpoznaje: Poison od Diora. Kolendra, ziele angielskie, anyżek, róża, tuberoza, goździk, ambra, drzewo sandałowe, słodka mirra, piżmo. Dla jego węchu to prawdziwa trucizna. Wstaje i otwiera okno.

– Co się stało Vittorii? – pyta Brunella, szperając w torbie w poszukiwaniu papierosów. Znajduje paczkę i wkłada jednego do ust. Nie ma zapalniczki, więc znów zaczyna szperać. – Chodzi o Meg? Znów uciekła?

– Z tobą o tym rozmawia? – Besana jest zaskoczony.

Brunella kręci głową, wdychając dym.

– Co ty. Z nikim o tym nie rozmawia. Ale ja wiem.

– Znasz ją?

– Margheritę? Pewnie. Ale nie jestem pewna, czy ona zna mnie. Za każdym razem, gdy ją widziałam, była naćpana. Nie sądzę, żeby kiedykolwiek mogła z tego wyjść.

– Kokaina? Heroina? Piguły?

– Wszystko. Specjalizuje się w koktajlach, o ile to możliwe zmieszanych z alkoholem.

– Vittoria często ją odwiedza?

– Nie może.

– Dlaczego?

– Lekarze odradzają. Mówią, że kiedy Meg ją widzi, to od razu ma kryzys.

– To straszne – komentuje Besana.

– No tak – odpowiada Brunella – ale gorzej jest, kiedy córka nagle wraca do domu. W okresie odstawienia staje się bardzo porywcza.

– Halo, Ilario?

– Doktor Hofer! Dziękuję, że pan dzwoni. I jak?

– To był wypadek, nie ma wątpliwości. Przeprowadziliśmy wszystkie badania toksykologiczne, koleżanka szukała najbardziej egzotycznych substancji, ale nic nie znalazła. Alkohol, tylko alkohol. Stężenie alkoholu o wartości 1,6 promila czyni całkowicie niezdolnym do jazdy. Z trudem można iść, a co dopiero siedzieć za kierownicą. Ten facet musiał wypić przynajmniej butelkę wina i kilka kieliszków wódki. A jechał z szaloną prędkością, ponad sto na godzinę w takich warunkach, same zakręty i deszcz.

– No cóż – komentuje rozczarowana Ilaria.

– Wiele lat temu zabrano mu prawo jazdy na pół roku za przekroczenie prędkości – kontynuuje Hofer. – Gdyby ubiegłej nocy zatrzymał go patrol, prawdopodobnie uratowałby swoją skórę i jakiś czas spędził w więzieniu. Tutaj, w Szwajcarii, z przepisami nie ma żartów.

– Czyli kiedy wpadł do jeziora, po prostu był pijany? Jesteście pewni, że nie dosypano mu czegoś do wina?

– Na sto procent. Również sekcja to potwierdza. Narządy wewnętrzne są w normalnym stanie, jedynie wątroba trochę powiększona, co typowe dla alkoholików. I początkowa faza rozedmy płucnej, charakterystycznej dla palaczy. W żołądku miał jeszcze resztki capuns i gulaszu z jelenia z polentą. W każdym razie nic trującego. To był masywny mężczyzna i miał wszelkie problemy związane z otyłością, włączając w to brak swobody ruchowej. Znalazłem siniaki na rękach i na czole, bo musiał ze wszystkich sił walczyć, żeby wydostać się z samochodu. Był za gruby, żeby przedostać się przez okno, dlatego próbował rozbić przednią szybę. I pomyśleć, że w tym miejscu jezioro ma tylko kilka metrów głębokości, mógłby się uratować.

– Może pomoc nadeszła z opóźnieniem? – mówi Piatti.

– Zapomina pani, że jesteśmy w Szwajcarii. W ciągu kwadransa nurkowie byli na miejscu. Ale Fuchs był już trupem. I wszelkie próby reanimacji spełzły na niczym. Zresztą u człowieka takiego jak on, ponad sześćdziesięcioletniego, z trudnościami w oddychaniu i, jak sądzę, z nadciśnieniem, do utonięcia dochodzi bardzo szybko. Może wystarczyć minuta, żeby stracić przytomność. Mogę panią zapewnić, że nie licząc chwili paniki, umarł bardzo szybko i bez większej świadomości.

– Cóż, D'Ambrosio i Pallavicini mieli gorzej. Musieli cierpieć straszne katusze.

– Na pewno. Ale, powtarzam, to inny przypadek. Nawet gdyby istniał ktoś, kto chciał go skrzywdzić, Fuchs wszystkim zajął się sam, bez niczyjej pomocy. Prokuratura już umorzyła sprawę jako wypadek drogowy. Śledztwo zamknięto.

– Ale może ktoś majstrował przy samochodzie? – nalega Ilaria.

– Jego jaguar został przeszukany przez policyjnych mechaników. Każda śruba była na miejscu. Dopiero co robił przegląd w warsztacie w Samaden. Proszę spać spokojnie, pani Ilario, tym razem nie ma materiału na artykuł. Widziała pani jaki piękny dziś dzień? Proszę pójść na przechadzkę, pooddychać świeżym powietrzem, dobrze to pani zrobi.

12 SIERPNIA

– Zjemy razem kolację?

– Nie, dziękuję. Wolę zjeść sama – odpowiada Ilaria.

– Vittoria dziś wieczorem chce zostać w domu.

– To pójdę z ochotą – rozpromienia się Piatti.

– Trudno ci ją znieść, co?

– Trochę.

– Jesteś zazdrosna?

Ilaria wybucha śmiechem.

– Oszalałeś? O ciebie?

Pół godziny później Besana otwiera już drzwi restauracji. Zasiadają na drewnianej ławie, w zacisznym kącie. Marco przegląda kartę win i kręci głową.

– Mają skandaliczny narzut – komentuje. – Nie ma butelki w cenie poniżej trzydziestu euro, rozumiesz?

Zamawia najtańsze czerwone wino i próbuje chleba.

– Wytłumacz mi, dlaczego tak bardzo jej nie znosisz?

– Jest snobistyczna i arogancka. Zdolna jedynie do kurtuazji, a nie do czułości. Żyje w swoim małym światku i wydaje się jej, że to c a ł y świat. Nie ma za grosz poczucia rzeczywistości. Nie ciekawią jej inni ludzie. Wiesz, że nigdy mnie o nic nie zapytała? Nie należę do jej środowiska, więc dla niej nie istnieję. Trochę to ograniczone.

– Coś jeszcze?

– Tak, jest coś jeszcze. Uważam również, że jest nudna. Opowiada tylko o ludziach, których zna, rzuca nazwiskami, jakby wszyscy również musieli je znać. Mnie tymczasem nic nie mówią. Kim, do cholery, są? Co mnie obchodzi, czym się zajmują? Moje życie to nie zabawa.

– Jest w tym trochę racji, Piatti. Ale Vittoria to nie tylko to, wierz mi. – Marco splata palce i opiera na nich brodę. – Cierpi o wiele bardziej, niż może się wydawać.

Ilaria wykrzywia twarz.

– Tylko mi nie mów, że jest zdruzgotana śmiercią męża. Nigdy o nim nie wspomina. A kiedy to robi, mówi o nim jak o odległym krewnym. Z chłodem i absolutną obojętnością.

– I rzeczywiście, nie odnosiłem się do niego. Prawdziwą udręką jest jej córka, która teraz ma dwadzieścia lat. Jest we wspólnocie.

– Problemy psychiczne czy narkotyki?

– Narkotyki. Czyli jedno i drugie. Raz na jakiś czas ucieka, doprowadzając matkę do szaleństwa. Znikają samokontrola i nadto wyprostowana postawa Vittorii. Zapewniam cię. Niszczy wszystko, co napotka. Wczoraj wieczorem wszedłem do domu i znalazłem porozbijane naczynia na ziemi. Byłem w szoku. Myślałem, że zabili również i ją. Tymczasem to ona zrobiła, ze złości.

– Może ma poczucie winy – mówi Ilaria.

– Nie mnie ją oceniać. Poza tym nie znam ich historii. Próbowałem jej pomóc, ale Vittoria odgradza się murem. Nie można się do niej zbliżyć. Co najwyżej pozwala na drobne pieszczoty. I tyle. Ale nie pozwala dotrzeć do głębi. Kiedy czuje się zbyt słaba, by oprzeć się bliskości, mówi, że potrzebuje snu, i zamyka się w swoim pokoju. I zostawia cię samego, z twoją nieprzydatnością i bezsilnością.

– Nie wiem dlaczego, wcale mi jej nie żal – komentuje Ilaria. – Ja też miałam trudne życie. Moja matka została zabita, a ojciec odsiaduje dożywocie w związku z jej śmiercią. A jednak nie stałam się jak ona.

Besana wypija łyk wina i się zamyśla.

– Wiesz, w wieku dwudziestu lat jest się bardzo *tranchant*, ostrym. Potem nieco się mięknie, wytraca się pewność co do własnych osądów. Czasem postrzegam to jako stratę: wspaniale było być takim nieprzejednanym. Innym razem widzę w tym wyzwolenie. Być może wolę wiedzieć, że nie wiem, kim są inni, na przykład.

---

13 SIERPNIA

Piatti i Besana stawiają się na posterunku policji w Samaden. *Polizia chantunala del Grischun*. Przyjmuje ich sierżant śledczy Urs Ackermann, który jako jedyny mówi dobrze po włosku.

Od razu objaśnia zasady ochrony danych osobowych w Szwajcarii. W gazecie nie wolno podawać nazwisk podejrzanych. Nie wolno tego i nie wolno owego. Potem wstaje, żeby odebrać pilny telefon i zostawia ich samych.

– Czyli właściwie nie możemy napisać ni chuja – mówi Besana.

– Może te reguły obowiązują tylko szwajcarską prasę – odpowiada Piatti.

– O ile się zakładasz, że nic nam nie powie?

– Ale mamy inne źródła.

Sierżant Ackermann wraca do nich i przeprasza za czas oczekiwania. Opowiada, że prowadzą śledztwo w sprawie farmaceuty, którego nazwiska nie może podać i który miał sprzedać fiolkę leku homeopatycznego Aconitum.

– Który można kupić bez recepty. U was w Szwajcarii wszystko można kupić w aptekach. Trzeba byłoby wprowadzić ostrzejsze zasady, jak u nas. – Besana się śmieje.

Ackermannowi wcale nie jest do śmiechu. Z wielką powagą zaczyna dalej objaśniać, że aptekarz ciągle powtarza, iż jeśli zwartość nie odpowiada etykietce, to jest to problem firmy farmaceutycznej. Przeprowadzają kontrolę w fabryce, której nazwy nie może wskazać.

– Czyli jeśli pan Andreas Vital jest niewinny, to należy szukać winnego w Natur-Pharm w Bazylei – prowokuje Marco.

– Nie jesteśmy we Włoszech, panie Besana – odpowiada lodowato sierżant.

– Ale my zjawiliśmy się tu jako przyjaciele, nie chcemy, żeby miał pan trudności. Mamy inne źródła, proszę się nie martwić. Chciałbym zadać tylko jedno pytanie.

– Słucham.

– Sprawdziliście, czy jest jakiś związek ze śmiercią Ruth Vital?

– Nie mogę odpowiedzieć, przykro mi.

– Tak sądziłem – komentuje Besana.

Wstają i ściskają dłoń sierżantowi. Ale zanim przestąpią próg, Besana się odwraca.

– Przepraszam, jeszcze jedno pytanie. W ciągu ostatnich dwóch lat w Gryzonii zmarli inni Włosi: Livio Moser, Carlo Rigamonti, Achille D'Ambrosio. Czy nie podejrzewacie, że te morderstwa mogą się ze sobą łączyć?

– Wiem o sprawach, do których się pan odnosi, ale to były wypadki. Wykluczono już morderstwo.

– Dobrze, dziękuję, panie sierżancie.

13 SIERPNIA

Besana jest wściekły, idzie zgarbiony do swojego samochodu i w dodatku widzi mandat.

– Jak tutaj można pracować w kronice kryminalnej? Można powiesić legitymację na gwoździu. Mamy robić wywiady z policyjnymi subretkami jak w latach pięćdziesiątych. Lepiej zmienić zawód. Wielkie śledztwa w sprawie niedźwiedzi, dokładnie to, co lubię.

– Może napilibyśmy się gdzieś gorącej czekolady? – proponuje Ilaria.

Besana sprawdza godzinę.

– Jest południe, Piatti. Przynajmniej jedno piwo.

Siadają w ogródku jakiejś cukierni. Zadowolona Ilaria zamawia precla z masłem.

– Ale to jest wielki szwajcarski wynalazek – zachwyca się Ilaria, gryząc precla.

– Nie – odpowiada Marco. – Możesz je znaleźć również w Wiedniu i w Bolzano. Ale pomijając precle, Szwajcaria jest o wiele bardziej kreatywnym krajem, niż myślisz.

– Mnie kojarzy się tylko z czekoladą, zegarkiem i scyzory-
kiem.

– Nie doceniasz Szwajcarii, Piatti – mówi Marco, popijając
miejscowe piwo. – Pomyśl o rzepie. Na pomysł wpadł pewien
pan z kantonu Vaud. Był właśnie w lesie na spacerze z psem.
Przyczepiał mu się do spodni łopian. Kojarzysz te suche i kłu-
jące kwiatostany, których trudno się pozbyć? Obejrzał je pod
mikroskopem i zrozumiał, że może przemienić ich uciążliwość
w coś zgoła innego. Tutaj nuda rodzi wielkie rzeczy.

– Na przykład?

– Kostka rosołowa. Jej pomysłodawcą był pół-Włoch, Julius
Maggi. Lub celofan, wymyślony przez mieszkańca Zurychu.
Aluminium w płatach, które zastąpiło cynfolię i służy do pa-
kowania czekolady. Elektryczna szczoteczka do zębów, Piatti!
Rozumiesz? Narodziła się w wyobraźni pewnego genewskiego
dentysty. Kto by pomyślał, że genewski dentysta może być obdarzony wyobraźnią.

Ilaria wybucha śmiechem.

– Na koniec zachowałem najlepsze: rewolucyjna wc kaczka.
Prototyp narodził się w Zurychu w latach osiemdziesiątych.

– Cholera, odmienili świat.

– Widzisz? A miałaś tyle uprzedzeń. Niestety jest też inna
kaczka made in Switzerland, ta od *Ententanz*, lepiej znanego
jako *Kaczuchy*. Skomponował je szwajcarski kelner w latach
sześćdziesiątych.

– Ta nuda jest naprawdę groźna.

– To zależy – odpowiada Besana. – Bez Szwajcarów nie mielibyśmy absyntu, a pośrednio również poezji Verlaine'a i Mal-
larmégo. Absynt wynalazł w celach medycznych pewien lekarz
z Neuchâtel. Potem na szczęście alkohol ten znalazł lepsze zastosowanie w Paryżu.

– Naprawdę?

– To samo dotyczy LSD, będącego owocem laboratoriów Sandoz w Bazylei, a wymyślonego przez pewnego genialnego chemika Alberta Hofmanna, który, nawiasem mówiąc, zmarł w wieku stu dwóch lat. Co by znaczyło, że wcale nie jest takie szkodliwe.

13 SIERPNIA

Ilaria wraca busem do hotelu. Dzień jest piękny, ale słoneczna pogoda ma też swoje gorsze strony: sprawia, że na otwartym powietrzu zjawiają się turyści. To ludzie nadto rozmiłowani w sporcie jak na jej gust. Na jeziorach pełno jest windsurfingów, żagli i latawców, na drogach królują rowery elektryczne i górskie, łąki roją się od koni i graczy w golfa. Niektórzy jeżdżą na rolkach, inni biegają. Jeszcze inni, stosownie ubrani, z plecakiem na plecach udają się na piesze wycieczki po górskich szlakach. Całe to szaleństwo jest nie do zniesienia. Wolała, kiedy były burze.

Siedzi tuż obok dziecka w kasku wiozącego rower, który cały czas się przewraca, gdy nagle dzwoni telefon. To delikatna sprawa, wolałaby o tym rozmawiać gdzie indziej, najchętniej nie w busie. Ale agent nieruchomości się spieszy, prawdopodobnie musi zamknąć wszystkie sprawy przed 15 sierpnia, on też chce wyjechać.

– Liczę na pani wyrozumiałość. Cała okolica wie, że w tym domu doszło do zabójstwa. A znalezienie kogoś z zewnątrz nie jest proste. Zjawiają się tylko imigranci, którzy nie mogą sobie pozwolić na taki dom. Pokazywałem go wielu ludziom. Wszystkim na początku się podobał, proszę mi wierzyć. Ale gdy tylko się dowiedzieli, to się wycofali.

– Czyli co?

– Trzeba obniżyć cenę. Może wtedy ktoś przełknie to morderstwo. Znam ludzi, proszę mi wierzyć. Mogą dużo gadać, ale jak jest interes do zbicia, to o wszystkim zapominają.

Ilaria na chwilę zamyka oczy. Trudno jest rozmawiać w tych kategoriach o własnym życiu.

– O ile powinnam obniżyć?

– O sto – odpowiada agent nieruchomości.

Ilaria musi się teraz rozliczyć ze swoim życiem. Jeśli chce uratować swoją przyszłość, nie pozostaje jej nic innego.

– Żartuje pan? Cena już była niska. Nie uda mi się kupić nawet kawalerki w Mediolanie.

– Mógłbym pani pomóc – nalega agent. – Tam też mamy filię.

– Poprosił mnie pan, żebym sprzedała dom za niską cenę, a ja się zgodziłam. Ale to jest o wiele więcej. To jakby go komuś podarować.

– Zawsze pani mówiła, że chce się szybko uwolnić od tego domu. Niestety to niemożliwe. Nikt go nie chce. Proszę spróbować to zrozumieć: nikt go nie chce.

Chłopiec obok niej znów stracił kontrolę nad rowerem, który po raz kolejny runął jej na stopy.

– Kurwa mać – wymyka się jej.

Chłopiec chichocze. Ilaria odwraca się i mrozi go wzrokiem.

– Jeśli jeszcze raz to zrobisz, wyrzucę go przez okno – mówi.

– Słucham? – pyta agent nieruchomości.

– Nie mówiłam do pana – odpowiada.

– Proszę to przemyśleć.

Ilaria przytakuje szeptem. Rozłącza się i jako ostrzeżenie wymierza kopniaka w rower chłopca. Niech wie, że nie należy jej teraz przeszkadzać.

13 SIERPNIA

Marco zatrzymuje się na stacji benzynowej, jest kolejka. I tak mu się nie spieszy. Patrzy na telefon, żeby sprawdzić wiadomości. Nikt nic od niego nie chce. Potem podnosi oczy i widzi blondynkę, która nieporadnie stara się zatankować. To jego była żona. Wysiada z samochodu i idzie do niej.

– Myślałem, że cię tego nauczyłem. Chcesz powtórkę? – Uśmiecha się.

Marina obejmuje go, ciągle trzymając pistolet w ręku.

– Proszę złożyć broń – mówi Marco.

Przejęta przeczesuje sobie włosy.

– Chyba coś popsułam.

– Nie szkodzi – dodaje jej otuchy.

To były codzienne gesty, może dlatego teraz są takie kłopotliwe. Ale wszystko można przezwyciężyć. Po napełnieniu baku idą do baru. Ich żołądki nie są jednak ściśnięte z powodu głodu. Marina nawet nie narzeka, gdy Marco zamawia piwo zamiast kanapki. Wprost przeciwnie. Ona też wybiera piwo. Chce, żeby zakręciło się jej w głowie.

– Nie spodziewałam się spotkać tu ciebie – mówi.

– Ja też nie – odpowiada Besana.

– Może nie pamiętasz, że Armando ma dom w Celerinie. Należał do jego rodziców. Bardzo chciałam wyjechać, ale on woli siedzieć w tym domu i nie wydawać pieniędzy. – Marina wzrusza ramionami. – A ty gdzie się zatrzymałeś?

– W hotelu – odpowiada Marco – pracuję nad pewną sprawą.

Kłamie już drugi raz, ale to kłamstwo jest ważniejsze, boleśniejsze.

– Ta sprawa z otruciem? Jest interesująca?

To pytanie, którego Marina nigdy by nie zadała, kiedy byli małżeństwem, więc je ignoruje.

– Dosyć – ucina krótko. – Jacopo jest z wami?

– Miał przyjechać, ale w ostatniej chwili zmienił zdanie. Woli pracować.

– Pracować? On? – Besana jest zaskoczony. – Powinienem się martwić?

Jacopo nigdy nie poświęcił nawet tygodnia na jakąś wakacyjną pracę. Czy coś umknęło jego uwadze?

– Tak, powinieneś się martwić, Marco. Mówił ci o swojej dziewczynie?

– Wysłał mi zdjęcia. Powiedziałbym, że to niezła laska.

– Czyli ci o niej nie mówił.

– Jaki jest problem?

– Jej rodzice – odpowiada Marina. – Mają gospodarstwo agroturystyczne w Valtellinie.

– No i? Mnie na pewno wiedzie się gorzej.

Marina wybucha śmiechem. Potem kręci głową.

– Postanowił tam się przenieść i pracować z tymi ludźmi, których po trzech miesiącach uważa już za swoich teściów.

Besana stara się przełknąć tę wiadomość razem z łykiem piwa.

– Oto dlaczego nie chciał iść na studia – mówi. – Ale do cholery, przecież ma dopiero osiemnaście lat. I chce mieszkać z teściami?

– Może to nasza wina – szepcze Marina, pochylając głowę.

– Twoja. – Besana traci kontrolę. – To twoja wina.

– Proszę cię. – Marina hamuje jego emocje gestem ręki. – Wina zawsze leży po obu stronach.

– Od kiedy tak uważasz? Kiedy zaczęliśmy żyć w separacji, o ile dobrze pamiętam, tylko ja byłem winny. Bez niczyjego udziału.

– Co to ma do rzeczy?

– Owszem, ma – odpowiada Marco. – Dokładnie tak samo, jak wybory naszego syna mają wiele wspólnego z twoimi planami ślubnymi.

– Nie bądź okrutny.

– Po prostu jestem realistą. Nie trzeba tu geniusza psycho-analizy. On jest pełnoletni od kilku tygodni i chce się ożenić przed tobą, do diabła ciężkiego.

– Musisz go powstrzymać, Marco.

– Przykro mi, muszę najpierw powstrzymać ciebie – odpowiada Besana.

Marina podnosi głowę zaniepokojona.

– Nie chcesz już przyspieszonego rozwodu?

Besana zapala papierosa, trochę trzęsą mu się dłonie.

– Nie, chcę go – odpowiada. – Jak najszybszego. Jak tylko się da.

Marina patrzy na niego, zarazem nieprzytomnie i z ulgą.

– Ale widziałem Armanda z inną – dodaje Besana. – Może powinnaś o tym wiedzieć.

Nigdy nie chciał, żeby do tego doszło, ale wszystko się spieprzyło i nikt nie ma już nic do stracenia.

13 SIERPNIA

– Gdzie jesteś? Możemy zobaczyć się na chwilę? Odkryłam coś niepokojącego.

Besana, nieco zakłopotany, wstaje od stołu, żeby odebrać telefon.

– Jestem z moją żoną – odpowiada. – To znaczy z moją byłą żoną.

– Spotkałeś Marinę?

– Z powodu ochrony danych osobowych nie mogę podawać imion.

– Kretyn. Możesz wpaść do mnie do hotelu, kiedy skończysz?

– W porządku.

Ilaria czeka na niego w ogrodzie. Besanie wyślizgnęła się z ręki smycz Beck'sa, który galopem wybiega Ilarii naprzeciw, po drodze niemal przewracając jakąś kobietę.

– Jestem – mówi Marco, zasiadając obok niej.

– Jak poszło?

– Daj spokój.

– Vittoria o tym wie?

– Spędziłem cały dzień z tobą. Pracowaliśmy.

– Jasne.

– No i? Co to za news?

– Otrzymałam cenną informację od komisarza Ricciego, co nieco zmienia postać rzeczy. Żona D'Ambrosia odmówiła przejęcia majątku, bo były to same długi, ale zainkasuje polisę ubezpieczeniową na życie męża, parę milionów euro. A gdyby ta zbrodnia nie miała nic wspólnego z pozostałymi?

– Cóż, ubezpieczenia na życie mają długą tradycję w historii trucicielstwa – komentuje Besana. – Zanim nastał dziewiętnasty wiek, otruwanie było domeną wyższych sfer społeczeństwa, pomyśl o dworach. Same arystokratyczne zbrodnie. Stara od octu wraz ze swoim plebejskim otoczeniem stanowiła wyjątek. Potem narodziły się ubezpieczenia i wszystko się zmieniło. Nawet życie zwykłych ludzi zaczęło mieć wartość pieniężną. A trucizna, zwłaszcza w obrębie rodziny, stała się najpewniejszą i najtrudniejszą do wykrycia bronią. Nie mówię tylko o arszeniku, cyjanku i strychninie. Niektórzy używali najdziwniejszych środków.

– Na przykład?

– Słynny był przypadek Henriego Girarda, który w Paryżu w początkach dwudziestego wieku kręcił się wokół zamożnych dam i namawiał je do podpisywania polis na jego rzecz. Używał naturalnych toksyn: wyciągów z muchomorów i bakterii chorobotwórczych.

– A ja myślałam, że nasz zabójca jest obdarzony wyjątkową wyobraźnią. Było wielu seryjnych trucicieli?

– Przychodzi mi na myśl pewna gospodyni domowa z Oklahomy, która w latach pięćdziesiątych pozbyła się pięciu mężów, dwojga dzieci, matki, dwóch sióstr i siostrzeńca. Nazywano ją „romantyczną trucicielką". Jedenaście morderstw, wszystkie uznano za śmierć z przyczyn naturalnych. Aż pewien lekarz, nieco bardziej skrupulatny od innych, postanowił zrobić sekcję zwłok piątego męża, by trafić na ilość arszeniku odpowiadającą dwudziestu dawkom śmiertelnym. Ona zaś zeznała policji, że pozbyła się mężów, bo byli n u d n i.

– Rozkoszna. – Ilaria się śmieje.

– Wiesz, czytała romanse i uważała, że nie żyje na odpowiednim poziomie. „Szukałam tylko idealnego męża", broniła się, „prawdziwej, wielkiej miłości".

---

13 SIERPNIA

Vittoria obiecywała mu, że to będzie spokojny wieczór, tylko we dwoje, ale jednak nie wytrzymała. W ostatniej chwili zaprosiła na kolację dziesięć osób.

– Znowu? Chciałem trochę pobyć tylko z tobą. Nie wiem, co powiedzieć tym ludziom.

– Skarbie, Chicca jest sama. Potem zadzwonił Giulio. Nie mogliśmy przecież spędzić wieczoru tylko z nimi. Crivelli zawsze mnie zapraszają, musiałam się odwdzięczyć.

– Co za koszmar – mamrocze Besana. – Ani chwili spokoju, niech to szlag.

W tej samej chwili jego telefon zaczyna wibrować. To jego była żona, pomocy. Nie może nie odebrać po tym, jak wymknęła mu się ta uwaga o Armandzie. Na szczęście niemal równocześnie dzwoni dzwonek do drzwi. Vittoria biegnie, żeby otworzyć. Besana zamyka się w łazience.

– Nie przeszkadzam? – Marina jest cała w łzach.

Marco odkręca kran, żeby nie było go słychać.

– Co ty – odpowiada. – Naprawdę cię przepraszam, nie powinienem był ci tego mówić.

– Dobrze zrobiłeś. Wynajęłam pokój w hotelu, jutro rano wracam do Mediolanu. Nie będę przecież z nim spać. A ty gdzie jesteś?

– Na imprezie.

– Na imprezie? Zawsze nienawidziłeś imprez.

– To w związku z pracą – ucina.

Tymczasem słyszy, jak ktoś puka.

– Marco? Wszyscy już są. Czekamy na ciebie.

– Już idę! – krzyczy Besana, nie otwierając drzwi.

Marina pociąga nosem, ciągle płacze.

– Musisz iść?

– Przykro mi. Spróbuję zadzwonić później.

– Tak, proszę cię. Nie zostawiaj mnie dziś samej. Jestem w fatalnym stanie. Mam ochotę skoczyć z okna.

– Nie wygaduj bzdur.

Besana z ponurym wyrazem twarzy wchodzi do salonu. Ściska dłonie gości. Vittoria chwyta go pod ramię.

– Jakieś problemy?

– Nie, rozmawiałem z Piatti.

Tymczasem telefon znów wibruje w kieszeni. Marina nie daje mu spokoju. Tysiąc razy bardziej wolałby słuchać jej płaczów niż czczych wywodów swojej sąsiadki. Ale nie może.

– Czym się pan zajmuje?

– Jestem emerytowanym dziennikarzem.

– To ciekawe.

– Bycie na emeryturze?

– Bycie dziennikarzem – odpowiada kobieta, śmiejąc się.

– A pani? Czym się zajmuje?

– Maluję ceramikę. Gdyby chciał pan zobaczyć, w niedzielne popołudnie będzie sprzedaż dobroczynna, u Laudomii w domu.

Besana nie czuje się na siłach, by powiedzieć „to ciekawe". Sam by się rzucił z okna. Niepocieszony nalewa jej trochę wina.

– Zna pan Laudomię?

– Nie.

Stara się wymknąć swojej rozmówczyni, żeby przynajmniej posłuchać Crivellego. Chirurg plastyczny mówi właśnie o sprawie Fuchsa.

– Dobrze znałem Rogera. Odremontował mi dom, a ja odremontowałem mu żonę – śmieje się, ale zaraz potem rozumie, że to było nie na miejscu. Za dużo wypił i nad sobą nie panuje. – Jesteśmy pewni, że to nie było kolejne morderstwo?

– Rozmawialiśmy z lekarzem sądowym – wtrąca się Besana – który absolutnie to wykluczył. To był wypadek, nie ma wątpliwości.

Pomoc domowa serwuje zupę, a Crivelli, już zupełnie się nie kontrolując, nadal prowokuje:

– Kto spróbuje jako pierwszy?

Cisza przy stole. Nikt nie śmie wziąć łyżki do ręki. Vittoria mrozi go wzrokiem.

– Jutro ma być ładna pogoda – mówi. – Wybierzemy się do schroniska Segantiniego?

– Brunella jest kleptomanką – opowiada Dafne, maczając ziemniaka w garnku z fondue. – Złapali ją nawet w supermarkecie. Włożyła do torebki nożyczki do paznokci i dezodorant. Rzeczy za parę franków. Rozumiesz? A przecież ma tyle pieniędzy.

– To choroba – zauważa Ilaria.

– Jeździła nawet po jajka na farmę i nie zostawiła pieniędzy w Honesty box. Tutaj ludzie kupują tak też mięso, nikomu nie przyszłoby do głowy, żeby odejść bez płacenia.

– Ale ma jakąś pracę czy się opieprza przez cały dzień?

– Teraz jest tylko damą. Zanim wyszła za mąż, pracowała jako hostessa na kongresach czy coś w tym stylu. Nie sądzę, żeby miała ukończone studia.

– Wygląda na kruchą kobietę – mówi Ilaria. – Sili się, żeby być jak inni, ale nie daje rady.

– Według mnie to niepewność siebie, poczucie niższości społecznej. Wiesz, to córka kioskarza. Małżeństwo ją wykatapultowało do tego środowiska, ale nie ma żadnych pleców. Wszyscy są tu czyimiś dziećmi. Naturalnie nauczyła się poruszać w tej dżungli, zwłaszcza dzięki Vittorii, ale trwało to całe lata.

– Widać, że są związane, chociaż bardzo się różnią.

– Vittoria ma kompulsywną potrzebę życia towarzyskiego. Nie jest w stanie spędzić wieczoru, nie organizując jakiejś imprezy. W gruncie rzeczy Brunella to jej jedyna prawdziwa przyjaciółka. Reszta to stosunki czysto środowiskowe. Wiesz, Vittoria sama w sobie to wspaniała osoba, także szczodra, ale otacza się zawsze okropnymi ludźmi.

– Mnie jest świetnie samej. Zwariowałabym, prowadząc takie życie.

– Mnie nie musisz o tym mówić. Potrafię zaszyć się na kilka miesięcy i z nikim nie spotykać.

– Najmniej lubiana w tym towarzystwie wydaje mi się Ginevra Landi.

– Nie znoszą jej, to prawda. Ona też jest outsiderką. A po separacji z Livio Moserem wszyscy przeszli na jego stronę. Zaczęli być mili dopiero teraz, bo odziedziczyła galerię. Nagle stała się przydatna, gdyby chcieli sprzedać jakieś dzieło lub zainwestować trochę gotówki w sztukę współczesną. Nie ma tu zbyt wielu galerii.

– Nie poznałam Nicoletty D'Ambrosio. Jaka ona jest?

– Nic nie straciłaś. Zadziera nosa w skandaliczny sposób. To arystokratka, jakaś markiza czy hrabina chuj wie czego. Ale nie pamiętam jej nazwiska. Nie śmierdzi groszem, ale ma rodzinny pałac w Veneto, który za wszelką cenę chce utrzymać. Uważa się za nie wiadomo kogo i wszystkich traktuje z góry.

– Polubiłam za to Martę Guerrę – mówi Ilaria.

Dafne zagryza wagi, do oczu napływają jej łzy.

– Przepraszam. – Dziewczyna kręci głową i wydmuchuje nos w papierową serwetkę. – Marta była inna. Tak mi jej szkoda. Miałyśmy wiele wspólnego, jak choćby miłość do zwierząt. Nie wywyższała się. Wprost przeciwnie, jako jedyna naprawdę interesowała się innymi. Była tylko trochę szalona.

W tej właśnie chwili do stolika podchodzi wysoki chłopak z brodą i długimi włosami zebranymi w kucyk, ma na sobie koszulę w szkocką kratę z podwiniętymi rękawami, jego ręce są opalone. Schyla się, żeby pocałować Dafne.

– Zaprosiłam mojego znajomego Simone, pochodzi z Trydentu. Chciałam cię z nim poznać, bo to zoolog, ekspert od niedźwiedzi.

– Miło mi – mówi chłopak, ściskając dłoń Piatti. – Dafne opowiadała mi o tobie.

– Przyjechałeś tu, żeby zobaczyć Rudolfa? – pyta Ilaria.

– Oby. Oddałbym wszystko, żeby go zobaczyć. Ale wiesz, niedźwiedzie przemierzają do pięćdziesięciu kilometrów dziennie, kto wie, gdzie on teraz jest.

– Naprawdę?

– Pewnie. Niedźwiedź to wybitny sportowiec, pomimo swojej masy. Potrafi biec w dół i w górę, w dodatku jest bardzo szybki. Niektóre niedźwiedzie pokonały tysiącmetrowe skalne ściany w parę godzin po najtrudniejszych drogach, a inne przechodziły po lodowcu z doliny do doliny. Niedźwiedź potrafi również długo pływać, wspinać się na drzewa i chodzić w śniegu zanurzony aż po pierś.

– Wspaniałą masz pracę – mówi Ilaria.

– Tak, kocham te zwierzęta. Są bardzo inteligentne. Wśród mięsożernych niedźwiedzie mają największy mózg w stosunku do ciała. Wszystkiego szybko się uczą. Również tego, jak robić nas w konia. Na przykład podkopują się pod elektrycznym ogrodzeniem lub ściągają je na ziemię, zapierając się nogami o drewniane słupy. Kiedyś sfilmowaliśmy jednego, który wspiął się na drzewo, żeby zeskoczyć do zagrody owiec.

– Wiele ich widziałeś?

– Tylko w fartownych momentach. Czasem siedzi się w miejscu całe dni, a zobaczy się tylko świstaka.

– Simone jest super – komentuje Dafne.

– Co robicie w Ferragosto, dziewczyny?

– Ja muszę wrócić do Mediolanu, gazeta nie opłaci mi dłuższego pobytu. Jutro mam busa, a potem pociąg, co za koszmar.

– Jeśli chcesz, podwiozę cię do Chiavenny, muszę tam pojechać, żeby kupić sprzęt wspinaczkowy.

– Chętnie – odpowiada Ilaria. – Dziękuję.

13 SIERPNIA

„Chryste, gdzie ja jestem?" Giacomo wie tylko, że jest zimno i ciemno, a on zwisa głową w dół, jego nogi są zaklinowane, nie może się ruszyć. Kiedy próbuje, zjeżdża kilka centymetrów w dół. Boli go lewy bark, zapewne uderzył nim, gdy spadał, może jest złamany. Z policzka leci mu krew. Ręce są sine i nabrzmiałe, może starał się czegoś chwycić, kiedy spadał. Dotyka lodowej ściany. Ściany s w o j e g o lodowca. Ile razy tędy przechodził, mając raki na nogach. Szwajcarzy mówią na to *Gletscherwanderung*, przechadzka. Uczestniczą w nich również dzieci. Jak, do cholery, mógł się tak urządzić? W swoim życiu robił o wiele bardziej niebezpieczne rzeczy.

Zawsze schodzi ze szlaku, zgoda, ale zagrożenie jest żadne w porównaniu z Nepalem czy Andami. Bywał tu tysiące razy, żeby się odprężyć, z dala od prawdziwej adrenaliny. Rozkoszował się samotnością i ciszą wysokich gór, gwizdem wiatru, hukiem osypujących się skał, lotem orłosępów nad szczytami masywu Bernina.

Ale dzisiejszego ranka nie czuł się dobrze, zauważył to już po tym, jak wyruszył. Miał nieprzyjemny ból głowy. Znów to przeklęte zapalenie zatok. Niemniej nie zawrócił. Kontynuował marsz. Nie zatrzymały go nawet pierwsze chmury nad Piz Palü. Niedługo potem zaczął padać śnieg. Ból głowy był nie do zniesienia, a on postanowił zażyć kilka kropli. Od razu poczuł swego rodzaju swędzenie na wargach i języku, dziwna sprawa. Mrowienie szybko objęło twarz, potem czubki palców i resztę ciała. Tak jakby podano mu znieczulenie. Oprócz śniegu pojawiła się też mgła. Ale czy to była prawdziwa mgła, czy też jego wzrok stracił ostrość? I to uczucie ciepła, jakby nagła gorączka. Serce zdawało się oszalałe, oddech stawał się coraz krótszy. A niby był taki wytrenowany. Dziwna sprawa, naprawdę dziwna. Przeklęte zatoki.

Idzie naprzód, wciąż naprzód, w gruncie rzeczy zna tę trasę na pamięć. Ale zdaje mu się, jakby ją zapomniał. Nie widzi nawet, gdzie stawia stopy, śnieg zatarł wszelkie ślady, mgła staje się coraz gęstsza. Nie, nie tędy, to nie ta droga, może bardziej w prawo? Pomyłka, tam są seraki. Brakuje mu sił w nogach, chwieje się przy każdym kroku.

Nagle otwiera się pod nim pustka, słyszy swój własny krzyk odbijający się od skał Munt Pers. Uderza się w nogę i spada głową w dół, obija się nią dwa, trzy, cztery razy, nie wie ile. Ciągle spada, trwa to w nieskończoność, coraz bardziej w dół, i ciągle zadaje sobie pytanie, kiedy dotrze do dna. Gdzie jest koniec? Potem traci przytomność.

Kiedy odzyskuje świadomość, nie widać nad nim nawet kawałka nieba. Tylko stalaktyty i meandry zielonego lodu. Próbuje wzywać pomoc, ale jego głos odbija się czczym echem w tym labiryncie.

Kto wie, od ilu godzin już tu jest. Dwóch, trzech? Może więcej. Zegarek rozbił się podczas upadku. Ale przezierające z góry światło słabnie. Giacomo drży z zimna, bluza nasiąka lepkim potem. Nagle dostaje gwałtownych mdłości, wymiociny spływają mu do oczu, moczą mu czoło i włosy. Bije pięściami i nogami w śnieg, jego ciało jest jakby wstrząsane prądem elektrycznym. Czuje, że się dusi. Powietrza, powietrza, pomóżcie mi. Niech ktoś mi pomoże. Kurwa, czy to możliwe, żeby na górze nikogo nie było? Przypomina mu się piosenka, którą śpiewali dziadkowie, gdy był mały: „Boże w niebiosach, panie wielkich szczytów, poprosiłeś góry o naszego przyjaciela". Znów wymiotuje. Nigdy nie miał żadnych przyjaciół. Nigdy w nic nie wierzył. Ale jeśli jakiś pan szczytów istnieje, być może go zobaczył. Chce mu się śmiać, z rozpaczy. Lecz jest zbyt zmęczony, by się zaśmiać. Za bardzo jest zajęty wymiotowaniem. Potem sobie odpuszcza. Może lepiej trochę pospać.

Ilarię budzi przyspieszone bicie serca. Włącza światło, idzie do łazienki i pije łyk wody z kranu. Już śnią się jej po nocach te morderstwa. Jest zmęczona, nie może się doczekać, aż ten koszmar się skończy.

---

13 SIERPNIA

— Miałeś zły sen? — pyta Vittoria, dotykając barku leżącego obok niej Besany.

— A co? Dlaczego? — odpowiada Marco, jeszcze zaspany.

— Mamrotałeś dziwne rzeczy w rodzaju: „Czyli wszystko skończone! W takim razie się rzucę!".

— Ach tak, prawda. To był absurdalny sen.

— Opowiedz mi. — Vittoria siada na łóżku i zapala światło.

Besana przeciera oczy i ziewa.

— Byłem w wielkiej willi, może w Toskanii. Mógł to być dom w Chianti jednej z twoich koleżanek, była impreza, dużo ludzi w rodzaju Włochów przyjeżdżających na wakacje do Engadyny. W średnim wieku, eleganccy, trochę snobistyczni. W jednym z pomieszczeń odbywała się prezentacja książki, która wcale mnie nie obchodziła, w innym pili, co interesowało mnie o wiele bardziej.

— To nie brzmi jak koszmar. — Vittoria się śmieje.

— Zaczekaj. Jest lato, piękny słoneczny dzień. Nudzę się, więc wychodzę do ogrodu. Mnóstwo tu ludzi, wpadam na jakąś biegnącą kobietę, jest cała zasapana: „Widzieliście Maria? Nie mogę go znaleźć. Jak mogłam wyjść za takiego starego pierdołę?".

— To wygląda na bardzo realistyczny sen — komentuje Vittoria. — A potem? Co się stało?

– Park jest duży, zamknięty bramą z kutego żelaza. Za bramą widzę eleganckiego typa, który czyta jakąś gazetę, może moją. Nagle zamyka ją wściekłym gestem: „Ciągle muszą nam wciskać takie rzeczy? Już nie da się znieść tego pieprzenia!". I rzuca gazetę do ogrodu. Mnie jest przykro i mówię: „Przez trzydzieści lat pracowałem w tym zawodzie, wiem, że wielu ludzi nie czyta już gazet. Ale jeśli przestanie to robić również ktoś taki jak pan, czyli człowiek kulturalny i z pewnością zamożny, to ja mam ochotę rzucić się ze skarpy".

– Ze skarpy? – pyta Vittoria.

– Tak, willa stoi na wzgórzu, niewiele dalej jest skarpa. Pod wpływem chwilowego impulsu mam ochotę się stamtąd rzucić. Ale facet, który jest z kolegą, wybucha śmiechem i obaj biorą mnie pod ramię, jakby chcąc mnie uspokoić. I zaczynają mówić: „Ależ proszę tego nie robić".

– Koniec?

– Tak. Koniec.

Besana odczuwa wstyd. Nie jest przyzwyczajony do opowiadania swoich snów.

– Ależ wszedł ci w krew ten zawód. Bardzo cię boli ten schyłek, co?

– Tylko trochę – odpowiada Marco, gasząc światło.

14 SIERPNIA

Przed wyjazdem Ilaria chce jeszcze odwiedzić pobliski mały cmentarz, gdzie Giacomo Pallavicini życzył sobie być pochowany. Besana nie cieszy się z wycieczki, ale towarzyszy koleżance.

– Szwajcarzy są w światowej czołówce recyklingu – opowiada Marco. – Nie mówię o brudnych pieniądzach pranych w ich bankach, ale o odpadach. Segregowanie śmieci zaczęło się tu o wiele wcześniej niż u nas. W supermarketach można zostawiać przepalone żarówki, zużyte baterie, plastikowe butelki, nawet zepsute odkurzacze i tostery. W każdym miasteczku są pojemniki na szkło, puszki, papier. Tylko nie waż się pomylić: kamery wszystko rejestrują i płaci się zabójcze grzywny. Ale najbardziej ekstremalną formą recyklingu w Szwajcarii są groby.

– O Boże, w jakim sensie?

– Wchodząc na jakiś cmentarz, od razu widzisz, że większość grobów ma mniej niż dwadzieścia pięć lat. Nie licząc grobowców rodzinnych, które zostały wykupione, zazwyczaj groby wynajmuje się na dwadzieścia do dwudziestu pięciu lat. Następnie są używane ponownie, najczęściej przez kolejne pokolenie. Recyklingowi podlega nawet nagrobek, a jeśli nikt go nie chce, tłucze się go na kawałki, żeby uzyskać żwir do wysypywania alejek. Może się to wydawać nieludzkie, ale Szwajcaria to mały kraj i nie może marnować cennego terenu dla zmarłych.

– A Pallavicini skąd ma miejsce na tym cmentarzu? To Włoch, nie był tu zameldowany, na pewno nie ma szwajcarskich krewnych. Jak mu się to udało?

– Prawdopodobnie również recykling własnych dziadków ma swoją cenę. Ktoś zapewne wynajął mu swój grobowiec.

Przywiązują Beck'sa poza terenem cmentarza. Kładzie się w cieniu, pod kamienną ławką.

Ilaria i Marco spacerują między grobami. Widok nagrobka Giacoma Pallaviciniego zapiera im dech w piersiach. Na granitowej płycie ktoś położył bukiet kwiatów tojadu. Są świeżusieńkie.

– Kurwa mać, co za hołd – komentuje Besana.

– Hołd czy wiadomość? – pyta Ilaria.

Marco kręci głową, wciąż nie może uwierzyć.

– Kto mógł je położyć?

– Według mnie tylko jedna osoba. Nikt inny.

– Elsa?

– Elsa. Kto wpadłby na taki pomysł?

– Morderca – odpowiada Marco.

14 SIERPNIA

Obok cmentarza stoi biały kościółek. Przy wejściu jest tabliczka z historią kaplicy wybudowanej w epoce karolińskiej i pierwotnie połączonej z żeńskim klasztorem. Dla Szwajcarów to „energetyczne" miejsce dostarczające bogatych duchowych doznań.

– Wejdziemy? – proponuje Piatti.

– Skoro ci zależy.

W środku są malowidła ścienne, przedstawiają błogosławiącego Chrystusa i świętego Jerzego zabijającego smoka. W głębi budynku jest nisza z drewnianą furtką. Ilaria rzuca okiem do środka i od razu odskakuje w tył.

– To ossarium!

Besana podchodzi bliżej. Zgromadzono tu setki piszczeli i czaszek, które przypominają stos drewna. Napis w języku niemieckim umieszczony powyżej czyni sympatyczną uwagę wobec zwiedzających: „Tym, czym jesteśmy, wy będziecie. Tym, czym jesteście, my byliśmy". Marco instynktownie puka w drewnianą furtkę.

– To zapewne kości mniszek – mówi Ilaria.

– Wolałem kości przestępców – odpowiada Besana.

– Co to ma do rzeczy?

– Znów chodzi o Giovannę Bonanno. Po śmierci na szubienicy oderwano jej głowę. Ciało pochowano na cmentarzu Lo Sicco, na obrzeżach Palermo. Tymczasem głowę umieszczono w piramidzie utworzonej z czasek przestępców, przed dawnym kościołem Madonna del Fiume. To było coś bardzo podobnego do tego ossarium.

– Raczej nie do końca. Biedne mniszki.

– Bardzo poważano czaszki przestępców. Przynajmniej przez stulecie palermitańczycy przychodzili do czaszki Giovanny, żeby poradzić się jej jak wyroczni. Ten rytuał nazywa się *ascuta*, czyli „słuchaj". W ciszy oczekuje się sygnału ze strony czaszki. Jeśli usłyszy się dźwięczenie, to znaczy, że łaska została udzielona.

– A o co prosili ludzie?

– Cóż, o wszystko: o oddalenie choroby lub złego uroku, o wygraną na loterii, o opiekę nad synem w podróży. Dziewczęta, rzecz jasna, prosiły o męża lub o szczęście w miłości. Może też byś spróbowała?

– Żartów ci się zachciało?

– No już, miałabyś o co poprosić.

Ilaria podejmuje grę. Zamyka oczy i udaje, że się skupia. Potem nagle podnosi głowę.

– Co to za dźwięk?

Jakieś niezauważalne zawirowanie powietrza sprawiło, że piramida kości się poruszyła. Przerażona Ilaria chwyta Marca za ramię.

– To mysz, Piatti.

– Miałam nadzieję, że to łaska.

14 SIERPNIA

– Przyjechałam tu w lipcu, żeby napisać coś o tym rozszarpanym żywcem mężczyźnie – opowiada Ilaria Simone Bartoldiemu, kiedy jadą w dół zakrętami przełęczy Maloja. – Gdybym poznała cię wcześniej, przeprowadziłabym z tobą wywiad. Często zdarzają się ataki?

– Nie, są rzadkie. Zazwyczaj w akcie samoobrony. Niedźwiedź zjada to, co znajduje. Nie jest wybredny jak ryś, który chce tylko świeżego mięsa. Żywi się wszystkim, korzonkami i owocami, jagodami i bulwami, ale także trawą, kwiatami, pąkami, mrówkami, pszczołami aż po łososie, jelenie czy kozice, zależnie od rejonu, w którym się znajduje. Uwielbia miód, jak wiadomo, ale równie dobrze może wsunąć padlinę pełną robaków. Smaczniejsze od człowieka jest wszystko to, co człowiek hoduje czy uprawia. Jabłka, gruszki, winogrona, śliwki, kury, króliki, osły, owce, krowy. Poza tym to się wydarzyło w lipcu, więc powodem nie był głód.

– Dlaczego?

– To w okresie jesiennym, kiedy zbliża się pora snu zimowego, niedźwiedzia nachodzi bulimiczny głód. To się nazywa „hiperfagia". Zważywszy, że przynajmniej przez trzy czy cztery miesiące, zazwyczaj od listopada do marca, będzie pościł w całkowitym bezruchu, potrzebuje zgromadzić zapasy tłuszczu.

– Nigdy nie budzi się ze snu?

– Raczej nie. Nie je, nie pije, nie sra, nie sika. Innymi słowy, nie robi ni chuja. Cały czas śpi. Ale jeśli ktoś mu będzie przeszkadzał, zapewniam cię, że od razu się zbudzi. I to w złym humorze. Także inne ssaki zapadają w sen zimowy, jak świstaki czy susły, ale one naprawdę są w stanie hibernacji, stają się zimne jak trup. Niedźwiedź nie. Temperatura jego ciała spada tylko trochę, zmniejsza się tętno i spowalnia oddech, ale nie za bardzo. Czyli nie powinnaś go sobie wyobrażać jako zupełnie otępiałego, reaguje w jednej chwili.

– Więc lepiej mu nie przeszkadzać – mówi Ilaria.

– Otóż to. Gdy zostawia się je w spokoju, to nikogo nie atakują. Niedźwiedź to samotne i gburowate zwierzę, które unika kontaktu z nami. I wie, jak to robić. Wyczuwa człowieka na dystans. Jak mówi indiańskie przysłowie: „Drzewo zgubiło małą igłę. Orzeł ją zobaczył, jeleń ją usłyszał, niedźwiedź ją wywęszył". Ma niesamowity węch. Jego nos potrafi wyczuć rozkładające się szczątki z wielokilometrowego dystansu. A nocą widzi o wiele lepiej niż my. Tyle że w odróżnieniu od człowieka nie ufa temu, co zobaczył, jeśli jego nos tego nie potwierdził.

– Twoim zdaniem Rudolf jest szczególnie agresywny?

– Z naszych informacji nie wynika nic takiego. Do czasu, gdy mogliśmy monitorować go obrożą, nie sprawiał problemów. Jestem przekonany, że to on został zaatakowany jako pierwszy. Wiesz, nie ma dwóch niedźwiedzi podobnych do siebie. To indywidualiści, każdy ma swój charakter. To tak jak z ludźmi: niektórzy są groźni.

– Zauważyłam – komentuje Ilaria.

14 SIERPNIA

– Naprawdę musisz wrócić do Mediolanu dziś wieczorem? Ilaria kręci głową, nie spodziewała się tego pytania.

– A co?

– Podobasz mi się – odpowiada Simone. – Z chęcią zaprosiłbym cię na kolację. W tej dolinie mają świetne restauracje. Możemy poszukać jakiegoś przyjemnego gospodarstwa agroturystycznego, jutro zabrałbym cię na spacer po lesie. Może uda nam się razem zobaczyć niedźwiedzia.

Ilaria cała czerwienieje. Simone to przystojny chłopak, ale ona nie ma wątpliwości.

– Nie mogę, przykro mi – mówi.

– Masz kogoś?

– Nie, jestem zakochana. To chyba gorsze.

– Co za szczęściarz – odpowiada Simone, wysiadając z samochodu, żeby podać jej walizkę.

Serio to mówi? Nie jest przyzwyczajona do takich uwag. Podchodzi do Simone, który właśnie otworzył bagażnik.

– Ja ją wezmę, nie przejmuj się.

Ale on już postawił walizkę na ziemi.

Ilaria przygląda się czekanowi, identycznemu z tym, którym zabito Martę. Jest ubrudzony krwią. Przez chwilę stoi nieruchomo, wstrzymując oddech. Potem postanawia wziąć go do ręki i urządzić prowokację.

– Rozbiłeś głowę jakiemuś myśliwemu?

Simone wybucha śmiechem.

– Chętnie bym to zrobił – odpowiada. – Niestety to moja koleżanka przypadkowo zraniła mnie w nogę. Nigdy więcej nie zamierzam się z nią wspinać.

Podciąga spodnie i pokazuje obandażowaną kostkę.

– To twoja dziewczyna?

– Pytasz, czy zrobiła to specjalnie? – Simone znów wybucha śmiechem. – Ja też podejrzewałem, że to do końca nie był wypadek. Bolało jak sukinsyn.

– Mściwa babka, no nieźle.

– Nigdy nie lekceważ kobiet.

Ruszają w stronę dworca, w przeciwnym razie Ilaria spóźni się na pociąg.

– Jesteś pewna, że nie chciałabyś zobaczyć niedźwiedzia?

– A ty jesteś pewien, że naprawdę uda ci się go zobaczyć?

– Oczywiście, że nie, ale wiem, jak go szukać. Ze mną masz większe szanse, tak to ujmijmy.

Ilaria go obejmuje.

– Dzięki za podwiezienie.

Simone żegna się z nią gestem ręki.

– Popełniasz błąd, takie spotkanie potrafi zmienić życie.

– Co robisz dziś wieczorem?

– Zapomniałeś już, że wróciłam do Mediolanu, bo przestali płacić mi za hotel?

Ilaria się złości. Marco zachowuje się jak Vittoria, odkąd są razem. Jest nie do zniesienia. Nie wszyscy mają dom w Szwajcarii.

– Więc powtarzam pytanie – mówi rozbawiony Marco. – Co robisz dziś wieczorem?

– A co mam robić? – Ilaria zaczyna tracić cierpliwość.

– Czyli jesteś wolna?

– W jakim sensie?

– Żeby zjeść ze mną kolację – odpowiada Marco.

Tego wcale się nie spodziewała.

– Ty też wróciłeś do Mediolanu?

– Przyjadę po ciebie o ósmej, Piattola – ucina Besana, na swój sposób czule.

Godzinę później są już w restauracji pod gołym niebem, w dzielnicy Navigli, gdzie roi się od komarów. To jeden z niewielu otwartych lokali. Mediolan jest opustoszały, po mieście kręcą się tylko imigranci.

– Nie mogłem już tego znieść – wyznaje Besana. – Miałaś rację. W tym świecie mogę się tylko czuć jak niedźwiedź w klatce. Początkowo turyści cieszą się na twój widok, potem się nudzą i zostajesz sam. Pamiętam jednego niedźwiedzia z mediolańskiego zoo. Z nudów się masturbował.

– Jak to przyjęła Vittoria?

– Nie zapominaj, że jestem wytrenowany w ucieczkach. Sztuka polega na tym, żeby nigdy nie mówić o tym wprost. Trzeba zostawić otwartą klatkę z napisem: „Zaraz wracam". Za chuj nie wrócisz, ale liczy się zyskany czas.

Ilaria się śmieje. Raz po raz bije dłonią w ramiona, bo komary pożerają ją żywcem, pryskanie autanem nie wystarcza.

– Nie byłam w stanie jej znieść.

– No co ty? Nie zauważyłem. Świetnie udajesz.

– Nie nabijaj się ze mnie. – Jej oczy są pełne radości.

– W gruncie rzeczy, to po prostu nieszczęśliwa kobieta.

– Zakochałeś się w niej, prawda?

Besana wybucha śmiechem.

– Piatti, nie jestem już tak młody jak ty – odpowiada. – W moim wieku bardzo trudno się zakochać.

– A jednak wyglądałeś na trochę zidiociałego – komentuje Ilaria niewinnie.

Marco znów się śmieje.

– Cóż, w moim wieku to właściwie kwestia fizjologii. I nie da się tego zatrzymać. Może być tylko gorzej. – Następnie z sympatią kręci głową. – Piatti, lepiej już jedz.

– Mam ściśnięty żołądek.

– Przez tego faceta czy przez dom?

– Przez jedno i drugie. On jest na wakacjach z żoną, a domu nie da się sprzedać. Ledwie się dowiadują, że doszło tam do morderstwa, chcą niższej ceny.

Marco wzdycha i nalewa jej wina.

– A zatem wznieśmy toast. Picie na pusty żołądek to znakomita sprawa – mówi, podnosząc kieliszek. – Wznieśmy toast za seryjnego zabójcę, którego absolutnie musimy znaleźć, jeśli chcemy uniknąć depresji.

---

14 SIERPNIA

– W gruncie rzeczy, gdyby ci nie wlepili tej historii z niedźwiedziem, to byśmy do tego wszystkiego nie doszli. I gdyby Marta tego wieczoru nie usiadła obok mnie, prawdopodobnie ten napad nie zrobiłby na mnie wrażenia. Kiedy zbieg okoliczności jest tak dziwny, trudno nie myśleć o przeznaczeniu.

Ilaria jest pijana. Niedużo jej trzeba, nie ma mocnej głowy.

– Piatti za dużo w tobie poezji. Rzeczywistość jest zawsze o wiele bardziej prozaiczna. Doszliśmy do tego wszystkiego, bo pół roku temu zmarł Bezimienny.

– Kto to taki?

– To on wcześniej zajmował się zwierzętami. Nikomu z redakcji nie wolno byłoby pisać o niedźwiedziu. I zapewniam cię, że opłaciliby mu nawet miesięczny pobyt w Szwajcarii. Przeszedł na emeryturę już dawno, ale pozwolili mu współpracować do dziewięćdziesiątki. Dobrze się trzymał, należy to przyznać. Był nietykalny.

– Aż taki potężny?

– W pewnym sensie – odpowiada Besana, odpukując w stół. – Samo wymawianie jego nazwiska przynosiło pecha. Nie wierzę w te rzeczy, ale nigdy nie wiadomo.

Ilaria wybucha śmiechem i też odpukuje w stół.

– Ilekroć pojawiała się informacja o psu czuwającym przy grobie zmarłego pana lub o kocie, który odnajdował drogę do domu z kilkusetkilometrowej odległości, on spieszył do redakcji. I gdy tylko jego sylwetka zarysowywała się w głębi korytarza, członkowie redakcji wpadali w popłoch, zamykali się w łazience i odczyniali uroki.

– Biedaczek. Co on takiego zrobił, żeby zasłużyć sobie na taką złą sławę?

– Cóż, chociażby w czasie wojny ocalał z katastrofy morskiej.

– I co w tym złego?

– Zaraz ci to wyjaśnię. Opowiadał, że walczył w marynarce wojennej. Pewnego dnia zaokrętowano go na pokład niszczyciela, który razem z dwoma innymi statkami miał eskortować włoski statek handlowy transportujący amunicję do Libii. Miał dziwne przeczucie i ostrzegł swoich towarzyszy: „Moim zdaniem dziś w nocy nas napadną". I rzeczywiście, chwilę po północy angielska eskadra otworzyła ogień i zatopiła wszystkie statki oprócz jego.

– Cóż, po prostu miał szczęście.

– Tak, ale innym przyniósł pecha. Zginęło tysiąc siedemset ludzi. W każdym razie to samo działo się również po wojnie. Przytoczę ci garść przykładów. Raz kazali mu napisać tekst o młodym dżokeju, zdobywcy jakiejś tam nagrody, a on zakończył tymi słowami: „Nie pozostaje nic innego, jak życzyć mu długiej i świetlanej kariery". Tydzień później dżokej spadł z konia i zginął na miejscu.

Ilaria wybucha śmiechem.

– Nie ma się z czego śmiać, Piatti. A gdy pojechał na biegówki z dyrektorem? W pewnej chwili zatrzymali się, żeby nabrać tchu, a on powiedział: „Stań tam, zrobię ci zdjęcie". Kiedy był zajęty pstrykaniem, dyrektor się przewrócił i złamał sobie kość udową. Przewrócił się, stojąc w miejscu. Kiedy indziej kolega z redakcji podwoził go do domu i wracając, zderzył się z samochodem, który jechał pomimo czerwonego światła.

– Ależ to przejmująca historia – komentuje Ilaria. – Ludzie uciekają na twój widok lub pukają w niemalowane: to musi być straszne.

– Może masz rację. Ale on z tego korzystał. Jak ten facet z jednoaktówki Pirandella, który wystąpił o patent nosiciela pecha, żeby żerować na strachu innych ludzi. Żeby tylko nie szkodził i żeby odczynić zły urok, szefowie pozwalali mu pisać o najdziwaczniejszych sprawach: o rzezi królików w Patagonii, o przyszłości muflonów, o foce mniszce na Sardynii, także kosztem tego, by pominąć o wiele ważniejsze wiadomości.

Ilaria kręci głową.

– To niewiarygodne, że nawet dziennikarze, niby wykształceni ludzie, są ofiarami przesądów.

– A słuchając tego i ty zaczynasz trochę w to wierzyć. Wiesz, kto to był Niels Bohr? Wielki duński naukowiec, zdobywca Nobla, jeden z ojców fizyki kwantowej. Cóż, na drzwiach swojego domu w górach zawiesił na gwoździu końską podkowę. Kiedyś jeden z jego uczniów zapytał: „Panie profesorze, chyba nie sądzi pan, że to przynosi szczęście?". Na co on odparł: „Gdzieżby. Oczywiście, że nie. Ale powiadają, że przynosi szczęście również tym, którzy w to nie wierzą".

– Czyli chcesz mi powiedzieć, że to z winy Bezimiennego znaleźliśmy się w tej sytuacji?

– Nie powinienem był przejmować jego działki i zajmować się niedźwiedziem.

---

15 SIERPNIA

Jest jedenasta wieczorem, ostatnim czerwonym pociągiem nie jedzie prawie nikt, nawet nie ma pijanej młodzieży powracającej z pubów w Dolnej Engadynie (oni jeżdżą tylko samochodem, chyba że wcześniej zdąży ich złapać policja kantonalna). Kontroler, być może jedyny pasażer, przysypia w pustym wagonie, lecz nagle budzi go gwałtowne hamowanie, które wbija go w oparcie siedzenia znajdującego się przed nim.

Biegiem przemierza pociąg i dociera do kabiny maszynisty.

– *Was ist los*, Daniel? Co się dzieje, do cholery?

– Przejechaliśmy jakieś duże zwierzę.

– *Scheisse*.

Szyba kabiny jest ubroczona krwią.

– Niech to szlag, że też właśnie mnie musiało się to przytrafić – mówi maszynista. – Chodźmy zobaczyć.

W ciągu dwudziestu lat chwalebnej służby w szeregach Rhätische Bahn, maszynista Daniel Rüegg dorobił się tylu okazów dzikiej zwierzyny – jeleni, kozic, lisów – że mógłby wypełnić trofeami całe schronisko. W tych stronach jest rzeczą normalną, że mieszkańcy lasów lądują pod kołami pociągu. Według oficjalnych danych kolei rocznie w Szwajcarii dochodzi do dwustu takich przypadków. Ale teraz brak mu słów.

– Mój Boże, to niedźwiedź – mówi.

Pojawił się nagle na prostym odcinku torów, przed Cinuos-chel, gdy Bernina Express wyjeżdżał z tunelu z prędkością sześćdziesięciu kilometrów na godzinę. Daniel ledwie widział jego sylwetkę oświetloną reflektorami, błyszczące oczy, a kiedy zaciągnął hamulec bezpieczeństwa, było już po wszystkim. Uderzenie było przerażające, prawie dwieście kilogramów kości, mięśni i futra rozbiło się o lokomotywę. Maszynista mógł roztrzaskać sobie głowę o przednią szybę, ale niedźwiedziowi powiodło się zdecydowanie gorzej.

Zwierzę leży teraz nieruchomo w świetle latarek, jego brzuch jest rozpruty, wielkie łapy sterczą do góry, źrenice są rozszerzone i martwe. Nie daje oznak życia.

– Wezwę Thomasa.

Thomas Keller jest inspektorem do spraw gospodarki łowieckiej w Zernez i w ciągu mniej niż pół godziny zjawia się na miejscu. Wystarczy rzut okiem, żeby rozpoznał ofiarę po jego obroży, niedziałającej od miesięcy.

– To on, bez cienia wątpliwości – mówi – M18.

– Ten, który zabił tego Włocha? – pyta Daniel.

Lecz Thomas nie ma ochoty odpowiadać. Klęka obok ciała i zdejmuje czapkę z godłem parku narodowego.

– Co ci przyszło do głowy, żeby chodzić po torach? – Kręci głową, głaszcząc zakrwawione futro. – Rudolf, dlaczego to zrobiłeś?

Potem wstaje, bierze głęboki oddech, stara się znów zachowywać profesjonalnie.

– Jego brat też skończył pod kołami pośpiesznego, tylko że udało mu się z tego wylizać. Choć później go odstrzelono, bo mówiono, że sprawiał problemy. Czasem niedźwiedzie niestety postrzegają tory jako najprostszą drogę, żeby przedostać się z jednej strony lasu na drugą. Trzeba zadzwonić do weterynarza federalnego w Bernie. Z pewnością będzie chciał zbadać zwłoki.

15 SIERPNIA

Miasto jest puste. Ilaria wchodzi po schodach równie pustej kamienicy. Dzwoni dzwonkiem. Besana otwiera drzwi i widzi, że jest cała we łzach.

– Kto umarł?
– Rudolf.
– Nie.
– Wpadł pod pociąg.

Marco obejmuje ją i delikatnie głaszcze jej włosy. Lecz Ilaria ciągle szlocha.

– Rozumiesz? Płaczę z powodu niedźwiedzia, a nie po tych wszystkich zabitych ludziach. Jestem potworem, potworem.

Beck's patrzy na nich, być może on rozumie. Nie wie, czy może podejść. I nawet, co się stało. Wytęża całą swoją czujność. Ilaria widzi to i pochyla się do niego, chwyta go za pysk i całuje. Poczuć ciepło jego ciała, jego oddech na twarzy, jego spokój. Ręką ociera sobie łzy i wstaje.

– Złapiemy go – mówi. – Mam na myśli prawdziwego zabójcę.
– Pewnie – odpowiada Besana.

Nie czuje się na siłach, by jej teraz przeczyć. Jemu również jest przykro z powodu tego niedźwiedzia. A jeszcze mocniej doskwiera mu to, że istnieją o wiele bardziej niebezpieczne jednostki i pozostają na wolności, nie wzbudzając w nikim strachu.

Ilaria opada na kanapę, już się więcej nie odzywa. Patrzy w ścianę i głaszcze Beck'sa, który jednym susem znalazł się u jej boku.

– O czym myślisz?

– O losie niedźwiedzia – odpowiada Ilaria. – Jest taki smutny i samotny.

– Wiem.

– Oskarżono go o zabicie człowieka, a potem to on został zabity przez ludzi. To wygląda jak przesłanie.

– Nie przesadzajmy. To był wypadek, nie odstrzelili go.

Ilaria kręci głową.

– Kolejny w y p a d e k – komentuje. – Wiem, że nie zrobili tego celowo, ale i tak daje mi to do myślenia. Jego koniec mówi mi, że musimy znów od tego zacząć. I że musimy to zrobić d l a n i e g o.

Część trzecia

Grudzień

8 GRUDNIA

W długi weekend w związku z dniem świętego Ambrożego cała redakcja ogląda zdjęcia z premiery w La Scali, komentując wieczorne toalety. Ilaria zjawia się w czymś, co Besana nazywa „płaszczem z namydlonej sierści", i w kaloszach. Po przywitaniu szuka jakiegoś pustego biurka, przy którym mogłaby usiąść. Zajmuje się sprawą gwałtu w dyskotece. Włącza komputer i przegląda strony agencji prasowych.

– Roberto! – krzyczy. – Znowu!

– Co takiego? – pyta redaktor naczelny, ziewając.

– Znowu morderstwo w Szwajcarii. Posłuchaj: „Ciało włoskiego przedsiębiorcy znaleziono dziś rano w ogrodzie jego willi w Pontresinie. Policja kantonalna i prokuratura z Churu wszczęły śledztwo.

– A kto to?

– Nie podają nazwiska. Wiesz, na czym polega szwajcarska ochrona danych osobowych?

– Ale nie wspominają o morderstwie.

– Nigdy o niczym nie wspominają. Zadzwonię na komisariat, może tutaj coś wiedzą.

Ilaria wstaje i idzie do pustej sali zebrań, żeby porozmawiać z komisarzem Riccim. Po jakichś dziesięciu minutach wraca do pokoju i podchodzi do biurka naczelnego.

– Diego Padovani, producent win. W obecnej chwili również oni nie wiedzą wiele więcej. Podali mi natomiast jeden interesujący detal: leżał nago w śniegu.

– Wow – komentuje Roberto. – W tle może być jakiś skandal seksualny.

Ilaria patrzy na niego błagalnym wzrokiem, jak Beck's, gdy chce dostać kawałek befsztyku.

– Wiem, czego byś chciała. – Naczelny wzdycha. – Ale poszukaj tańszego hotelu. Przypominam ci, że przechodzimy kryzys.

Ilaria się nie rusza, wciąż patrzy na niego tak samo.

– Zgoda. Besana też.

Ilaria zaczyna podskakiwać w miejscu, następnie pochyla się w jego stronę i go obejmuje.

– Dziękuję, dziękuję, dziękuję.

I wybiega z redakcji.

Godzinę później stoi już pod domem Besany, przygotowana jak na alpejską ekspedycję. Na głowie ma jaskraworóżową czapkę pilotkę okoloną sztucznym futerkiem, zakupioną na Amazonie za 11,59 euro, a na nogach moon bootsy w kolorze limonkowym z przeceny, za 62 euro.

– Piattola, zamierzasz się tak zaprezentować w Engadynie?

– Mają tam półtora metra śniegu – mówi, drapiąc Beck'sa za uchem. – Masz dla niego ciepłą kurteczkę?

– Odmawiam ubierania psa, już i tak wstydzę się chodzić z tobą.

Beck's z uciechą wskakuje do bagażnika. Już wie, że ruszają w drogę.

– Musimy zacząć od początku – obwieszcza Ilaria, wsiadając do samochodu. – Diego Padovani nie ma nic wspólnego z Ruth Vital, już sprawdziłam.

– Spokojnie, Piatti – mówi Besana, wyprzedzając ciężarówkę. – Jeszcze przeprowadzają sekcję, na razie nic nie wiemy. Jak mówią anatomopatolodzy, istnieje pięć możliwych przyczyn zgonu: śmierć naturalna, śmierć przypadkowa, samobójstwo, a gdy się je odrzuci, dopiero wtedy można mówić o zabójstwie.

– A piąta?

– Przyczyny nieokreślone. Kiedy nikt nic, kurwa, nie rozumie.

– W każdym razie żona ma żelazne alibi. Spójrz tylko na nią, cała obwieszona biżuterią na premierze w La Scali. – I wskazuje jedną z wielu fotografii opublikowanych na portalu gazety.

Besana odwraca na chwilę wzrok, nie tracąc z pola widzenia audi, które majaczy z tyłu.

– Ale laska – gwiżdże. – Kto to?

– Veronica Ballarin. Jej ojciec założył przedsiębiorstwo winiarskie, które prowadzi z kolei jej mąż. Chciałam powiedzieć: p r o w a d z i ł jej mąż. Pięćset hektarów winnic w Veneto. Dwadzieścia milionów butelek rocznie, eksport na cały świat. Obroty w wysokości stu sześćdziesięciu ośmiu milionów euro.

– Kurwa mać. Mówisz, że jak odkryjemy zabójcę, to sprezentują nam kilka skrzynek merlota?

– Czy w grę nie wchodziło pięć możliwych przyczyn zgonu?

– Piattola, zmieniłem zdanie. Ile litrów wart jest seryjny zabójca?

– Ocet na wszy w zamian za wino? Wydaje mi się, że to złoty interes.

9 GRUDNIA

Rudi Hofer, lekarz sądowy z Churu, jak zawsze jako jedyny wykazuje chęć, żeby z nimi porozmawiać. W dodatku nie znosi sztywnych szwajcarskich reguł.

– Kiedy zobaczyłem, w jakim stadium rozkładu były zwłoki, zrozumiałem, że trzeba pilnie przeprowadzić sekcję.

– Stadium rozkładu?

– To nie było normalne i to po upływie zaledwie kilku godzin. Moje podejrzenie wzbudziły od razu widoczna siatka naczyń żylnych i słodkawy zapach. W śniegu, w temperaturze dziesięciu stopni poniżej zera, trup nie osiąga łatwo takiego stanu. Potem zobaczyłem zapis z monitoringu ogrodowego sąsiadów i zrozumiałem. Ten zabójca jest naprawdę sprytny, gdyby ten człowiek nie wybiegł z domu, byłoby to morderstwo doskonałe.

– Czyli to morderstwo?

– Nie ma wątpliwości. Diaboliczne morderstwo. Pokażę wam zapis z monitoringu. Treść jest bardzo drastyczna, czujecie się na siłach, żeby to zobaczyć?

Besana przytakuje, potem odwraca się w stronę Ilarii.

– Jeśli chcesz, sam to obejrzę.

Piatti kręci głową.

– Nie, nie. Chcę to zrozumieć.

Hofer włącza komputer i gasi światło.

– Było ciemno i padał śnieg, obraz jest niewyraźny. Film trwa prawie trzy godziny, więc będę przewijał do przodu, żeby pokazać wam kolejne stadia.

Na ekranie widać mężczyznę wlokącego się w kierunku sąsiedniego domu. Ciałem wstrząsają drgawki, mężczyzna wykonuje gwałtowne ruchy głową i nogami, próbuje się odwrócić, ale przewraca się z rozpostartymi ramionami. Jeszcze przez chwilę rusza ręką, a następnie sztywnieje i pozostaje bez ruchu. Hofer przewija film.

– Popatrzcie teraz, minęła godzina.

Trup zaczyna puchnąć jak wielka gumowa lalka. Głowa wygląda jak piłka, chude nogi wyglądają jak u osoby otyłej, brzuch urósł tak, że dotyka najniższych gałęzi pobliskiej sosny.

– Przepraszam, nie dam dłużej rady. – Ilaria się podnosi. – Gdzie jest łazienka?

– Ja zostaję – mówi Besana.

Hofer przewija dalej.

– Minęły kolejne dwie godziny.

Widać, jak ciało flaczeje, jakby ktoś przekłuł skórę szpilką.

– Święty Boże, co to takiego? – pyta Marco.

– Uretan – odpowiada Hofer. – Gdybym nie namówił prokuratora na natychmiastową sekcję, nic byśmy nie znaleźli. Karbaminian etylu to substancja lotna, niepozostawiająca śladów. Znika po kilku godzinach, w dziewięćdziesięciu pięciu procentach ulegając transformacji w dwutlenek węgla i etanol. Ale podczas sekcji wykryliśmy pęcherze dwutlenku węgla i wielonarządową martwicę krwotoczną wskazujące wyłącznie na uretan. Wiedzieliśmy, czego szukać, a toksykolog potwierdził nasze podejrzenia.

– Nigdy nie słyszałem, żeby tej substancji używano jako trucizny.

– Rzeczywiście, literatura naukowa nie opisuje żadnych przypadków – odpowiada Hofer. – A raczej był jeden przypadek, kilka lat temu, we Włoszech. Pewien lekarz zabił w ten sposób swoją żonę. I gdyby nie domysły jego kolegi, byłoby to morderstwo doskonałe. Już mieli umorzyć sprawę, niby śmierć z przyczyn naturalnych, ale anatomopatolog nalegał: niektóre rzeczy go nie przekonywały, na przykład puchnięcie zwłok czy siatka naczyń żylnych kilka godzin po śmierci. Więc tego samego wieczoru przeprowadzono sekcję, następnie badanie toksykologiczne w rekordowym tempie. I odkryto ślady uretanu, czyli karbaminianu etylu. Gdyby spóźnili się o kilka godzin, diagnoza byłaby utrudniona, a dowód otrucia nie zostałby znaleziony.

– Nie pamiętałem tej historii – przyznaje Marco, ugodzony w swoją dziennikarską dumę.

– Wracając do pana Padovaniego, nie sądzę, żeby truciznę wybrano przypadkowo – kontynuuje Hofer. – Wyraźne jest tu odwołanie do zawodu ofiary. Karbaminian etylu jest naturalnie obecny w napojach alkoholowych takich jak wino. To produkt reakcji etanolu z mocznikiem wytwarzany podczas fermentacji.

– Jak wiadomość, która ulega samozniszczeniu – zauważa Besana.

– Posłuchaj, znalazłam ciekawe informacje o naszym Padovanim – mówi Ilaria, gdy wracają samochodem do Engadyny. – Jakieś dziesięć lat temu miał kłopoty z sanepidem. Zrobili inspekcję w jego przedsiębiorstwie, gdzie produkował prosecco i grappę. Skonfiskowano siedem tysięcy hektolitrów moszczu i fermentującego wina oraz tonę cukru „z zagranicy, znalezionego w schowku na narzędzia, na palecie z czterdziestoma dwudziestopięciokilogramowymi workami bez odpowiedniej dokumentacji poświadczającej przewóz", jak również tysiąc hektolitrów „wyrobów winnych, których nie zadeklarowano w odpowiednim Inspektoracie Jakości Handlowej Artykułów Rolno-Spożywczych" oraz trzy litry kwasu siarkowego przechowywanego nielegalnie. W sumie był to towar o wartości prawie trzech milionów euro.

– Niezłe szkody – odpowiada Besana. – Ale wiesz, ilu producentów dodaje cukier do wina? Pomaga to podnieść stężenie alkoholu, choć jest nielegalne. I gdyby ograniczali się tylko do cukru. W beczkach może znaleźć się wszystko: wióry drewna, guma arabska, siarczyny, mleko i białko jajka, sztuczne dodatki i utrwalacze. Po części są to składniki naturalne, ale też sporo świństw.

– Widzę, że się znasz na winiarstwie – żartuje Ilaria. – Ale jeszcze nie skończyłam. Sanepid zarzucił Padovaniemu zbyt wysoką zawartość karbaminianu etylu w grappie.

– Uretan. No proszę, trucizna, która go zabiła. To wygląda na odwet – komentuje Marco.

– Może to nie jest zbieg okoliczności.

– To prawda, że uretan jest substancją naturalną, wytwarzaną w reakcji etanolu z mocznikiem podczas procesu fermentacji. Ale jest toksyczny i potencjalnie rakotwórczy. Czytałem, że Unia Europejska zaleca zminimalizowanie jego użycia, na przykład

poprzez ograniczenie stosowania nawozów azotowych lub droż-
dży, które mogą sprzyjać jego powstawaniu.

– Czy kiedy zamawiasz wino, prosisz najpierw o wyniki badania chemicznego? – pyta Ilaria.

– Wolę o tym nie myśleć i to zapić. À *propos*, napijemy się po
kieliszku prosecco?

9 GRUDNIA

Mocno śnieży, więc po południu Piatti i Besana postanawiają
zostać w hotelu. Siedzą w małym pokoiku z kominkiem, Beck's
wyciąga się na dywanie, wygrzewając się przy ogniu. Ciągle gryzie piszczącą gumową krówkę, którą Ilaria kupiła mu w supermarkecie.

– Nie mogę się skoncentrować przez to popiskiwanie – narzeka Besana. – Nie mogłaś podarować mu piłki?

Ilaria podnosi głowę znad laptopa.

– O co ci chodzi? Przecież napisałam ci cały artykuł.

Marco przeciera oczy.

– Ciągle jestem wstrząśnięty tym, co zobaczyłem. W ciągu
tych wszystkich lat widziałem wielu zmarłych, ale nie jestem
przyzwyczajony do oglądania kogoś, gdy umiera.

– Morderca nie widział tego, co ty.

– Masz rację. – Besana wstaje i zaczyna chodzić po pokoju. –
Czuję, że klucz do zagadki jest właśnie tutaj.

– W jakim sensie?

– Oto, co odróżnia trucicieli od innych seryjnych zabójców!
Dlaczego wcześniej o tym nie pomyśleliśmy? Ukrywają się za
kulisami, nigdy nie wychodzą na scenę. Pozwalają, żeby śmierć
wykonała ich zadanie.

– To prawda.

– To my widzieliśmy głowę Achillego D'Ambrosio z dala od ciała, a nie morderca – ciągnie Marco. – Zabójcy nie było, kiedy Achille źle się poczuł i kiedy rozszarpał go niedźwiedź. Nie było go na lodowcu, gdy Giacomo Pallavicini szedł chwiejnym krokiem, i nie było go również w szczelinie podczas jego agonii. Nie było go w samolocie Carla Rigamontiego, gdy maszyna zajęła się ogniem. I jestem pewien, że Livio Moser umarł w tym lesie sam. To konsekwentny *modus operandi*. To zabójstwa pod nieobecność zabójcy. Transmisja śmierci następuje z opóźnieniem.

– Jedyny zgrzyt do Marta Guerra – wtrąca Ilaria.

– Rzeczywiście. Dlaczego nie otruł również jej?

– Może nie było to zaplanowane morderstwo? – zastanawia się Ilaria. – Te zbrodnie mają też inną wspólną cechę: są zaplanowane ze skrajną dbałością o każdy szczegół. I wszystkie przebiegają tak, żeby wyglądać na wypadek.

– W gruncie rzeczy nasz seryjny zabójca przez całe lata miał wielkie szczęście – stwierdza Besana. – Chyba już tak nie jest. Pomyśl, co za zbieg okoliczności: jakiś zasrany dron wlatuje właśnie w tę szczelinę i oto mamy trupa, którego nikt nigdy by nie znalazł. Gdyby ten niedźwiedź nie znalazł się w niewłaściwym miejscu o niewłaściwej porze, myślisz, że tyle uwagi poświęcono by śmierci człowieka cierpiącego na silną alergię? W jego żołądku znaleziono by alergen tak czy inaczej, ale wyglądałoby to na fatalną pomyłkę. I tak rzeczywiście było. Lekarz z sądówki nie mógł zakwalifikować tego zgonu jako morderstwa.

– Może zabójca liczył, że zwłoki zostaną odnalezione rok później jak szczątki Mosera – mówi Piatti.

– Przyzwyczaił się, że wszystko idzie mu jak z płatka. Ale tym razem popełnił błąd. Uretan ulatuje, nie zostawiając śladu, ale morderca nie uwzględnił monitoringu sąsiadów. Tam ślady zostały zapisane.

– Na pewno sprawdził, czy jest monitoring w tym domu. Ale nie pomyślał o innych. Prawdopodobnie nie spodziewał się, że ofiara zdoła się dowlec do ogrodu sąsiedniej willi.

9 GRUDNIA

Na zewnątrz przetacza się prawdziwa śnieżna zawieja, więc Ilaria i Marco postanawiają zamówić club sandwich w barze. Wszyscy klienci hotelu są w sali restauracyjnej, w tym małym pomieszczeniu z kominkiem nikt nie będzie im przeszkadzał.

– Nadal nie mogę zrozumieć, co łączy ofiary – mówi Ilaria.

– Spróbuj jeszcze raz wrzucić ich nazwiska do wyszukiwarki, teraz doszło nowe – odpowiada Marco.

Ilaria skupiona patrzy w ekran, a Besana wyprowadza niecierpliwiącego się już Beck'sa na spacer. Wracają cali ośnieżeni. Beck's ma zmrożone wąsy. Turla się na dywanie, żeby się osuszyć.

– Kurwa, ale ziąb – klnie Besana. – Znalazłaś coś?

– Mętną finansową historię sprzed kilku lat. D'Ambrosio, Pallavicini i Padovani mieli razem spółkę, która stała się zarzewiem skandalu. Oni z tego jakoś wybrnęli, ale oberwało się pełnomocnikowi zarządu, który posiedział trochę w więzieniu i w areszcie domowym. Zdaje się, że wziął na siebie całą odpowiedzialność.

– Zapewne kupili jego milczenie i zmobilizowali swoich prawników, żeby go z tego wyciągnęli. Wiadomo coś o nim?

– Sprawdzam – odpowiada Ilaria. – Proszę, stary dobry LinkedIn jak zawsze jest niezawodny. Arturo Zago. Przeprowadził się do Lugano i pracuje na własną rękę jako konsultant finansowy.

– Dwa kroki stąd – komentuje Besana. – I miałby ekstra motyw.

– Tak, ale pozostali?

– Inni są tylko w naszych głowach, Piatti, nie zapominaj o tym. To bardzo prawdopodobne, że Rigamonti naprawdę miał zawał w samolocie. A nikt nie wie, na co umarł Livio Moser.

Ilaria pije łyk piwa, jest zamyślona.

– A gdyby wszyscy byli jego klientami?

– Czyimi?

– Mosera. Sztuka współczesna to często stosowany kanał do prania pieniędzy i ukrywania dochodów przed fiskusem. Pomyśl tylko o dziełach zgromadzonych u Vittorii i Brunelli.

– Vittoria może mieć swoje wady, ale to wykształcona kobieta – odpowiada Besana.

– Wszyscy są świetnie wykształceni, owszem – mówi Ilaria, szukając czegoś w Google'u. – Spójrz tylko.

Znalazła zdjęcia górskiego domku Diega Padovaniego i Veroniki Ballarin, opublikowane w czasopiśmie poświęconym designowi. Besana rzuca okiem na ekran.

– To nie przestępstwo kochać sztukę współczesną.

– Może to nie przestępstwo, ale może nas doprowadzić do przestępcy.

10 GRUDNIA

Zaraz zacznie się konferencja prasowa w siedzibie policji w Sankt Moritz. Dziennikarze zajmują miejsca w sali, która jest bardzo zatłoczona. Ilaria i Marco rozpoznają kilkoro kolegów i pozdrawiają ich gestem ręki. Wszystkie mikrofony stoją na długim prostokątnym stole, przed prokuratorem i szefem policji kryminalnej Gryzonii. Fotoreporterzy wciąż pstrykają zdjęcia, kamery telewizyjne są już ustawione.

– Dzień dobry – mówi prokurator po niemiecku, podczas gdy obcokrajowcy ustawiają słuchawki z tłumaczeniem symultanicznym. – Wyniki sekcji potwierdzają hipotezę o morderstwie. Użyta substancja to uretan, inaczej karbaminian etylu, z natury ulotny, nie pozostawia śladów. Ofiara jednak dowlokła się nago do ogrodu sąsiadów, gdzie był monitoring, który zarejestrował agonię i przemianę ciała *post mortem*. Niezwykłe puchnięcie zwłok i następnie ich sflaczenie wzbudziły podejrzenie śledczych, a ja powiadomiłem od razu anatomopatologa, doktora Rudiego Hofera, który błyskawicznie przystąpił do sekcji. Gdybyśmy tego nie zrobili od razu, bardzo trudno byłoby dociec przyczyn i przebiegu zgonu. Z badania toksykologicznego wyniknęło, że ofiarę odurzono najpierw alkoholem i barbituranami. Następnie nieznany sprawca zrobił jej zastrzyk z olbrzymiej dawki płynnego uretanu. Ofiara była sama w domu. Żona przebywała w Mediolanie, a pomoc domowa w trakcie przesłuchania zeznała, że pan domu pozwolił jej wziąć wolne, żeby pojechała do rodziny w Brescii z okazji długiego weekendu. Zwłoki około czwartej nad ranem znalazł kierujący pługiem śnieżnym. Ponieważ nie było śladów włamania, ofiara najprawdopodobniej znała mordercę. Rozważamy wszystkie poszlaki. Oddaję głos komisarzowi Reto Schwabowi.

– Dzień dobry, pracujemy intensywnie nad tą sprawą. Wydział kryminalny prowadzi odpowiednie czynności. Niestety napotkaliśmy trudności w wyodrębnieniu DNA sprawcy, gdyż dwa dni wcześniej, wieczorem 6 grudnia, w willi odbyła się wielka impreza, było dużo zaproszonych gości, a w związku z nieobecnością gosposi dom był nieuporządkowany. Ślady genetyczne są zmieszane. W okolicy nie znaleziono śladów, bo przez całą noc padał śnieg. Kolejna ważna kwestia to zniknięcie telefonu komórkowego ofiary, prawdopodobnie zabranego przez sprawcę, który od razu wyjął baterię, żeby uniemożliwić jego odnalezienie.

Analizujemy też bilingi telefoniczne. Jeśli mają państwo pytania, jesteśmy do dyspozycji.

Wstaje jakiś szwajcarski dziennikarz, wypowiada swoje nazwisko i nazwę dziennika, dla którego pracuje, po czym zadaje pytanie po niemiecku.

– Dlaczego ofiara była naga?

– Jesteśmy przekonani, że ofiara została rozebrana przez mordercę, aby uniknąć podarcia ubrań podczas puchnięcia zwłok.

Wstaje jakiś dziennikarz mówiący po francusku.

– Sąsiedzi nic nie widzieli ani nie słyszeli?

– Byli za granicą. Okazali się jednak bardzo pomocni i od razu przekazali nam dostęp do monitoringu obejmującego ich ogród.

Wstaje Ilaria.

– Czy na ciele ofiary znaleziono ślady DNA, które można by przypisać sprawcy?

– Naturalnie prowadzimy prace również w tym kierunku. Kiedy pojawi się jakikolwiek zwrot w tej sprawie, od razu państwa poinformujemy.

– Jeszcze jedno pytanie, panie komisarzu.

Reto Schwab odpowiada kiwnięciem głową.

– Czy ta sprawa może się łączyć z otruciem akonityną Giacoma Pallaviciniego?

– W obecnej chwili nie mamy wystarczających danych, aby połączyć te dwie sprawy.

– Dziękuję, panie komisarzu.

Po konferencji prasowej Ilaria i Marco wracają do hotelu, żeby obejrzeć wiadomości w telewizji. Beck's czeka na nich w pokoju Ilarii na łóżku, telewizor pokazuje jakiś niemiecki talk-show. Pies wybebeszył kosz na śmieci, a teraz żuje pilota do telewizora. Na drewnianych drzwiach są też ślady pazurów.

– O, kurwa – mówi Besana – każą nam zapłacić za szkody.

– Cóż, chce być na bieżąco – odpowiada Ilaria, wyrywając Beck'sowi pilota z pyska.

Ten warczy, nie znosi, gdy zabiera mu się zabawki.

Wystarczy poskakać trochę po kanałach i od razu widać, że telewizja oszalała. Wszędzie mówią o seryjnym trucicielu, łącząc sprawę uretanu ze sprawą akonityny.

– Gratuluję asysty, Piattola – komentuje Besana. – Kiedy jutro ukaże się nasz artykuł, będziemy w ogonie.

– Ależ my jesteśmy o wiele dalej – odpowiada Ilaria.

– W jakim sensie? – Besana sprowadza ją na ziemię. – W głowie nam tylko spiski. Gdybyśmy napisali to, co myślimy, pozwaliby nas za pomówienie.

– Ależ nie. Zdarzyło ci się kiedyś?

– Raz. Zawsze uważałem, żeby pisać tylko udokumentowane rzeczy, których byłem pewien. Ale tego dnia dałem się ponieść. Jeden z lekarzy, stały gość popołudniowych programów telewizyjnych, zwykł mówić o cudownych sposobach leczenia rozmaitych chorób. Przyrównałem go do naganiaczy z telezakupów. Od razu mnie pozwał za zniesławienie. Nie było mowy, żeby sprawę rozwiązać kulturalnie, więc wylądowałem w sali sądowej. Po mnie był Marokańczyk oskarżony o handel narkotykami. Widziałem, jak czeka za kratami na swoją kolej. Najbardziej upokarzające było to, że sędziowie traktowali powoda z ostrożnością, ze mną zaś obchodzili się jak z pospolitym przestępcą. Karą było wysokie odszkodowanie, a mój dziennik musiał zapłacić. Niemal dwadzieścia lat potem z satysfakcją zobaczyłem tego drania w więzieniu – dostał odsiadkę za przestępstwo korupcyjne związane z firmą farmaceutyczną. Napisałem to, co należało napisać, ale nikt nie wymaże mi tego wyroku.

– Wolałabym, żebyśmy nie wylądowali w sądzie – odpowiada Ilaria.

– Wiele osób tak robi karierę. Nazywam ich bywalcami sal sądowych, to wielkie nazwiska, ludzie uwielbiający wzbogacać swoje śledztwa przesadzonymi lub zmyślonymi detalami. Teksty są błyskotliwe, tytuły robią wrażenie, czytelnicy się oburzają, a osoby wzięte na celownik mają przesrane już przez całe życie. Dementi zazwyczaj zawiera się w kilku linijkach, na siedemnastej stronie. Mają sprawę za sprawą, gazeta musi płacić, ale dziennikarskie gwiazdy tym bardziej zaprasza się do telewizji.

10 GRUDNIA

Hol hotelu Kronenhof w Pontresinie jest wytworny. Czerwone aksamitne kanapy, wielki żyrandol, kolumny, sufity z freskami, dywany, dziewiętnastowieczne stoły i fotele, obrazy przedstawiające pejzaże, lustra w olbrzymich złotych oprawach, bukiety kwiatów, fortepian i ciężkie brokatowe zasłony. Wokół tylko eleganccy ludzie.

Veronica Ballarin siedzi przy oknie z widokiem na szczyty Berniny. Jej dom jest opieczętowany, bo wydział kryminalny nadal prowadzi tam czynności operacyjne. Przyjechała, żeby rozpoznać zwłoki męża i zostać przesłuchana przez policję. Obok siedzi jej prawnik, Gualtiero Lanza, jeden z najsłynniejszych karnistów w Mediolanie.

Prawnik prosi, żeby usiedli, wdowa ledwie na nich spogląda.

– Przede wszystkim chciałbym uściślić, że pani Ballarin nie jest podejrzana, przesłuchano ją w charakterze świadka zdarzeń objętych śledztwem. Już wszystko opowiedziała śledczym i nie życzy sobie, żeby wspominano o niej zbyt często w kontekście tej sprawy. Dla was zrobiła wyjątek.

– Dziękujemy pani – mówi Besana.

Kobieta nie reaguje, mięśnie jej twarzy ani drgną. Nawet nie odwraca wzroku.

– Czy domyśla się pani, kto to mógł być? Pani mąż miał wrogów? – pyta Besana.

– Pani Ballarin zwróciła wczoraj uwagę policji – znów odpowiada prawnik – że uretan jest obecny w winie, a tym bardziej w alkoholach wysokoprocentowych. Czyli jej zdaniem wybór substancji nie mógł być przypadkowy. Sugerowała, żeby sprawdzić jego otoczenie, konkurencję i pracowników.

– Myśli pani o kimś konkretnym?

Kobieta flegmatycznie kręci głową.

– Moja klientka nie chce nikogo oskarżać – mówi Lanza. – To zadanie śledczych.

– Co pani sądzi o porównaniach ze sprawą Pallaviciniego? Znała go pani?

– Wszyscy znamy się z widzenia. – Veronica ma znudzony wyraz twarzy. Po raz pierwszy otworzyła usta.

– Ale myśli pani, że te dwa zabójstwa może coś łączyć?

Kobieta spogląda na swojego prawnika.

– Moja klientka jest sceptyczna co do tego tropu. Zresztą podobnie jak śledczy. To raczej dziennikarski wymysł. Takie jest nasze zdanie.

– Pańskie czy pani? – Besana jest już zniecierpliwiony.

– Obydwojga – ze spokojem odpowiada Lanza.

Kiedy wychodzą z hotelu, Marco płonie z wściekłości. Ilaria biegnie za nim.

– Jak, kurwa, mam napisać wywiad? W tej Szwajcarii nie da się pracować. Ta suka nie powiedziała ani słowa, odpowiadał tylko jej adwokat. To było gorsze niż policja. Miałem ochotę dać jej w twarz. Lepiej, gdyby od razu odmówiła rozmowy z prasą, kropka. Upokorzyła nas, i tyle.

– Tobie wydała się cierpiąca? – pyta Ilaria.

– Raczej znużona. Jakby coś nie wyszło. Jakby ktoś popsuł jej plany i nie mogła wrócić do domu, tylko musiała siedzieć w pięciogwiazdkowym hotelu. Niech spierdala.

10 GRUDNIA

– Spójrz. To chyba wydarzenie sezonu.

Ilaria wskazuje Marcowi artykuł w internecie, pośrodku jest zdjęcie wypchanego Rudolfa z koroną na głowie – dzieło zostało już zakupione przez pewne muzeum. To nowa wystawa Ausstopfera w galerii Mosera.

– Kiedy wernisaż?

– Dziś wieczorem. O siódmej.

– Moglibyśmy się tam pojawić. Wszyscy będą rozmawiać o tych morderstwach, zobaczysz. Dobrze byłoby posłuchać, co mówią ludzie.

Na wystawie panuje straszny ścisk, zwłaszcza w okolicach bufetu. Do picia jest kiepskie wino musujące, a do jedzenia przechodzone tartinki z serkiem kozim i ochłapkiem lokalnego mięsa.

– Artystyczna taksydermia, no cóż – komentuje Besana.

– Uważam, że to obsceniczne – odpowiada Ilaria, patrząc na świstaka w goglach na snowboardzie. – Przyłożyłabym autorowi.

– Okrutne i idiotyczne, owszem – dodaje Marco.

Żeby zobaczyć niedźwiedzia w osobnej sali, trzeba ustawić się w kolejce. To główna atrakcja wystawy, można się poczuć jak w cyrku. Kiedy nadchodzi ich kolej, żeby wejść do ciemnej salki za zasłoną, Beck's zaczyna warczeć i podnosi łapę. To inne warczenie niż zazwyczaj: ciche, ponure, pełne napięcia.

– Poczuł zapach niedźwiedzia, instynkt to coś niewiarygodnego – zauważa Ilaria.

Potem patrzy na Rudolfa stojącego na piedestale z czerwonego aksamitu, w smudze światła. Ta korona, którą włożyli mu na głowę, jest jak zniewaga.

– Biedne stworzenie – mówi.

Marco od razu wychodzi z pomieszczenia, bo nad psem nie da się zapanować. Czeka na Ilarię przy bufecie, z kieliszkiem w ręku.

– Nie wiem, co jest gorsze: wino musujące czy wystawa.

Ilaria daje mu znak, żeby był cicho. Podsłuchała ciekawą rozmowę.

– To w takim złym guście – komentuje jakaś kobieta. – Achille był kochanym człowiekiem. Nicoletta jest oburzona.

– Wszyscy są oburzeni, ale na wystawie nikogo nie brakuje – odpowiada jakiś mężczyzna.

– Biedny Livio, gdyby zobaczył, co się stało z jego galerią – mówi inna kobieta. – Byli w trakcie rozwodu i popatrz, czyni tu honory pani domu. On nie pozwalał jej wybierać artystów, Ginevra była swego rodzaju sekretarką.

– Cóż, wcześniej pracowała jako pielęgniarka – przypomina ktoś jeszcze. – Dlaczego miałaby się znać na sztuce?

– Zwolniła nawet Miriam, która znała się o wiele lepiej od niej.

– Wiadomo sprawa, Miriam była nie t y l k o asystentką jej męża. – I wszyscy chichoczą.

W tej samej chwili podchodzi do nich twórca, pod ramię z Ginevrą Landi, a te same osoby, które ją obgadywały, zaczynają wznosić toast.

– Gratulacje! Jaka wspaniała wystawa! Ginevro, kochanie, dokonałaś czegoś niebywałego.

Ilaria i Marco wymieniają rozbawione spojrzenia. Tymczasem artysta-wypychacz, który podpisuje się jako Ausstopfer, ale wszyscy wołają na niego Fritz, wygaduje stek bzdur, objaśniając symbolikę korony na głowie Rudolfa – należy ją interpretować jako protest przeciwko dyskryminacji gatunkowej ("Człowiek nie jest królem stworzenia!").

Ginevra rozmawia z jedną z kobiet, gestykuluje, potrząsa dłońmi, wydaje się zaniepokojona.

– Tak mi przykro, że Nicoletta wzięła to do siebie. Tyle razy próbowałam do niej dzwonić, ale nie odbiera. Ja też na początku byłam niepewna. Miesiącami rozmawiałam o tym z Fritzem. Dzieło zostało jednak zakupione przez duże muzeum i będzie wystawiane na targach w Bazylei. Wielu uważa je za jego szczytowe osiągnięcie, nie mogłam go wykluczyć z wystawy indywidualnej.

W tej samej chwili Besana widzi, jak wchodzi Vittoria. Wygląda porażająco pięknie, jej blond włosy są idealnie uczesane, śnieg nie zdołał zepsuć fryzury. Ma na sobie kowbojki i trzyma się prosto jak podczas ujeżdżania konia. Być może jej całe życie to ujeżdżanie – to takie smutne. Ale spojrzenie kobiety jest odpychające. Jej tęczówki w plamki skrzą się furią, a Marco czuje nagły ból.

Początkowo Vittoria udaje, że go nie zauważa – tymczasem jak najbardziej odnotowała jego obecność – i jak wszyscy idzie do ciemnego pomieszczenia z wypchanym niedźwiedziem. Lecz nie za długo tam zabawia. Wychodzi pospiesznie, zdenerwowana otwiera zasłonę. Po chwili refleksji – wzburzenia? – rozgląda się wokoło. Jej spojrzenie wcale nie jest niewinne: szuka jego i tyle. Podnosi rękę, żeby się przywitać, jakby była zaskoczona. Potem eleganckim krokiem – istna sztuka ujeżdżania – podchodzi do niego.

– Jak się miewasz, Marco? – pyta, dwukrotnie wyciskając na jego policzkach światowego całusa, żeby zaznaczyć sztuczny dystans.

– Dobrze wyglądasz, Vittorio. – Besana odwzajemnia się podobnym tonem. – Jesteś przepiękna.

Vittoria śmieje się i czochra włosy rękami, boi się, że wygląda nadto idealnie, boi się swoich prawdziwych niedoskonałości.

– Co sądzisz o tym dziele?

– Cóż, zamiast korony dałbym mu odznakę.

– Odznakę?

– Niedźwiedzie mogą być świetnymi detektywami.

Vittoria się śmieje.

– Nie żartuję – ciągnie Besana. – Wiele lat temu niedźwiedź pomógł policji rozwikłać sprawę zabójstwa. Działo się to w małej miejscowości w Tyrolu, kilkaset metrów od granicy ze Szwajcarią. Niedźwiedź obalił drzewo, które wylądowało na linii napięcia elektrycznego. Uderzenie spowodowało pożar. Kiedy strażacy próbowali ugasić płomienie, natrafili na trupa około czterdziestoletniego mężczyzny. Nie zmarł z przyczyn naturalnych ani w pożarze. Został zabity.

Ilaria próbuje przywitać się z Vittorią przynajmniej od pięciu minut, nawet tylko po to, żeby zadośćuczynić zasadom dobrego wychowania, ale ona na to nie zważa. Dla niej Ilaria jest niewidzialna.

– Vittorio, przepraszam, setki razy próbowałam skontaktować się z Dafne, ale jej komórka jest wyłączona. Powinnam się martwić?

Vittoria odwraca się nagle. Widać, że z trudem przychodzi jej bycie miłą wobec Ilarii. Jakiś wewnętrzny gniew napina i wykrzywia jej twarz. Choć próbuje nad sobą panować.

– Witaj, Ilario – mówi z chłodem. – Również ja nie wiem, co u Dafne. Wiesz, ona cierpi na depresję, parę lat temu była nawet hospitalizowana. Kiedy źle się czuje, znika. – Vittoria odwraca się do Besany. – Zjemy razem kolację, Marco?

To zaproszenie nie jest przeznaczone dla Ilarii, rzecz jasna. Ma wielką nadzieję, że Besana odmówi. Nie, nie, nie.

– Z chęcią – odpowiada Marco.

Vittoria uśmiecha się z satysfakcją. Bierze go pod ramię i zabiera ze sobą bez pożegnania. Ilaria zostaje sama, osłupiała. Nie może nic zrobić. Widzi, jak razem wychodzą. Została jej w ręku tylko smycz Beck'sa, wcisnęli jej go. Ilaria się schyla, głaszcze go i mówi na ucho:

– Co byś powiedział, gdybyśmy poszli sobie z tego okropnego miejsca?

Pies oblizuje jej twarz, machając ogonem. Wygląda na to, że się zgadza.

– Tutaj jest zbyt wiele martwych zwierząt i zbyt wielu niezbyt żywych ludzi.

10 GRUDNIA

„Wybrany abonent jest czasowo niedostępny, proszę spróbować później". Ilaria wcale się nie dziwi. Dafne jest niedostępna z definicji: wyłącza i gubi telefon, nie używa mediów społecznościowych, nie ma nawet maila. Jedyny sposób, żeby dowiedzieć się, co u niej, to ją odwiedzić.

– Beck's, masz ochotę na spacer w śniegu?

Stojąc przed szeregiem bloków, Ilaria czuje się trochę zdezorientowana. Nie wie, które to drzwi, sprawdza nazwiska przy domofonie. Prawie wszystkie są szwajcarskie lub portugalskie, nigdzie nie ma Dafne Bernabò. Ale rozpoznaje jej starego citroëna, z zepsutą wycieraczką, stoi zaparkowany naprzeciwko.

Do budynku wchodzi otyła kobieta, Ilaria podąża więc za nią. Na korytarzu panuje smród – wszyscy wystawiają na klatkę schodową swoje buty. Przez chwilę wydaje się jej, że znalazła właściwe mieszkanie, ale potem się waha, bo obok butów wojskowych potencjalnie należących do Dafne widzi różowe dziecięce kozaczki. Także tu przy dzwonku nie ma żadnego nazwiska, ale Ilaria postanawia spróbować.

Dafne otwiera drzwi, jest w piżamie, patrzy na nią zaskoczona.

– No proszę – mówi – nie wiedziałam, że wróciłaś do Szwajcarii. Chodź do środka.

– Chciałam wpaść, żeby cię pozdrowić, ale zostanę tutaj, Beck's ma mokre łapy.

– Nie szkodzi, wezmę ręcznik.

Ilaria tymczasem zdejmuje swoje moon bootsy. Dafne wraca razem z małą dziewczynką. Dziewczynka jest zaciekawiona psem, ale boi się zbliżyć, chowa się za nogami Dafne.

– On jest niegroźny – mówi Ilaria, wycierając sierść psa. – Wabi się Beck's. A ty jak się nazywasz?

– De Santos Raquel – szepcze dziewczynka.

– To córka moich sąsiadów, często do mnie przychodzi – tłumaczy Dafne. Potem odwraca się do Raquel: – Zapytała cię tylko, jak ci na imię, przecież nie jesteś w szkole.

Raquel wybucha śmiechem, odsłaniając szparę zamiast siekaczy. Potem wyciąga przed siebie palec, dotyka niepostrzeżenie sierści Beck'sa, po czym zabiera go z powrotem, jakby pies parzył. I znów wybucha śmiechem.

– Jadłyście kolację?

– Nie, ja nie jem – odpowiada Dafne, podnosząc filiżankę. – Wystarczą mi ziółka.

– Opowiadała mi bajkę o Flurinie – mówi Raquel, chyba trochę poirytowana, że im przerwano.

Ilaria wchodzi do dużego pokoju, musi mocno trzymać Beck'sa, bo ten przepada za owczą skórą, a tu jest jej pełno – na fotelach, na kanapie, nawet na ziemi jako dywan.

– A kto to Flurina?

– Wróżka – ciągnie dziewczynka. – Dała mieszkańcom doliny *trais fluors*, trzy czarodziejskie kwiaty: pierwszy nazywał się Pigna i grzał jak kaloryfer, drugi to Vivanda i sprawiał, że na stole pojawiały się smakołyki, a trzeci to Allegria i wszystkich rozśmieszał. Ale potem stało się coś okropnego.

Ilaria rozdziawia usta.

– Nieee. Co takiego?

– Wszyscy stali się bogaci i źli – mówi Raquel i marszczy czoło. – Więc wróżka się rozgniewała i przemieniła je w trzy trujące kwiaty: Sfradur, który sprawiał, że umiera się z zimna, Fom, który powodował, że wymiotowało się całe jedzenie, i Disgrazia, przez którą wiecznie się płacze.

– Ależ zabawne historie opowiadasz. – Ilaria się śmieje.

– Trochę zmieniłam lokalną bajkę. – Dafne wzrusza ramionami.

Nagle dzwoni dzwonek. To mama Raquel, jest w kapciach. Dziękuje Dafne i woła córeczkę.

– *Está na hora de ir para a cama, fofa**.

– Nieeee – krzyczy dziewczynka. – Chcę jeszcze pobyć z moją przyjaciółką.

– Już późno, musisz iść spać – mówi Dafne. – Przyjdź jutro, i tak jestem zawsze w domu.

---

* Czas iść spać, kochanie (port.).

Gdy tylko zostają same, Dafne wstaje i wyciąga z lodówki dwa piwa.

– Niestety w domu nie ma nic do jedzenia.

– Może wyjdziemy?

– Nie, za bardzo pada, a ja jestem już w piżamie. Ostatnio rzadko wychodzę, jest przeraźliwie zimno – odpowiada Dafne i pije prosto z butelki.

– Wszystko w porządku, Dafne?

– Świetnie. Po prostu chcę posiedzieć w domu – mówi i głaszcze Beck'sa po uszach, który po cichu zajął już miejsce na kanapie, na owczej skórze. – A ty? Dlaczego wróciłaś do Szwajcarii?

– Chcesz mi powiedzieć, że nic nie wiesz o kolejnym morderstwie?

– Nie mam telewizji, nie używam internetu i nie kupuję gazet. Co to za morderstwo?

– Niezła z ciebie postać. – Ilaria nie może w to uwierzyć. I opowiada jej ze szczegółami o sprawie z uretanem.

– Co za straszna historia – komentuje Dafne.

– Znałaś go?

– Nie osobiście. Ale był znany ze swoich imprez. Jedna koleżanka się tam wybrała. Wszyscy byli nawaleni, naćpani koką i wylądowali na golasa w wannie z hydromasażem.

– To były imprezy w tym guście?

– Tak, myślę, że można było skosztować tam wszystkiego. Jak sądzę, nie tylko wina.

– Jego żona wydała mi się bardzo nieprzyjemna – mówi Ilaria.

– O, tak. To znajoma Vittorii, pewnego razu przysłała ją do mnie. Życzyła sobie terapii, żeby podwyższyć sobie samoocenę, która okazała się i tak zbyt wysoka. Nie wiedziałam, jak jej o tym powiedzieć. Kazałam jej robić ćwiczenia oddechowe w lesie, a ona ciągle narzekała. Bo mrówki, bo sosnowe igły we włosach, bo smród krowiego gnoju. I ciągle w ten deseń. Po trzech wizytach więcej nie przyszła.

– Dafne, pomóż mi – mówi Ilaria i chwyta ją za rękę. – Jestem pewna, że mamy do czynienia z seryjnym zabójcą, nie jestem wizjonerką, przysięgam. Tylko że nie mogę go rozgryźć. Twoim zdaniem, gdzie popełniam błąd?

Dafne zastanawia się w ciszy. Bardzo serio podeszła do tego pytania.

– Lubię retoromańskie napisy na domach. Powinnaś się przejść i poczytać je z uwagą, może doznasz olśnienia. Jest taki jeden napis w Guardzie: *Scha tü nu poust portar il crap, schi rodla'l*. „Jeśli nie możesz podnieść kamienia, to go poturlaj".

– Czyli powinnam zmienić podejście – zastanawia się Ilaria. – To prawda.

– Musisz mieć inny punkt widzenia, z którego będziesz wszystko oglądać. Spróbuj zacząć myśleć inaczej. Kojarząc, na przykład. Oczyść umysł i skup się na tym seryjnym zabójcy.

– Masz rację.

– Idź zobaczyć napisy na domach. Znajdziesz klucz. Tutejsze ściany są jak wyrocznie.

10 GRUDNIA

Śnieg pada bardzo intensywnie, latarnie są spowite rozwibrowaną, białą otoczką. Ilaria przystaje, żeby przeczytać napisy na domach. „Kto się spieszy, traci czas". *Chi ha prescha perda seis temp*. Już zrozumiała, że otoczenie może mówić, i żeby pojąć mechanizmy każdej zbrodni, musi pozwolić jej sobą zawładnąć. Czasem trudniej zrozumieć otoczenie niż ludzi, ale jeśli potrafisz słuchać, to najbardziej wiarygodne źródło. Dafne ma rację.

Jest naprawdę zimno, a Ilaria chciałaby być po drugiej stronie tych małych okienek w zagłębieniach, które obmyślono w szesnastym wieku, żeby zatrzymywać ciepło. Ale nie może. Musi być na zewnątrz, musi być widoczna, musi patrzeć. „Człowiek przychodzi na świat sam. Człowiek sam odchodzi z tego świata. Człowiek jest sam na tym świecie". Otóż to, samotność może być wskazówką. Czuje to. Ale nie wie dlaczego. Próbuje zamknąć oczy i uruchomić wyobraźnię. Zabójca nie chce czuć się samotny? Co jej mówi ten napis?

Potem znów rusza przed siebie. Oto kolejny napis. Ilaria staje i patrzy w górę. „Nie jest ubogi ktoś, kto ma niewiele, lecz ktoś, kto zbyt wiele pragnie". Myśli o ludziach, których spotkała. Kto wie, czego rzeczywiście pragną. Wszyscy wydają się tacy niespokojni pomimo swojego bogactwa. Jaki jest motyw?

Staje naprzeciw napisu, który wywołuje w niej jeszcze większe emocje niż inne. Nie wie dlaczego. Ale naprawdę robi na niej wrażenie. A nawet ją przeszywa. Jak potrafią przeszyć olśnienia. *Per il bön sforz cumön. Ed al mel cuolp mortel.* „Dla dobra wspólne zaangażowanie, dla zła śmiertelny cios". Przypatruje się literom, śnieg prószy jej w oczy. Ilaria czuje, że w tym zdaniu kryje się klucz do zagadki, choć nie potrafi go odczytać. Stara się to przemyśleć. Dobro i zło. U seryjnego zabójcy ten podział jest zawsze taki wyraźny, co to miałaby być za nowina. Wspólne zaangażowanie? Śmiertelny cios? To słowa każące myśleć o jakiejś misji. W imię jakiegoś ideału. Czy poza oficjalną ścieżką?

Przystaje przed fontanną na placu. W strumieniu wody stoi kamienny niedźwiedź z podniesionymi łapami. Ilaria musi się skupić i uwolnić skojarzenia. Niedźwiedź, wszystko od tego się zaczęło. I z czym się jej kojarzy? Z trucizną. Trucizna, czyli Stara od octu. A kim była Stara od octu? Kobietą. Siedemdziesięcio-pięcioletnią kobietą. Seryjną trucicielką. Dlaczego pomyślała o niej? Jest coś, o czym wie, ale nie zdaje sobie z tego sprawy. Musi się bardziej skupić. Zamyka oczy. Marta. Marta miała obsesję na punkcie Bonanno. Ale nie o to chodzi. To nie to. Musi zacząć od nowa. Gdy myśli o Starej od octu, co przychodzi jej na myśl? Wszy. Nie chodzi o Starą. Tylko o ocet. Do zabijania używała płynu na wszy. Czyli niebudzącej podejrzeń substancji.

Wreszcie zrozumiała. Znalazła związek. Żadnych tradycyj-nych trucizn, które można by od razu rozpoznać. Nieznany sprawca świetnie wie, czego szuka się podczas standardowych badań toksykologicznych. I używa substancji o wiele trudniej-szych do wykrycia.

Zabójstwa tak się od siebie różnią, że w pierwszej chwili nikt nie sądzi, że mogą się łączyć. Tymczasem to bardzo konsekwen-tny *modus operandi*, zmieniają się tylko toksyny. Poczyniła pierwszy krok. Teraz musi zrozumieć, jak morderca wybiera ofiary.

Kręci się jej w głowie, może to z powodu piwa wypitego na pusty żołądek. Beck's ciągnie ją w stronę hotelu, nawet on nie ma już ochoty przebywać na zimnie. Raz na jakiś czas kusi go, żeby obwąchać jakiś mur, ale potem otrzepuje się ze śniegu i zmienia zdanie. Obwąchiwanie murów. Otóż to. Mury mają do powie-dzenia różne rzeczy. Nie tylko psom. Mury opowiadają historie. Ale nazbyt enigmatyczne. Ilaria ślizga się na śniegu i w końcu upada. Beck's odwraca się i patrzy na nią, jakby chciał zapytać, czy nie zrobiła sobie krzywdy. Boli ją lekko biodro, będzie mia-ła dużego siniaka. Podnosi się i zbiera z ziemi smycz. Kulejąc, postanawia się już poddać.

W kominku pali się ogień, Besana patrzy na żwawe, smukłe, nieuchwytne płomienie. Nigdy nie lubił ognia. Vittoria siedzi z tyłu i patrzy na niego. W ręku ma dwa kieliszki, trzyma je jak ster.

– O czym myślisz?

– Nigdy nie mówię, o czym myślę – odpowiada Marco. – To tajemnica zawodowa.

Vittoria wybucha śmiechem, to jedyne, co może zrobić. Próbuje się do niego zbliżyć, żeby pocałować go w szyję, ale on się odsuwa. Kieliszki nieco się przechylają i trochę wina wylewa się na podłogę. Vittoria robi krok w tył i jeszcze mocniej trzyma kieliszki. Marco odwraca się i patrzy na nią.

– Jest w tobie jakiś nadmiar – stwierdza. – Choć nie wiem czego.

Vittoria pochyla głowę i uśmiecha się porozumiewawczo, zdecydowanie porozumiewawczo.

– Wszyscy musimy podejmować ryzyko – odpowiada – jeśli chcemy naprawdę żyć.

Besana chciałby podejść do niej jak do ryzyka: schwycić ją za kurtkę, której jeszcze nie zdjęła, i podnieść ją z całych sił. Ale ogień to jedyne, czego się boi, nie powinien był go zapalać.

– Vittorio – zaczyna Marco, robiąc ku niej krok – szalenie cię pragnę, ale czuję, że dojmująco się różnimy. Coś nas dzieli i byłbym gotów wrzucić tam moją legitymację, żeby dowiedzieć się, co to jest. – Brodą wskazuje kominek.

Vittoria delikatnie pieści jego twarz, lekko muskając ją palcami.

– Uspokój się.

Lecz Besana nie może się uspokoić, zbyt dogłębnie odczuwa jej pieszczotę.

– Wciąż nie zrozumiałem, kim jesteś.

Vittoria na te słowa staje się zmysłowa. Porzuca wyprostowaną postawę na rzecz swojej dzikiej natury. Chwyta go za głowę i przyciska ją do siebie.

– Co to ma za znaczenie – mówi, całując go. – Sami nie wiemy, kim jesteśmy.

Besana czuje jej usta, czuje, jak porywają go ze sobą, ale udaje mu się jeszcze odwrócić wzrok w stronę kominka. Jakby chciał prosić o pomoc swoje lęki, żeby go ochroniły.

– Kochanie... – Odrywa się na chwilę od jej ust. Lecz dobrze wie, jak zdradzieckie są słowa. Chciał powiedzieć: „Koniec". Śmieje się sam do siebie i myśli: „Może to była automatyczna korekta". Ale ironia szybko ulatuje. Nie da się jej powiązać z pożądaniem.

PALERMO, 1788

Wśród oskarżonych w procesie Giovanny Bonanno był tylko jeden mężczyzna: Giuseppe D'Ancona, piekarz. Miał trzydzieści pięć lat i od kilku miesięcy „żył w drugim związku" z Emanuelą Porcello. Co się stało z pierwszą żoną, Rosą Cascherą, z którą żył czternaście lat?

– Z powodu jakiej choroby zmarła wspomniana Rosa? – spytał sędzia.

– Z gnilnej gorączki, wymiotów i bólów brzucha – odpowiedział Giuseppe D'Ancona.

– Choroba zaczęła się przed jedzeniem czy po jedzeniu?

– Nie pamiętam. – I zaczął opowiadać o bulionie z kury z ryżem, który troskliwie jej przygotował. W dodatku twierdził, że nie zna Giovanny Bonanno.

Szkoda tylko, że łączyły go bliskie stosunki z jej wspólniczką, Rosą Billottą, nazywaną Nocną Śpiewaczką, gdyż „organizowała liczne zabawy z dziewczętami". Innymi słowy, dostarczała mu kobiet w zamian za pieniądze. Pośród nich była niejaka Maria Anna Zuccaro („z którą miałem stosunki cielesne", przyznał).

Lecz jego więź z Marią Anną była zagrożona, gdyż kucharz z pałacu królewskiego zakochał się właśnie w niej i postanowił uczynić z niej swoją utrzymankę. Giuseppe D'Ancona w porywie paniki był gotów się układać. Zaproponował matce dziewczyny cztery talary dziennie i co wieczór zjawiał się w domu rodziny Zuccaro. Rzecz jasna, jego żona Rosa zauważyła zdradę i znów zaczęły się sprzeczki.

Giuseppe siedział już w więzieniu za pobicie Rosy. („Wielokrotnie siedziałem w więzieniu za obicie kijem mojej pierwszej żony Rosy", wyznał przed sądem). Już w 1782 roku sąd zalecił obojgu trzymać się z dala od domów, które zamieszkiwali, i tymczasowo ich rozdzielił. Przebieg był zawsze taki sam: Giuseppe chwalił się przed żoną swoimi przygodami, Rosa się wściekała, a jego ogarniał szał („Kiedyś własnymi rękami cię zabiję, bo nie zasługujesz, żeby traktować cię jak żonę, tylko jak dziwkę").

Sąsiad relacjonował, że pewnego dnia Giuseppe rozbił talerz na głowie żony i zniszczył w ten sposób jej spinkę do włosów. Miał czelność mu powiedzieć: „Moja żona awanturuje się, że mam kochankę, i boję się, że któregoś dnia mnie otruje").

Również praczka D'Ancony potwierdziła ciągłe kłótnie i opowiedziała przed sądem, że małżonkowie mieli dziwaczny zwyczaj, żeby jeść z osobnych naczyń, nie zaś z jednego jak wszyscy. To dało jej do myślenia. Po co używać dwóch naczyń? Nie robiliby tego, gdyby jedzenie nie było „objęte urokiem".

Pomocnik piekarza D'Ancony twierdził, że jedzenie i leki były przygotowywane pod nadzorem jego pracodawcy. Innymi słowy, Giuseppe łatwo mógł dodać coś do garnków, kiedy pozostawały niestrzeżone.

Szwagierka opowiadała, że Rosa na dzień przed śmiercią zaczęła tracić „krew i robaki" i uskarżała się na bóle serca i pleców. Wszyscy, ale to wszyscy – od rzeźnika po sąsiada piekarni – utrzymywali, jakoby krążyły słuchy, że śmierć Rosy „nie była naturalna". Wszyscy, ale to wszyscy byli przekonani, że chodziło o jakieś czary. Tymczasem nie były to czary, tylko otrucie. A tajemnicza substancja, która ją zabiła, to znany już ocet na wszy.

11 GRUDNIA

Besana przychodzi na spotkanie trochę spóźniony.

– Dobrze spałeś? – pyta Ilaria prowokującym tonem.

– Wyśmienicie, Piatti – odpowiada Marco – i nie chcę, żeby przebudzenie było niemiłe.

– Nie zamierzam ci prawić kazań, bądź spokojny.

– To bardzo uprzejme z twojej strony. Jakieś wieści?

– Dziś rano rozmawiałam z Hoferem. Chciałam wiedzieć, czy to on zajmował się trupem Livia Mosera. Powiedział, że tą sprawą zajmował się jego kolega, i obiecał, że da mi znać.

– I dał?

– Oczywiście, godzinę temu. Mówił, że Moser, lub raczej to, co z niego zostało, nie miał przy sobie dokumentów: żeby go zidentyfikować, musieli wezwać biegłego sądowego stomatologa. Zwłoki leżały przez rok w niedostępnym miejscu, u dołu skarpy, z dala od szlaku. I nie były całe.

– Co za obrzydlistwo.

– Tak. Zanim dotarli do ciała, znaleźli fragment lewej piszczeli. Na pobliskiej ścianie skalnej.

– Skąd się tam wzięła?

– Była w gnieździe orłosępów. Dostrzegł ją jakiś alpinista, student medycyny, i od razu wiedział, że to ludzkie szczątki. Orłosęp to ptak drapieżny, padlinożerca, nie poluje na żywe zwierzęta. Żywi się martwymi świstakami, kozicami. I ma w zwyczaju zrzucać kości z wysoka. Roztrzaskują się wtedy na kawałki i są łatwiejsze do zjedzenia.

– Widać, że tego dnia przerwał obiad w połowie.

– Marco, p r o s z ę c i ę. Ważne jest tu coś innego. Hofer mówił mi o pewnym szczególe, anomalii, którą zauważył dopiero teraz, oglądając zdjęcia.

– A co to było?

– Stopa.

– Stopa?

– Tak, prawa stopa, jedyna, która się ostała. Znaleziono ją w bucie jakby zmumifikowaną. Ten szczegół skojarzył mu się z formaldehydem. Hofer był zrozpaczony: jest za późno, żeby sprawdzić ten jego domysł, bo Moser został skremowany.

– Nie zrobiono badań toksykologicznych?

– Tylko standardowe, niestety. Nikomu nie przyszło do głowy, żeby szukać formaldehydu, rozumiesz?

– Zmumifikowany żywcem – mówi Besana. – To coś strasznego. Przypomina mi tę sprawę w Rosji sprzed lat.

– Jaką sprawę?

– Dwudziestosiedmioletnia dziewczyna zmarła w szpitalu po dwóch dniach agonii z powodu niedorzecznego błędu medycznego. Miała chyba na imię Ekaterina lub coś w tym rodzaju. Była hospitalizowana w celu przeprowadzenia banalnego zabiegu, usunięcia cysty z jajników, a do kroplówki zamiast roztworu soli fizjologicznej dali jej formaldehyd, substancję służącą do balsamowania zwłok. Kiedy przyszła ją odwiedzić matka, Ekaterina miała rozdzierające bóle i wymiotowała. Potem zaczęła się trząść, więc matka przykryła ją kołdrą, ale szybko zrozumiała, że to nie było zimno, tylko drgawki. Pilnie wezwani lekarze rozkładali ręce, jakby nie było nic do zrobienia. Może wiedzieli, że ktoś zamienił kroplówkę, i nie chcieli tego przyznać. Tymczasem Ekaterina zapadła w śpiączkę i przeniesiono ją do kliniki w Moskwie, gdzie umarła po dwóch dniach. Przez cały czas formaldehyd działał w jej ciele, niszcząc narządy wewnętrzne. Serce, płuca i wątroba przestały funkcjonować, i nie było już po co podłączać dziewczyny do respiratora. Zmumifikowana żywcem. Rozumiesz?

– Ojej, jaka okrutna śmierć.

– Jeśli mają mnie zabalsamować, wolałbym, żeby zrobili to po śmierci, jak z Leninem, który dzięki formaldehydowi po upływie stu lat pozostaje nietknięty. Lub jak z Rudolfem. Los niedźwiedzia, zamieniony przez Fritza w dzieło sztuki, o ile można tak powiedzieć. Także Rudolf już nie żył. Zajął się tym pociąg, na szczęście.

– Moser zabalsamowany żywcem? To takie straszne, że nie mogę o tym myśleć.

– Szkoda, że nie wystawili go w jego własnej galerii – odpowiada Besana.

11 GRUDNIA

– Dziennikarze powinni służyć czytelnikom i prawdzie. Tymczasem zbyt często służą swojemu ego. I swojej karierze. Także legendarni dziennikarze czasem wymyślają sobie wiadomości. Jak mawiają Anglicy, nie pozwalają, żeby prawda zaszkodziła jakiejś ładnej historii.

Besana bryluje. Wszyscy siedzący przy stole spijają słowa z jego ust. Oprócz Ilarii. To była pułapka. Czekała na niego w restauracji, a Marco zjawił się z Vittorią i siedmioma innymi osobami.

– Chcemy nazwisk – mówi jakaś blondynka.

– Nie, nazwisk się nie podaje. Pozwolę wam je zgadnąć – odpowiada Besana. – Jeden ze świętych ojców naszej profesji, tyle wam wystarczy, twierdził, że był świadkiem najazdu nazistów na Polskę. I dotąd wszystko by grało. Ale dodawał również, że Hitler osobiście, gdy zobaczył go na poboczu z notatnikiem w ręku, wysiadł z wozu pancernego i wygłosił do niego długą tyradę po niemiecku, z której nic nie zrozumiał. Pewnie, czemu nie? Nic łatwiejszego. I tak nie było świadków, którzy mogliby to zdementować, nie było telewizji. Można było ukwiecać teksty do woli. Jednym z modnych redakcyjnych powiedzonek było: „Jeśli to nieprawda, to dobrze to wymyślono".

– Cóż, to były inne czasy. Dziś od razu by cię złapali – komentuje Vittoria.

– Niekoniecznie. Pamiętam parę lat temu, jak pewien wysłannik do Afganistanu rozgromił konkurencję wywiadem na wyłączność z przywódcą talibów. To był news na cały świat, od dyrektora nadeszły wielkie pochwały. Żadnemu dziennikarzowi, czy to włoskiemu, czy obcemu, nie udało się porozmawiać z tym mułłą, nie było nawet wiadomo, gdzie się ukrywa. Jak tego dokonał nasz bohater? To proste: napisał opowiadanie będące czystą fikcją, owocem jego wyobraźni. A jego rzekomy rozmówca nic nie wiedział.

Piatti wcale się dobrze nie bawi. Również ona nic nie wiedziała o tej kolacji. „Marco zachował się nieodpowiednio – myśli – bardzo nieodpowiednio".

– Ale to niejedyny przypadek. Pamiętam w pierwszych latach dwutysięcznych dziennikarza z „New York Timesa", który był nominowany do Pulitzera. Zajmował się na przykład sprawą snajperów, którzy zabili dziesięć osób w stanach Waszyngton, Wirginia i Maryland. W swoich artykułach pisał, że jest w Waszyngtonie lub innym mieście, a tymczasem siedział w Nowym Jorku, albo twierdził, że rozmawiał ze świadkami, a potem okazało się, że nie istnieli. Niektóre jego teksty powstały na zasadzie kopiuj-wklej z artykułów publikowanych w innych dziennikach lub lokalnej prasie. I całkiem niedawno zdemaskowano niemieckiego dziennikarza, nagrodzonego nawet przez CNN. Wśród jego wyczynów znalazł się fałszywy wywiad z jemeńskim więźniem w Guantanamo i przepiękny reportaż o nielegalnych imigrantach z Meksyku do Stanów Zjednoczonych, z cytowanymi wypowiedziami świadków i policji. Szkoda tylko, że nigdy się z nimi nie spotkał. I napis na murze: „Meksykanie, trzymajcie się od nas z dala" istniał tylko w jego wyobraźni.

– A potem narzekają na blogerów czy pirackie strony – komentuje jakiś łysy facet. – Czasem to najbardziej znane dzienniki wpuszczają fake newsy do obiegu.

– Różnica jest taka, że na szczęście w przypadku poważnych tytułów takie sytuacje należą do wyjątków – odpowiada Besana. – Jeśli snujesz koszałki-opałki, prędzej czy później się na tym przejedziesz lub cię zwolnią. Tymczasem w internecie twórcy bzdurnych newsów ciągle cieszą się powodzeniem. Im więcej głupot powypisują, tym więcej zbiorą lajków.

I patrzy na Ilarię. Ale ona odwraca się, żeby pogłaskać psa.

11 GRUDNIA

Ilaria zabrała do swojego pokoju Beck'sa. Leżą na łóżku, ona głaszcze go po brzuchu. W ten sposób stara się odreagować.

– Dziś wieczorem Besana był nie do zniesienia. Powinnam była uniemożliwić mu powrót do tej baby. Nawet nie chce, żebyś przychodził do jej domu, bo wszędzie zostawiasz sierść. Mam nadzieję, że ty zrozumiałeś, z kim masz do czynienia.

Beck's drapie kołdrę, chcąc się pod nią zaszyć. Tylko gdy jest z Ilarią, może spać w łóżku, więc z tego korzysta. Okręca się kilka razy, po czym kładzie głowę na poduszce.

– A gryziesz Nicolę, który sobie na to nie zasługuje. Raz nawet kupił ci zabawkę. Co za niewdzięcznik z ciebie. A może byś tak wbił zęby w łydkę Vittorii, co? Nienawidzę jej, nawet nie wiesz, jak bardzo jej nienawidzę. Zrób to dla mnie.

Beck's już chrapie, nie dając wielkich powodów do zadowolenia.

– Jeśli ten związek będzie trwał dalej, a Besana przeprowadzi się do niej, ty i ja źle skończymy. Ona nie może się doczekać, aż się od nas uwolni, uprzedzam cię.

Beck's otwiera jedno oko, czuje się winny, że zasnął. Zresztą życie u boku dwojga dziennikarzy jest męczące. Liże rękę Ilarii.

– Nie chcesz, żeby cię drugi raz opuszczono, prawda? To zrób coś, do cholery. Pogryź ją, zanim będzie za późno.

Ilaria głaszcze mu uszy, odwraca je na drugą stronę, żeby być pewna, że jej słucha.

– Zamieszkałbyś ze mną. Ale przecież kochasz Marca. Jeśli jesteś szanującym się psem stróżującym, musisz go obronić. Przede wszystkim przed sobą samym. Ta kobieta zrobi mu krzywdę, czuję to. Przecież ty też musisz mieć instynkt. Dlaczego przy niej machasz ogonem jak kretyn? Na ciebie też rzuciła czar?

Beck's rusza ogonem, uderzając nim o materac. Coś musiało go rozbawić, ciekawe co.

– Mnie natomiast nie da się oczarować. Mam złe przeczucie, Beck's. Ta historia będzie Marca drogo kosztować.

Pies ma dość tych wywodów i chowa pysk pod poduszką. Czy to nie pora, żeby iść spać? Czy nie można zgasić światła? Ilaria patrzy na niego i znów delikatnie go głaszcze. Co miałby wiedzieć o ludzkiej miłości? Dla niego miłość to proste i linearne uczucie. Istnieje tylko wzajemne zaufanie, bez umiaru.

Besana ma przerażony wyraz twarz, drży mu nawet podbródek.

– Muszę natychmiast wrócić do Mediolanu – mówi. – Mój syn jest w szpitalu, miał wypadek.

Ilaria wie, że w takich chwilach należy zachować spokój. Lub być może nie tyle o tym wie, ile przychodzi jej to naturalnie.

– Wracam z tobą – odpowiada. I zaczyna się pospiesznie pakować.

– Nie trzeba – mamrocze Marco.

– A właśnie, że z tobą wrócę – odpowiada stanowczo. – W pięć minut wymelduję się z hotelu. Nie możesz jechać sam – sylabizuje nawet słowa, żeby wzbudzić w nim poczucie spokoju.

Besana jest zaskoczony, że ta młoda dziewczyna – ciągle napięta jak struna – w delikatnych sytuacjach potrafi być spokojna. Patrzy na nią, co przynosi mu ukojenie.

– Już jestem – mówi Ilaria z uśmiechem i walizką w ręku. Naprawdę zajęło jej to tylko chwilę.

Opłaciła hotel i siedzą już w samochodzie. Śnieg jak na złość rozbija się o przednią szybę. Wycieraczka z trudem odsuwa go na boki.

– Zwolnij, proszę – mówi Ilaria spokojnym głosem.

– Jest w szpitalu, robią mu tomografię, muszę przy nim jak najszybciej być. – Dłonie Marca się trzęsą.

– Wiem. Ale jeśli spowodujesz wypadek, nie będziesz mógł przy nim czuwać.

Besana wykrzywia twarz, cały jego ból skupia się w mięśniach twarzy, uwidacznia się w zmarszczkach.

Dzwoni telefon, a on od razu odbiera, jego palce drżą. To Marina.

– Niedługo będę – udaje mu się powiedzieć.

Potem Ilaria wyrywa mu telefon z ręki. W pilnych sprawach trzeba umieć się zachować. Nauczyła się tego od babci, z jej opowieści o wojnie. Babcia potrafiła robić tragedię z niczego, ale kiedy działo się coś naprawdę poważnego, była przewodniczką innych, zachowywała dystans i pogodę ducha. I w pewnej mierze nauczyła się tego na podstawie dotychczasowych doświadczeń zawodowych, bo w dziennikarstwie wszystko jest zawsze pilne. Można się do tego przyzwyczaić, na szczęście.

– Marina? Dzień dobry. Mówi Ilaria Piatti. Proszę mi wszystko powiedzieć. Marco prowadzi samochód.

Marina nic nie rozumie, panuje za duży zamęt, za dużo wokół paniki, ale instynktownie staje się posłuszna wobec tego spokojnego tonu. Niemal odczuwa wdzięczność.

– Leży na intensywnej terapii – mówi, połykając końcówki ze zmartwienia. – Ale mówią, że... że... – nie jest w stanie kontynuować.

– Że może z tego wybrnie? – podpowiada jej Ilaria.

– Być może. Oby. Tak mówią. Jeszcze nie wiadomo.

– Dziękuję, pani – Ilaria kończy rozmowę. – Marco oddzwoni za jakiś czas, jak tylko staniemy. Musimy zatankować, a do stacji benzynowej brakuje kilku kilometrów, proszę się nie martwić.

12 GRUDNIA

Jacopo jest przytomny, ale niepewnie mruga oczami, wyciąga rękę, żeby uścisnąć dłoń ojca. Nie ma odwagi nic mówić. Wie, że lekarze przekazali rodzicom, jakie miał stężenie alkoholu we krwi.

– Przepraszam – szepcze.

– Wiesz, ile razy się upiłem – odpowiada Besana – i ile miałem wypadków?

– Kocham cię, tato. – Jacopo się uśmiecha.

– Pewnie lepiej byłoby nie prowadzić po spożyciu. Następnym razem zapłacę ci za taksówkę.

– Obiecuję. Mama jest zła?

– Jest prawie abstynentką, nie może tego zrozumieć. Ważne, że odzyskałeś przytomność. Przejdzie jej. Nieźle się wystraszyliśmy, trzeba to przetrawić.

– Ja też się nieźle wystraszyłem – mówi Jacopo. – Kiedy w ciemnościach zobaczyłem ten skuter i skręciłem kierownicą, pomyślałem: „To koniec. Cześć". Na szczęście nikogo nie zabiłem.

– Miałbym mieć zabójcę w rodzinie? Dziękuję. – Marco śmieje się rozbrajająco. – Już i tak muszę się nimi zajmować cały dzień, gdybym miał mieć jednego w domu, to byłoby za wiele.

Jacopo pije łyk wody przez słomkę. Ma obitą twarz, pełną siniaków.

– Przepraszam, wszystko popsułem.

– Co popsułeś?

– Twoje śledztwo w sprawie kolesia, który się nadął i sflaczał. I tego drugiego, który wpadł do rozpadliny.

– Od kiedy czytasz gazety?

– Tak naprawdę to nie czytam. Ale czytam twoje teksty. Kiedy pojawiają się w internecie. I mogę je czytać gratis. Cholera, dobry jesteś.

Besanie strasznie chce się płakać.

– Dziękuję.

– Moim zdaniem z Piatti macie rację: to seryjny zabójca.

– Co każe ci tak myśleć?

– Nie wiem. – Jacopo wzrusza ramionami.

– No już, pomóż mi. Nie widzę jasno tej sprawy.

– Ja miałbym pomóc?

– Oczywiście, że ty. Kto jeszcze jest w tym pokoju?

Jacopo chowa się pod kołdrą, ale się śmieje.

– Serio mówię – nalega Besana. – Interesuje mnie twoje zdanie. Potrzebuję spojrzenia z zewnątrz. Na przykład twojego.

– Potrzebujesz mnie?

– Tak.

Chłopak podciąga się na łóżku i poprawia za sobą poduszki.

– Myślę, że to może być kobieta.

– Dlaczego?

– Bo tylko kobiety są takie pokręcone. Oni wszyscy zginęli na najróżniejsze sposoby. Któremu facetowi przyszłoby do głowy coś takiego?

Besana chwyta go za ręce i całuje w czoło.

– Kurwa, masz rację.

– To boli, tato.

12 GRUDNIA

– To olbrzymi problem – mówi Marina. – Upija się co wieczór. Nigdy się do tego nie przyzna, ale życie z tą dziewczyną go nie uszczęśliwia.

Jest ósma, pora wizyt się skończyła. Besana ze swoją byłą żoną idą szpitalnym korytarzem.

– Siłą rzeczy. Nie sądzisz, że to trochę wcześnie, żeby zamknąć się w gospodarstwie agroturystycznym na zadupiu z jej rodzicami? Świat jest wielki, czeka na niego. Gdyby rzucił wszystko, żeby pojechać z dziewczyną za granicę, tobym go zrozumiał. Ale trudno mi pojąć ten klaustrofobiczny wybór.

– Też mu to mówiłam. Ale on odpowiada: „Źle by to przyjęli, gdybym wyjechał".

– Dlaczego musi używać liczby mnogiej, mówiąc o swojej dziewczynie? Wybrał ją, a nie jej rodzinę.

– Mówi, że o n i tacy są.

– Znów liczba mnoga – zauważa Besana. – To nie jest normalne, wiesz?

– Czuje się również winny, bo przez jakiś czas nie będzie mógł pracować. Rozumiesz? Omotali go.

– Może w szpitalu powróci mu chęć, żeby się uczyć. Tutaj nie ma nic do roboty.

– Oby. Poprosił mnie o książki. Niesamowite. I czyta twoje teksty. Kiedy to odkryłam, byłam w szoku.

– Pewnie, sama nigdy nie przeczytałaś nic mojego.

– Nie kłóć się, Marco.

– Daj spokój.

– Co robisz dziś wieczorem? Zjemy coś razem?

– Armando wyjechał czy tym razem udało ci się rzucić go naprawdę?

Marina się śmieje.

– Wezwałam firmę przeprowadzkową i odesłałam wszystko do jego matki. Nie została nawet jedna koszulka.

– Brawo. Najwyższy czas. Mam tylko nadzieję, że się nie pomyliłaś i nie odesłałaś do jego matki również moich rzeczy.

Marina blednie.

– A co? Zostało coś twojego?

Besana uderza pięścią w windę.

– Do cholery, Marina. Wyszedłem z domu z jedną walizką. Zawsze mówiłaś, że nie ma pośpiechu.

Marina zakrywa usta ręką.

– Niech to szlag, zapomniałam. Przepraszam cię, przepraszam.

13 GRUDNIA

Ilaria dzwoni do Marca, trochę się o niego martwi. Napisał do niej, że życie Jacopo nie jest już w niebezpieczeństwie, ale nie dodał nic więcej.

– Jak się ma twój syn?

– Dobrze, byłem u niego dziś rano. Niewykluczone, że ten pobyt w szpitalu pomoże mu się zastanowić. Nad wartością życia na przykład. Może nie należy go tak marnować. A ty?

– Odpoczęłam, spałam do południa. Morderstwa są jednak męczące. Raz na jakiś czas trzeba się wyłączyć. Po południu pójdę do kosmetyczki i do fryzjera.

– Dobrze ci, ja muszę napisać nekrolog.

– Ale miło.

– Zawsze nienawidziłem pisania nekrologów – mówi Besana i patrzy smutno w ekran komputera, w jednej ręce trzymając papierosa, a w drugiej szklankę. – Moim zdaniem to przynosi pecha.

– Kto umarł? – pyta Piatti.

– Luciano Fenis.

– Nigdy o nim nie słyszałam. Kto to?

– Jesteś taka młoda, Piattola. To był słynny rabuś z lat siedemdziesiątych. Uczestniczył przynajmniej w pięciuset napadach. Stał się wrogiem publicznym numer jeden. Ale był prawdziwym dżentelmenem, nikogo nigdy nie zabił. Nazywali go „gitarzystą", bo chował karabin w futerale od gitary. Skazano go na trzydzieści lat, ale jakiś prezydent, nie wiem który, ale sprawdzę, ułaskawił go. Ostatnio zajmował się malarstwem.

– Niezła postać. Można by napisać genialny tekst.

– Ale sam zamysł nekrologu przyprawia mnie o zły humor. Wkrótce mnie też może to dotyczyć, ciekawe, komu każą to napisać. À propos, może ty byś się tym zajęła?

Ilaria się śmieje i odpukuje.

– Proszę cię. Przez ciebie muszę odczyniać uroki.

– Kiedyś naczelni żyli w strachu, że zaskoczy ich czyjaś śmierć o jedenastej wieczorem, kiedy nie da się już napisać nic przyzwoitego. Tak więc zbierali antycypowane nekrologi, dając pierwszeństwo tym, którzy przekroczyli osiemdziesiątkę. Płacono nawet zaraz po oddaniu tekstu, żeby zachęcić pracowników do tego zadania. Słyszałem, ale nie wiem, czy to prawda, że kiedyś pewien słynny poeta znalazł swój nekrolog w szufladzie jakiejś redakcji, przeredagował go i poprawił osobiście. Zdarzało się również, że autor nekrologu umierał przed bohaterem, mimo młodego wieku. I wtedy tekst, regularnie opłacany, nadawał się do kosza. Sama rozumiesz, że zmarły nie może podpisać nekrologu innego zmarłego.

– No już, skończ szybko ten artykuł. Potem będziesz mi potrzebny, musimy razem popracować nad naszymi zmarłymi. W okolicy czyha bardzo żywy zabójca.

13 GRUDNIA

Paczka jest bardzo elegancka, Ilaria pociąga delikatnie za satynową wstążkę i wkłada paznokcie pod taśmę klejącą, żeby nie zniszczyć papieru. Wygląda jak jej własna babcia, która odpakowywała prezenty wręcz z maniakalną precyzją, żeby zachować kokardy i papier na przyszły rok. Ona wyrzuci wszystko do kosza, ta jej powolność wynika raczej ze skrępowania: nie jest przyzwyczajona do otrzymywania prezentów. Teraz nie ma odwagi, żeby otworzyć pudełeczko.

– Dziękuję – mówi, zanim zobaczy, co jest w środku.

– To nie pierścionek – odpowiada Nicola, śmiejąc się w trochę spięty sposób.

Również Ilaria stara się roześmiać, ale to uściślenie wydaje się jej objawem złego gustu. Nie trzeba było się bronić. Już jej zepsuł niespodziankę.

– Jeśli nie będą ci się podobać, możesz je wymienić – dodaje z niejakim trudem.

Czyli to kolczyki. Ilaria bierze głęboki oddech, zanim otworzy. Doskonale wie, że Nicola daje jej prezent trzynastego grudnia, bo potem nie będzie mógł się z nią zobaczyć, w wirze spotkań z kolegami i rodziną. To Boże Narodzenie kochanków, zawsze odbywa się z wyprzedzeniem. Przez chwilę zastanawia się, czy również chciałaby być tak zajęta. Chyba nie.

– No już, otwórz – naciska Nicola.

Ilaria podnosi wzrok. Trochę ją denerwuje ten jego pośpiech. Lub jego niepokój. Boi się popełnić błąd w okresie, gdy może zrobić same błędy? Naprawdę myśli, że para kolczyków może zrekompensować jego nieobecność w sylwestra? Uśmiecha się do niego, czasem wydaje się jej naiwny. Choć jest od niej o wiele starszy. Otwiera pudełeczko i wyciąga przepiękne kolczyki. Są złote i mają kształt długiej spirali. Nicola nie zauważył, że ona nie ma dziurek w uszach.

Zrobiła je w dzieciństwie, ale potem zarosły. Pamięta jeszcze dzień, kiedy poszła z mamą do złotnika. To była ich tajemnica, bo ojciec twierdził, że jest za mała. „Bądź spokojna, nic nie zauważy – mówiła matka – mężczyźni nigdy nic nie widzą".

– Są cudowne – zachwyca się Ilaria.

Nicola wreszcie może się odprężyć. Nawet wpłynęło mu to na postawę. Plecy nagle stały się mniej sztywne, w poczuciu szczęścia rozstawił nogi.

– Cieszę się, że ci się podobają – powtarza ciągle, w tonie studenta, który właśnie zdał egzamin.

– Niesamowite – mówi Ilaria, poruszając nimi – niesamowite.

Naprawdę tak myśli. W gruncie rzeczy są jak relacja z nim: coś cudownego, czego nie można użyć. Będzie je trzymać na komódce, żeby patrzeć na nie przed zaśnięciem. I nigdy ich nie włoży.

13 GRUDNIA

– Wróciłaś do Mediolanu dla mnie?

– W Szwajcarii jest nudno.

Marco obejmuje Vittorię. Nie spodziewał się tego. Tym razem nie obchodzi go nawet, czy w domu ma porządek. Czuje się akceptowany takim, jakim jest.

– Zjemy kolację tutaj? U mnie nic nie ma, nie przewidywałam powrotu, nikt nie zrobił zakupów – mówi Vittoria.

Marco rozkłada ręce.

– W mojej lodówce jest parę butelek. Jeśli chcesz, zjedzmy poza domem.

Vittoria kręci głową.

– Nie mam ochoty wychodzić, zamówmy coś.

Siada na kanapie z Ikei i rozgląda się wokoło. Ten duży pokój znacznie odbiega wyglądem od pomieszczeń, w których zwykła przebywać, ale i tak oczy się jej błyszczą. Być może czuje się swobodniej. Przynajmniej nie musi mówić: „Jaki piękny fotel, cudowny ten dywan, kto namalował ten obraz?". Może uniknąć ceremonii i włożyć język w usta, komu chce. I rzeczywiście od razu tak robi.

Co prawda kanapa z Ikei jest mała, ale przytuleni do siebie wcale nie narzekają. Zapomnieli tylko zamówić kolację.

– Wietnamska? Hinduska? Japońska? Co wolisz?

– Pizzę – odpowiada Vittoria, głaszcząc plecy Marca. – Nikt nigdy nie zaprasza mnie na pizzę.

– Jak jesteś w stanie to przeżyć?

– Czasem też się zastanawiam.

– Jaką pizzę chcesz?

– Z cebulą? Można?

Besana jest oczarowany: kobieta, która ma wszystko, nawet za dużo, i życzy sobie tylko pizzy z cebulą. Może gdzieś w głębi duszy mimo wszystko mają ze sobą coś wspólnego. Tak jak wtedy, gdy sprzątasz na najwyższych półkach w kuchni i wśród rzeczy do wyrzucenia znajdujesz kawałek siebie.

Vittoria rozgląda się wokoło i jej wzrok przyciąga zdjęcie Besany i Mariny z małym Jacopo. Wskazuje je podbródkiem.

– Jesteś w niej ciągle zakochany?

Besana podnosi głowę jak żółw.

– W kim?

– W twojej byłej żonie.

Zaczyna się śmiać. To śmiech, na który musi sobie pozwolić, podobnie jak ona pozwala sobie na jedzenie pizzy z cebulą.

– Byłem, do niedawna – odpowiada Marco. – I byłem zbyt długo, choć to ona mnie zostawiła. Teraz już nie. Jest dla mnie po prostu ważna, pomimo wszystko. Dlaczego mnie o to pytasz? Jesteś zazdrosna?

– Mam wrażenie, że gnasz za każdym razem, gdy ona otwiera usta – wyznaje Vittoria.

– Ja zawsze gnam. Również w sprawie zmarłych, którzy z pewnością nie mogą otwierać ust.

Kiedy Ilaria przychodzi po południu do redakcji, redaktor naczelny wzywa ją gestem do swojego gabinetu.

– Piatti, potrzebuję tekstu o tej dziewczynie, która na wycieczce szkolnej chciała sobie zrobić selfie i spadła z siódmego piętra.

– Nie mogę, pracuję nad seryjnym zabójcą.

– Jakim znów seryjnym zabójcą! À *propos*, niektórzy z kolegów narzekali, bo opłacamy wam kosztowne wyjazdy, a równocześnie zamykamy biura korespondencji za granicą. Dyrektor powiedział, że już dość.

– Jak to „dość”?

– Tak, Piatti, to tylko twoje paranoje. To jest kronika kryminalna, a nie fikcja literacka. Niedźwiedź, tojad, uretan. I tak za bardzo spuściliśmy cię już ze sznurka.

– Ale seryjny zabójca to ważny temat! Ta sprawa przejdzie do historii.

– Niech tworzeniem historii zajmą się śledczy. My musimy się zastanowić, jak przetrwać. Dziś, i być może jutro i pojutrze. Potem nie wiadomo.

Ilaria wbija wzrok w ziemię.

– Zgoda. Ile znaków o tym śmiercionośnym selfie?

– Sześćdziesiąt linijek. I proszę, zerknij na reakcje w mediach społecznościowych.

W tym samym momencie zamaszystym krokiem wchodzi do środka Bulgarelli, wydekoltowana i wyperfumowana. Nawet nie zauważyła, że w pokoju jest Ilaria, przechodzi przed nią, jakby była niewidzialna.

– Pokłóciłam się z sekretarką, bo chce mi zabukować okropny hotel w Monte Carlo. Jak mam jej wytłumaczyć, że w s z y s c y będą w Hermitage? Chcecie mieć złośliwy artykuł o ślubie roku czy nie? Wśród tych wszystkich sław nie mogę wyjść na skąpiradło.

– Nie martw się, Lucrezio, ja się tym zajmę – odpowiada Roberto, starając się nie patrzeć na Piatti.

Bulgarelli nawet nie dziękuje, posyła jedynie całusa z oddali i wychodzi.

– Ślub influencerki z aktorem? – pyta Piatti.

– Dyrektor chce jedną stronę dziennie. – Roberto rozkłada ręce.

– Pewnie – odpowiada Ilaria i żegna go gestem dłoni.

Bierze torbę i płaszcz, nawet nie czeka na windę i zbiega po schodach. Musi nabrać świeżego powietrza, choćby nasycone było pyłami. Powietrzem w redakcji nie da się już oddychać. W gazecie panuje smród rozkładu. Ten sam smród, który czuła na miejscu zbrodni lub w przedsionku prosektorium.

Przed wejściem spotyka Marca. Rzuca się, żeby go uścisnąć.

– Co tu robisz?

– Czasem ja też muszę wpaść do redakcji. Już uciekasz?

Ilaria wzrusza ramionami i opowiada zajście.

– Ten zawód zdycha, Piatti, musisz to zrozumieć – mówi Besana. – Jesteśmy jak dorożkarze albo ci, co ostrzyli noże, lub ci, co gasili gazowe latarnie uliczne. Staliśmy się n i e p o t r z e b n i, a ludzie nas nienawidzą.

– Zauważyłam.

– Nazywają nas dziennikarzynami, gryzipiórkami, szakalami, kurwami. I czasem mają trochę racji. Uganiamy się za sławnymi ludźmi, zaniedbując ważne sprawy. Lub też udając, że słuchamy ludu, dajemy mikrofon tym, którzy krzyczą najgłośniej, tym wkurwionym, którzy nie chcą czarnych i dzieci imigrantów w szkole. Nie prowadzimy już śledztw ani nie przeprowadzamy niewygodnych wywiadów. Siedzimy przed komputerem, przepisując fake newsy z mediów społecznościowych, nawet nic nie sprawdzając. Trzeba to wreszcie przyznać.

– Niezły bilans – komentuje Ilaria.

– Ale my, kryminalni, jakoś sobie radzimy. Pomyśl o tych, którzy zajmują się polityką. Ministrowie przyzwyczaili się już do uprawiania jedynie słusznych monologów w talk show lub przeprowadzają wywiady sami ze sobą na Facebooku albo żądają pytań na piśmie i odpowiadają tylko mailem. Jaką wartość mogą mieć wywiady mailem? Nie wiesz nawet, czy ten, kto pisze na klawiaturze po drugiej stronie, to sam minister czy jego rzecznik, może ktoś, kto zrobił karierę w reality show. A kiedy odpowiada wymijająco na jakieś pytanie, nie możesz nawet replikować ani odpowiednio go przycisnąć. Jesteś tylko bierną końcówką, sekretarką piszącą pod dyktando. Jeśli to jest dziennikarstwo, to dobrze byłoby zmienić zawód.

– Ja dopiero zaczęłam pracę w tym zawodzie – mówi smutno Ilaria.

– Nie ma już miejsca dla ludzi przygotowanych jak my. I będzie go coraz mniej. Uważa się nas za upierdliwców.

– Przysięgam, że jeśli narodzę się ponownie, to będę jak Bulgarelli.

– Piattola, przykro mi to powiedzieć, ale nie masz *physique du rôle*.

– Spierdalaj, Marco.

Przynajmniej teraz Ilaria się śmieje.

– Zmieniłem zdanie. Nie idę do redakcji, nie mam ochoty. Chodźmy do mnie, to popracujemy na serio.

14 GRUDNIA

Nadeszła pora aperitifu, z którego Besana nie zamierza zrezygnować. Nalewa Ilarii kieliszek białego wina.

– No dobra. Odrobina uretanu może pomóc dziś wieczorem.

– Piatti, nie martw się. Chociaż w redakcji nie wierzą w tę wersję, ja jestem z tobą. Dowiedziałaś się czegoś od szwajcarskiej policji?

– Co ty, nawet gdyby były jakieś nowiny, z pewnością nie nam by je przekazali.

– Cholerna ochrona danych – komentuje Besana.

– Moim zdaniem oni też nic z tego nie rozumieją.

– Może powinniśmy na to spojrzeć z innego punktu widzenia.

– Tak, Dafne też mi to radziła, jak w retoromańskim przysłowiu: „Jeśli nie możesz podnieść kamienia, to go poturlaj".

– Zacznijmy od kategorii seryjnych trucicieli – proponuje Marco. – Zastosujmy zasadę eliminacji. *Random*? Raczej nie.

– Ja też go wykluczam – mówi Ilaria. – To zbrodnie z premedytacją, bardzo złożone, morderca nie działa przypadkowo. Nie wsypał strychniny do wina podczas przyjęcia. Wybrał swoje ofiary i zabił je w sposób szczególny, wyrafinowany.

– W dodatku ofiary się znały. Wszystkie pochodziły z jednego środowiska.

– Sami mężczyźni i sami bogacze.

– Jeżdżący na wakacje do Szwajcarii.

– Jeśli należy do kategorii „S", *specific*, to musimy znaleźć wspólny motyw. Istnieje coś, co ich łączy i o czym jeszcze nie wiemy?

– Być może – odpowiada Besana.

– Pozostaje truciciel zakamuflowany, który udaje, że jest *random*, a tak naprawdę jest *specific*.

– To też się nie zgadza. Z dwóch powodów – tłumaczy Marco. – Po pierwsze: seryjny morderca stara się ukryć zbrodnie, a nie je łączyć. Po drugie: niektóre trupy wypłynęły tylko przez przypadek. Nie wystawił ich na pokaz.

– Zgoda, ten tok rozumowania do niczego nie prowadzi. W takim razie zadajmy sobie prostsze pytanie: kto mógł chcieć ich śmierci? Żony?

– Nie wszystkie – odpowiada Besana. – Może Ginevra Landi, która była w trakcie sprawy rozwodowej. Wiadomo, że Moser nie przekazywał alimentów na syna, a spadek z pewnością okazał się wygodny. Ale już Veronica Ballarin jest w innej sytuacji: przedsiębiorstwo winiarskie należało do ojca, to ona była bogaczką. A Brunella szalała za mężem.

– Ale to była chora miłość.

– Wiem. I to on był sadystą.

– A Vittoria? – prowokuje go Ilaria.

– Kto wie, czy była szczęśliwa z tym człowiekiem, ale z pewnością nie miała powodów, by go zabić. Wystarczyłby jej rozwód. A poza tym nie bierzesz pod uwagę jednej rzeczy.

– Czego?

– Każda z nich ma żelazne alibi, sprawdzone przez policję. Brunella była w Nowym Jorku, Vittoria była w Szwajcarii, a mąż leciał do niej samolotem, Nicoletta D'Ambrosio była nad morzem, Veronica Ballarin w La Scali – wylicza Besana.

– A Ginevra?

– O niej wiemy niewiele, rzeczywiście.

– W każdym razie nie chodzi tu tylko o same żony – ciągnie Ilaria. – Ważny, wspólny motyw mieli głównie Elsa Cattaneo i Andreas Vital.

– Tak, ale nie wszystkie ofiary były przy morderstwie Ruth.

– Mogli rozszerzyć grono właśnie z tego powodu. Czemu mielibyśmy wykluczyć zakamuflowanego truciciela, który udaje, że jest *random*, żeby nie dać do zrozumienia, że jest *specific*?

– Nie wiem – odpowiada Besana. – Zapomnieliśmy jednak o Crivellim. Mógł mieć powody, żeby uwolnić się od Rigamontiego, który prawdopodobnie go szantażował.

– W porządku, a co z innymi?

Marco przygotowuje dla Ilarii risotto, jedno z wielu dań będących jego specjalnością. Już od wejścia czuć zapach cykorii i gorgonzoli. Rozradowany Beck's czuwa przy kuchence i macha ogonem na widok garnka.

– Wiesz, kiedy zaczął się schyłek wielkich tytułów prasowych? Kiedy ktoś zadecydował, że poważne informacje się zestarzały, że trzeba wszystko o d c i ą ż y ć, zmieszać kulturę wysoką i niską, laureatów Nobla z twórcami kryminałów. Innymi słowy, naśladować telewizję.

– Teraz trzeba naśladować media społecznościowe, to jest gorsze.

– Ale zmierzch zaczął się wcześniej, kiedy zarządzili, żebyśmy zbierali opinie na każdy temat, byleby tylko mieć publiczność. To był koszmar. Musieliśmy wisieć na telefonie i notować komentarze od powieściopisarzy, piłkarzy, aktorek, każdego. A ci ludzie prawie zawsze nie mieli pojęcia, o czym mówią. Dziesięć linijek na głowę i zdjęcie. A sztuka polegała na tym, żeby prawicowiec powiedział coś o lewicowej wymowie i vice versa. Rozrysowywano mapy ze stanowiskiem i twarzą. Jeśli jakaś rubryczka pozostawała pusta, należało przekonać osobę udzielającą wywiadu, żeby podjęła grę: „Oj, przepraszam, taką opinię już mam, potrzebuję, żeby ktoś powiedział coś przeciwnego". I często taka osoba, byleby tylko być cytowana i mieć swoje zdjęcie w numerze, przystawała na to: „W porządku, skoro jest taka potrzeba, powiem, co pan będzie chciał".

– Cóż, taką samą pułapką jest lajk. Ilu ludzi zamieszcza w mediach społecznościowych idiotyczne rzeczy, żeby tylko ich zauważono.

– Otóż to – komentuje gorzko Marco. – Już dwadzieścia lat temu większą karierę robili specjaliści od błaznowania. Pewien profesor twierdził, że wynalazł lek skuteczniejszy od chemioterapii, a opinia publiczna była podzielona. Ktoś napisał artykuł, w którym wykazał, że chemia jest lewicowa, a leczenie alternatywne jest prawicowe. I dali to na pierwszą stronę. Jak można sobie dowcipkować z takich spraw? W końcu okazało się, że to leczenie było do niczego, a tymczasem ludzie, którzy nie mieli pojęcia o nauce i medycynie, dostali nadzieję.

– Może się pomyliłam, powinnam bardziej zadbać o swój profil na Facebooku i Twitterze – mówi przygnębiona Ilaria – jak Bulgarelli.

– Trzeba mieć szczególny talent, żeby właściwie korzystać z mediów społecznościowych, w przeciwnym razie to jest żałosne. A ty go nie masz. Przepraszam, że ci to mówię – stwierdza Besana, podając jej risotto i nalewając wina. – No już, jedz.

– To prawda, ale nie da się już żyć bez mediów społecznościowych – odpowiada Ilaria. – Nie sądzisz, że tobie też mogłyby się przydać?

– Żartujesz? Ja patrzę i tyle. Nie chcę się ośmieszać. Zauważyłem, że emerytowani dziennikarze w mediach społecznościowych się radykalizują.

Ilaria wybucha śmiechem.

– Jak islamiści w więzieniu?

– Mniej więcej – odpowiada Besana. – Moi dawni koledzy, którzy nie napisali nawet linijki krytyki pod adresem ludzi władzy, a na emeryturze nagle stali się rewolucjonistami, publikują płomienne posty.

– Dlaczego tak jest? – Ilarię bardzo to bawi.

– Bo czują się sfrustrowani? Bo czytają na pierwszych stronach i widzą w telewizji młodszych kolegów? Bo nie dostali umowy o współpracę ze swojej starej redakcji? Moim zdaniem większość jest wściekła, bo nie zainkasowali wyróżnienia.

– Czyli?

– Dodatkowej wypłaty, którą otrzymali ci, co przepracowali przynajmniej piętnaście lat. Była to premia w wysokości kilkudziesięciu tysięcy euro. Ale w związku z kryzysem i wcześniejszym przenoszeniem na emeryturę, wyróżnienia zamrożono. Teraz przyznaje się je na raty i są o połowę niższe.

– Ja być może nie będę miała nawet emerytury.

– Posłuchaj tego „radykała" – mówi Besana, wyciągając telefon z kieszeni. – Posłuchaj, co wypisuje na swoim profilu: „Wybrałem zawód dziennikarza, żeby opisywać zło tego świata, wojny i niesprawiedliwość społeczną, przez dwadzieścia lat byłem specjalnym wysłannikiem w różnych krajach. Potem odkryłem, że włoski system informacyjny jest chory, i postanowiłem oddalić się od prasy". Niestety wszyscy wiemy, że nie było to „dobrowolne oddalenie".

Ilaria wybucha śmiechem.

– Przysięgam, że wolę uganiać się za nieistniejącym seryjnym zabójcą niż skończyć jak oni – ciągnie dalej Besana. – Spędzają czas na wytykaniu błędów tych, którzy wciąż pracują. Kojarzą mi się z *umarèl*. Nie mają nic do roboty i z rękami splecionymi z tyłu krytykują robotników na placu budowy: „Ta podpora nie jest równa. Musisz podkopać trochę z lewej".

15 GRUDNIA

Ilaria i Marco wchodzą do galerii, gdzie wiszą neonowe dzieła młodego artysty, kolejnego naśladowcy Mario Merza. Besana potyka się o rząd kamieni.

– Pieprzony land-art – mówi, łapiąc się Piatti, żeby nie upaść.

W tej samej chwili do środka zagląda młoda brunetka, z jaskrawoniebieskim kosmykiem, pasującym do oprawek jej okularów i butów.

– Dobry wieczór – wita się i schyla, żeby poprawić kamyki.

– Pani to Miriam?

Dziewczyna przytakuje podejrzliwie. Marco tłumaczy jej, że są dziennikarzami i że przyszli porozmawiać o Liviu Moserze.

– Chcielibyśmy namówić policję do wznowienia śledztwa – dodaje Ilaria.

– Brawo – odpowiada Miriam. – To ja zgłosiłam sprawę tamtego wieczoru. Mimo że Ginevra nie chciała, mówiła, żeby jeszcze zaczekać.

– Może nam pani opowiedzieć, co pamięta z tamtego dnia?

– Zdemontowaliśmy wystawę, a Livio poszedł na spacer. Nigdy nie wierzyłam, że źle się poczuł, cieszył się świetnym zdrowiem. Zapewniam was.

– Gdzie była jego żona?

– W Toskanii u znajomych.

– Martwiła się zaginięciem Livia?

– Wcale. A nawet je bagatelizowała. Mówiła, że już wcześniej czasem wracał późno i wyłączał telefon. Ja byłam bardzo zaniepokojona. Nie powiedział mi, gdzie się wybiera, ale wziął ze sobą mały plecaczek. Nie zamierzał spędzić nocy poza domem. Wieczorem mieliśmy pójść na koncert jazzowy. Około dziewiątej zaczęłam do niego dzwonić. Ciągle był nieosiągalny. O jedenastej zadzwoniłam do ratowników górskich. Ale nikt nie wiedział, gdzie go szukać. Nie wziął samochodu, może ktoś go podwiózł.

– Jakie ma pani relacje z Ginevrą Landi?

– Ja? Fatalne – odpowiada Miriam. – Kiedy galeria trafiła w jej ręce, ja odeszłam. Nie zna się na sztuce i nawet nie da sobie nic powiedzieć. Jest niekompetentna i zarozumiała.

– Jasne – przytakuje Ilaria.

Besana patrzy na nią wymownie, żeby dać do zrozumienia, że nadszedł czas, by ponaciskać.

– To prawda, że żyli w separacji?

– Tak, to prawda – potwierdza Miriam. – Ginevra wszystkim opowiadała, że Livio nie chce płacić alimentów na chorego syna, odmalowywała go jako potwora. Ale to było bardziej skomplikowane.

– To znaczy?

– Kryzys zaczął się, kiedy urodziło się dziecko. Miało rzadką chorobę genetyczną, więc lekarze poprosili rodziców o badania DNA. Tydzień po porodzie Livio dowiedział się, że to nie jego dziecko. I wtedy rozpętała się wojna. Ginevra była wściekła, bo nie mogła od niego niczego żądać. Można zacząć od tego, że nie byli małżeństwem, choć ona przedstawiała się wszystkim jako jego żona. I nie mogła nawet użyć dziecka jako narzędzia szantażu. Livio mówił, że to nie on powinien się nim zajmować, że powinien o tym pomyśleć biologiczny ojciec.

– Wiedział, kto nim był?

– Nie, ale podejrzewał artystę, któremu Ginevra niedawno poświęciła wystawę.

– Ausstopfer? Wypychacz?

– Fritz, pewnie. Moim zdaniem to hochsztapler.

– Bardzo się liczy?

– Powiedzmy, że staje się coraz ważniejszy. Ginevra z pewnością w ten sposób zarobiła więcej.

– W jaki sposób?

– Śmierć Livia była dla niej wygodna, nie ma wątpliwości. Jej syn stał się dziedzicem, zanim ona przegrała sprawę.

– Majątek jest duży?

– Cóż, galeria z całą kolekcją dzieł sztuki, domy w Szwajcarii i w Mediolanie. Zważywszy, że chłopak jest niepełnoletni, wszystko przejęła ona. Można powiedzieć, że nieźle się jej powodzi.

– Jakie stosunki łączyły panią z Liviem?

– Mnie? – pyta Miriam, wzruszając ramionami. – Pocieszałam go.

---

15 GRUDNIA

– Prosisz mnie, żebym zhakował maila? Przecież to przestępstwo – odpowiada zaniepokojony Rocco.

– Wiem – mówi Ilaria. – Jeśli nie masz ochoty, zrozumiem.

– W porządku. Dla ciebie zrobiłbym wszystko.

Ilaria się rozpromienia. Wiedziała, że jej kolega z uczelni, prawdziwy magik informatyczny, będzie umiał znaleźć rozwiązanie.

– Czy ona może to zauważyć?

– Nie, gwarantuję.

– Dzięki, Rocco.

Kilka godzin później Ilaria ma już pocztę Ginevry Landi. Spędza cały dzień na czytaniu, również wymiany maili z klientami galerii i internetowych zamówień win. Wraca aż do czasu śmierci Mosera i przegląda wszystkie wiadomości, które Ginevra wysyłała do swojego prawnika w sprawie alimentów dla syna. Potem się zatrzymuje. I od razu dzwoni do Besany.

– Marco? Byli kochankami od dawna – mówi, w pośpiechu połykając końcówki.

– Kto taki? O czym ty mówisz?

– O relacji Ginevry Landi i artysty.

– Myślisz, że to oni zmumifikowali żywcem jej męża?

– Nie wiem. Ale znalazłam bardzo dziwny mail. Posłuchaj. „Mam nadzieję, że umrze w okropnych katuszach", napisał Fritz. A w innym, poprzedzającym nieco śmierć Mosera, napisał: „Dziś wieczorem będę później, bo muszę pojechać po formaldehyd".

– To nie jest dowód, Piatti. On jest artystą, używa formaldehydu w swojej pracy. A poza tym myślisz, że zabójca napisałby taki mail? „Hej, przepraszam, muszę lecieć, zmumifikuję go i wracam". No co ty. Chyba Rocco pracował na darmo.

– Cóż, przynajmniej trochę ją poznałam. To sfrustrowana i rozwścieczona kobieta. W wielu mailach narzeka, że kolekcjonerzy po śmierci męża nie chcą jej płacić. Że ma pełno długów i nie wie, skąd ma wziąć pieniądze dla artystów, którzy z kolei są wściekli na nią.

– To również nie jest zbyt istotne dla naszej sprawy.

– Zaczekaj – mówi Ilaria. – Znalazłam coś jeszcze. Nie wiem, czy jest istotne.

– Zobaczmy – odpowiada sceptycznie Besana.

– Znalazłam dziwnego maila całego zapisanego cyframi, z interpunkcją. Również adres jest dziwny: 1234567@33mail.com. Rocco powiedział, że ten serwer nie pozwala zidentyfikować nadawcy.

– To pewnie wirus, Piatti.

15 GRUDNIA

Besana przychodzi do domu Vittori z butelką bordeaux w ręku. Miał nadzieję na romantyczną kolację, tymczasem salon jest pełen ludzi. Czy to możliwe, żeby nigdy nie mogli spędzić choć chwili sami? Potrzeba życia w towarzystwie Vittorii ma w sobie coś chorobliwego. Marco ściska po kolei dłonie dziesiątek osób. Gdyby wiedział, że tak to będzie wyglądać, wymyśliłby wymówkę. Dobry wieczór, dobry wieczór. Dwa pocałunki dla Brunelli, jedynej osoby, którą zna. A potem znów kolejne dłonie. Dobry wieczór i dobry wieczór.

Siada na fotelu z kieliszkiem w ręku i rozgląda się wokoło. Regał, stoły i komoda są pełne srebrnych ramek. We wszystkich są tylko zdjęcia córki. A mąż? Usunęła zdjęcia męża ze względu na niego? Czy zrobiła to wcześniej, żeby szybciej o nim zapomnieć?

– Wszystko dobrze, skarbie? – pyta Vittoria, schylając się, by dać mu całusa. Przed nikim nie kryje się z ich związkiem. Publicznie jest nawet bardziej czuła, jakby lubiła pokazywać, że jest zakochana.

– Jestem trochę zmęczony – odpowiada Marco.

Tak naprawdę odczuwa dyskomfort. Nie tylko dlatego, że znajdują się wśród całkowicie mu obojętnego tłumu ludzi. Ma dziwne przeczucie, ale nie potrafi go zinterpretować. Tak jakby nagle zobaczył Vittorię w innym świetle. A przecież ona nie robi nic innego niż dotychczas. Ucina sobie pogawędki, uśmiecha się lub dyskutuje o czymś, co miałoby być interesujące, otwiera drzwi kolejnym gościom, wręcza kieliszki.

Podczas kolacji Marco siedzi obok gadatliwej kobiety, która ciągle powtarza, że Dolomity są lepsze od Gryzonii. Ma ochotę strzelić sobie w łeb. Nie wie, jak uniknąć jej monologów. Marco je i stara się znosić wszystko. Naprzeciwko siedzi jakiś starszy pan, ale to żadna alternatywa: to prawnik uwielbiający operę, który jest wściekły na nowego dyrektora La Scali. Besana ziewa, gdy tylko tamten otwiera usta. Czy to niegrzeczne ziewać przy stole?

Czuje się obserwowany. Vittoria nie spuszcza go z oka, jakby martwiło ją jego milczenie. Może miała nadzieję, że opowie jakąś dziennikarską anegdotkę. Ale Besana nie ma na to ochoty.

Vittoria wydaje się zawiedziona. Prawdopodobnie chciała pokazać wszystkim swojego nowego, błyskotliwego faceta. A on nie odezwał się słowem. Niedźwiedź dziś nie tańczy. Cyrk zamknięty.

– Marco, opowiedz o tej sprawie z tancerką. Napisałeś piękny tekst o jej uniewinnieniu – mówi Vittoria.

– To nie jest zabawna historia – odpowiada Marco. – Zabiła męża dwunastoma ciosami noża, bo on bił ją do krwi.

– Dwanaście ciosów nożem i ją uniewinnili? – pyta prawnik.

Nagle słychać brzęk tłuczonego szkła. To kieliszek wypadł z ręki Brunelli.

– Przepraszam, przepraszam – mówi. – Co za katastrofa.

– Nic się nie stało – uspokaja ją Vittoria. – Nie martw się, skarbie.

Od razu zjawia się pomoc domowa z miotłą, ale Brunella nie może uspokoić.

– Ojej, co ja zrobiłam – powtarza ciągle.

Wstają od stołu, a Besana idzie do wyjścia, żeby wziąć płaszcz. Vittoria biegnie za nim.

– Idziesz już?

– Jestem zmęczony, mówiłem już.

– Nawet się nie pożegnasz? – Wygląda na urażoną.

W dodatku jest niewychowany.

– Pozdrów wszystkich ode mnie.

Marco posyła jej całusa i otwiera drzwi. Chłodne powietrze klatki schodowej przynosi mu ulgę. Zbiega po schodach na dwór. Jeszcze nie potrafi sobie wytłumaczyć tego dziwnego wrażenia.

Ilaria od razu się zgodziła, cieszy się na spotkanie ze starym przyjacielem. Rocco wybrał pizzerię w centrum, bo zna właściciela, który zawsze daje mu zniżkę. Lokal jest wypełniony po brzegi i bardzo głośny, są zmuszeni do siebie krzyczeć.

– Cieszę się, że znalazłeś sobie dziewczynę.

– Co takiego?

– Mówię, że się cieszę, bo znalazłeś sobie dziewczynę.

– Ach, tak. Ja też. Myślałem, że żadna mnie nie zechce, bo jestem taki brzydki.

– No co ty.

– Co?

Ilaria nie czuje się na siłach, żeby powtórzyć. Rocco jest za wysoki i zawsze się garbi, jego skórę pokrywa trądzik, zęby są wystające, a nos, osadzony na bruzdowatej twarzy bez podbródka, wydaje się ogromny.

– Poznam cię z nią, zajmuje się projektowaniem stron internetowych. Jest ładna, a poza tym ma takie cycki.

Pobudzony Rocco porusza rękami przed torsem.

– Dobrze jej – odpowiada Ilaria.

Podnosi głowę i widzi, że przy stoliku naprzeciwko usiadł Nicola. Ilaria zastyga z podniesioną ręką, trzymając kawałek pizzy, mozzarella spływa jej do nadgarstka. Nicola jest z rodziną.

– Ida chciałaby poszukać mieszkania – mówi Rocco. – Ale mnie się wydaje, że to za wcześnie. Jesteśmy ze sobą dopiero od trzech tygodni.

Ilaria przestała go słuchać. Ciągle patrzy na uśmiechniętą twarz tej kobiety, która właśnie ustawia telefon komórkowy, żeby dzieci mogły obejrzeć kreskówkę. Znudzony wyraz twarzy Nicoli mówi sam za siebie. Mężczyzna z rozpaczliwą powolnością przegląda menu, może po to, żeby uniknąć rozmowy.

– Przedstawiła mi już swoich rodziców, i w porządku. To wspaniali ludzie, byli bardzo mili. Ale, rozumiesz, mam wrażenie, że za bardzo się spieszy. Poza tym pożyczka. Powiedziałem, że może u mnie być, ile chce, jeśli zależy jej na wspólnym życiu. Zabiera mnie ciągle do sklepów z meblami. Mówię tylko, że wszystko trzeba robić po kolei. Słuchasz mnie, Ilario?

Teraz zobaczył ją również Nicola. W panice pod jakimś pretekstem przesadził dzieci, żeby usiąść do niej tyłem.

– Rocco? Możemy stąd wyjść?

– Ale nawet nie skończyłaś pizzy.

– Nie szkodzi. Za głośno tutaj, nie słyszę tego, co mówisz.

16 GRUDNIA

Ilaria wreszcie znalazła kogoś zainteresowanego zakupem domu. To dwoje młodych ludzi. Ona jest w ciąży i przychodzi do biura nieruchomości z wielkim ośmiomiesięcznym brzuchem. Chcą, żeby ich dziecko wychowywało się właśnie tutaj. Nawet jest jej ich żal.

Lecz Ilaria Piatti „zobowiązująca się do sprzedaży, dalej nazywana sprzedawcą" nie może pozwolić sobie na odczuwanie tego rodzaju uczuć. Również dlatego, że „przyszli nabywcy", którzy się do niej uśmiechają, wiedzą o całym zajściu. Po prostu wytargowali jeszcze niższą cenę. A „zobowiązująca się do sprzedaży" ustąpiła, żeby na zawsze uwolnić się od tego „domu mieszkalnego, składającego się z ośmiu pomieszczeń i pomieszczeń przynależnych".

– Napiją się państwo kawy?

Agent nieruchomości stracił już wszelką nadzieję, dziś zaproponowałby nawet kawior.

Ilaria już i tak jest mocno zdenerwowana, lepiej nie. Również przyszła matka odmawia. To mogłoby zaszkodzić dziecku. Nie boi się widma zabójstwa, już sobie planuje swój pobyt w „dwupoziomowym domku jednorodzinnym", na który nigdy nie mogłaby sobie pozwolić, gdyby nie ślady krwi, swego czasu wykrytej za pomocą luminolu. Zaraz miejsce zbrodni stanie się jej własnością, ona nie może doczekać się remontu, ale espresso wydaje się jej groźne, śmiercionośne.

– Przejdźmy dalej, teraz odczytam na głos treść umowy.

– Dobrze – odpowiada Ilaria.

Rozpoczyna się deklamacja. „Sprzedawca zobowiązuje się do sprzedaży". Pewnie, że się zobowiązuje. Dałaby w prezencie nawet. A raczej już sprezentowała. „Sprzedawca oświadcza, że powyższa nieruchomość jest niezamieszkała". Ilaria przez chwilę odczuwa napad paniki. Policja twierdzi, że wszystko przeszukali, ale kto da jej gwarancję, że dobrze wykonali robotę? A jeśli ciało jej matki nadal tam jest? Może je odnajdą, kopiąc dół pod basen.

– Jakiś problem? – pyta przyszły tatuś, bo zauważył minę Ilarii i się zaniepokoił. – Czy istnieje jakaś umowa najmu, o której nam nie wiadomo?

– Absolutnie nie – odpowiada Ilaria. – Dom nigdy nie był wynajmowany.

„Do wynajęcia dom z trupem", myśli w duchu. I śmieje się pod nosem z rozpaczy. Czy nie widział, że wszystko wygląda tak samo, jak dwadzieścia lat temu? Uległo zamrożeniu tuż po zabójstwie. Wezwała firmę sprzątającą, ale może są jeszcze jakieś ślady krwi, kto wie.

– Przejdźmy dalej – powtarza agent.

– Dobrze – Ilaria nie może się doczekać, aż podpiszą dokument.

„Przekazanie domu mieszkalnego zostanie potwierdzone protokołem sporządzonym przez strony". Proszę bardzo, oby szybko.

„Sprzedawca oświadcza, że powyższa nieruchomość jest wolna od jakichkolwiek obciążeń, roszczeń i hipotek oraz innych wad prawnych". Ale nie jest wolna od morderstwa. Ilaria trzyma już długopis w ręku. „Umowę sporządzono w dwóch jednobrzmiących egzemplarzach, po jednym dla każdej ze stron". Odtąd jest całe wasze, to moje pieprzone życie. Miłego pobytu. „Niżej podpisani oświadczają, że zaznajomili się z treścią umowy". Nic ją nie obchodzi, czy oni naprawdę się zaznajomili, czy nie. Wystarczy, że podpiszą.

16 GRUDNIA

– Przepraszam, że tak bardzo nalegałam, żeby się z tobą zobaczyć.

Nicola przeczy ruchem głowy.

– Dla mnie wczorajszy wieczór też był straszny, co ty myślisz – odpowiada.

Siedzą zamknięci w samochodzie. To ten sam samochód, który doznał uszczerbku podczas egzaminu na prawo jazdy. Doprowadzono go już do porządku. Wszystko można doprowadzić do porządku.

– Nie wytrzymam tego. Chcę żyć przyzwoicie, jakkolwiek.

Tym razem Nicola przytakuje. Chyba jest w stanie jedynie ruszać głową.

– Zostawiasz mnie po raz kolejny?

– Nie, to nie jest kolejny raz. Jest taki sam, jak wszystkie poprzednie. Ale ostatni raz można rozpoznać właśnie dzięki temu, że nie ma w sobie nic szczególnego, i nikt nie potrafi odróżnić go od innych. Nigdy nie zostawiłam żadnego mężczyzny i nigdy nie przeżyłam ostatniego razu, ale to wiem. Nie pytaj mnie skąd, ale wiem.

Nicola uśmiecha się, nie docenia jej intuicji.

– Pewnie – odpowiada. – W takim razie do zobaczenia za miesiąc, kiedy przejdzie ci wkurw.

– Nie sądzę.

– Nie sądzisz? Chcesz się założyć?

– Nie, bo zakład trzeba jakoś opłacić, a ja nie mogę cię znów zobaczyć.

Coś w tonie jej głosu, nazbyt spokojnym, zaczyna niepokoić Nicolę. Łapie Ilarię za rękę.

– Zaczekaj. Jeśli gdzieś popełniłem błąd, porozmawiajmy o tym. Potrzebuję czasu, wiesz przecież. Mam małe dzieci.

Ilaria patrzy na niego, ale jakby z daleka.

– Prawdziwy błąd popełniłam ja – mówi, po czym otwiera drzwi samochodu.

Wysiada i macha mu ręką na pożegnanie. Naraz czuje się lżejsza. Inaczej idzie chodnikiem, jakby podarowano jej inną parę nóg. Ma ochotę kupić sobie nowe pończochy w kolorze bakłażana. Nowe pończochy na nowe nogi. I może także trochę dziwaczne buty, z za wysokimi obcasami i w kolorach, które do niczego nie pasują – buty, które wkłada się tylko raz. Ostatni raz.

16 GRUDNIA

– Co ci się stało, Piattola? Masz straszną minę – mówi Marco, kiedy Ilaria wiesza kurtkę puchową na wieszaku.

– Nic takiego, trochę boli mnie brzuch. Chyba złapałam jakiegoś wirusa – odpowiada, nie patrząc mu w oczy.

– Ja też jestem ledwo żywy. Przez cały dzień grzebię w internecie, poszukując materiałów o truciznach i seryjnych trucicielach. Prawie same śmieci, ezoteryczne strony o alchemii, to samo co zawsze utyskiwanie na Borgiów, teorie spiskowe, blogi fanatyków thrillerów. Zmarnowałem czas i nie znalazłem choćby jednej pożytecznej informacji. Lepiej by było, gdybym siedział w szpitalu z synem.

– Te sprawy powinieneś zostawić mnie.

– Może masz rację. Jestem starym dziennikarzem. Bywa, że tęsknię za starymi czasami, kiedy w redakcji istniało archiwum i gdy potrzebowałeś coś znaleźć, mogłeś poprosić archiwistę o pomoc.

– Nawet nie wiem, kim jest archiwista.

– Siłą rzeczy, kiedy się zjawiłaś, już dawno wszystko zlikwidowali, a pracowników wysłali na emeryturę. Ale przez długi czas ośrodek informacji, jak go nazywano, był podstawowym trybikiem pracy w redakcji. Nie można się było bez niego obyć. Kilkunastu osobom płacono za wycinanie fragmentów z gazet i czasopism, włoskich i zagranicznych, klasyfikowanie tekstów i zdjęć ze względu na temat i datę. Otwierali i zamykali wielkie metalowe szuflady z katalogami, które zawierały całą ludzką wiedzę, całą historię Włoch i świata, jeśli nie od początków gazety, to przynajmniej od początków dwudziestego wieku. Wiele roczników zmikrofilmowano. Gdy trzeba było napisać artykuł o Andreottim czy o Maradonie, o trzęsieniu ziemi czy o którejś wojnie światowej, wzywało się archiwistę, a on kserował parę artykułów i przynosił je do redakcji. Innym razem trzeba było samemu zanurzyć się w ten stos dokumentów albo poprzeglądać mikrofilmy czy strony gazet, żeby znaleźć coś, co mogło się przydać.

– W gruncie rzeczy to było prostsze, bo w internecie nikt nie dzieli tekstów tematycznie ani nie zamieszcza wydarzeń w porządku chronologicznym. Mieliście szczęście.

– Ale znajdowało się o wiele mniej, niż oferuje sieć. A poza tym, wchodząc do archiwum, nie zawsze spotykało się z uśmiechem.

– Dlaczego?

– Bo archiwiści byli silnie upolitycznieni. I jeśli pisało się coś nie po ich myśli, jeśli uważali cię za reakcjonistę, to cię bojkotowali. Ich poglądy widać było nawet po sposobie klasyfikacji materiałów. Któregoś dnia mój kolega miał napisać tekst o gułagach, poszedł do archiwum, zaczął szperać w katalogu i odkrył, że hasła „Gułag" zwyczajnie nie było. „Jak to możliwe?" – zapytał. A przecież „lager" jest i wypełnia dwie czy trzy szuflady... „My panu znajdziemy odpowiednią teczkę" – odpowiedzieli. „Proszę bardzo: musi pan szukać pod «Związek Radziecki: Poprawcze Obozy Pracy»". „Ach, oczywiście, jakże mogłem od razu na to nie wpaść" – uśmiechnął się mój kolega. Lecz osłupiał. Również dlatego, że teczka była bardzo wąska, zawierała kilka pożółkłych wycinków. To prawda, że Gułag jest akronimem rosyjskiej nazwy „Główny Zarząd Poprawczych Obozów Pracy". Ale wiadomo też, jak z niego korzystał Stalin. Tyle że zdaniem towarzyszy z archiwum o tym wszystkim lepiej było nie mówić ani nie pisać, żeby nie obrzucać błotem ojczyzny socjalizmu.

– Nie mogę w to uwierzyć – komentuje Ilaria. – Jak mogli cenzurować historię?

– Tymczasem to sama prawda. Jeden z najbardziej wojujących archiwistów, facet z potężnym wąsem i srogim wyrazem twarzy, był nazywany Beria, jak jeden z szefów tajnej milicji Stalina.

PALERMO, 1788

Obalono trybunał Świętego Oficjum, ale nadal stosowano tortury, jak w czasach sądów bożych. Choć Giovanna Bonanno przyznała się do wszystkiego, 20 grudnia 1788 roku zastosowano wobec niej torturę wahadła, żeby potwierdzić zeznania. Do nóg przymocowano jej deskę i podciągnięto ją do góry na sznurze, na wysokość kilku centymetrów od ziemi. Nazywało się to „dotyka-nie-dotyka", a kobietę podciągnięto cztery razy. Nieważne, że miała siedemdziesiąt pięć lat, z tortury wahadła zwalniano jedynie chorych na chorobę francuską, czyli syfilis, mających gorączkę lub przepuklinę, głuchoniemych, ciężarne i położnice oraz więźniów ze złamaniami kończyn. Im jednak wiodło się niewiele lepiej, gdyż w ramach alternatywy byli skazywani na „udrękę ognia", która polegała na przypalaniu stóp słoniną rozgrzaną rozżarzonym węglem.

30 kwietnia 1789 roku ogłoszono ostateczny wyrok: „Zawiśnie na najwyższej szubienicy, żeby jej dusza rozłączyła się z ciałem, a sprawiedliwość zostanie wymierzona na placu Vigliena w tym mieście". Giovanna Bonanno była winna sześciu morderstw i obmyślenia zastosowania trucizny w celu „odrażającego zysku".

O wiele łagodniejsza kara spotkała jej pomocnice: Rosę Billottę, Marię Pitarrę i Margheritę Serio, „rozpowszechniające tajemniczy płyn", czyli pośredniczki i wspólniczki w interesach.

Marię Pitarrę zakuto w dyby przed miejscem kaźni Giovanny, żeby mogła być świadkiem wykonania wyroku, i skazano ją na dożywotnie więzienie. Rosę Billottę skazano na dziesięć lat, a Margheritę Serio na pięć. Mężobójczynie otrzymały od trzech do dwudziestu lat kary, a mężczyzn skazano na roboty przymusowe na okrętach (wiosłowanie) lub zesłano na wyspę Favignana. Uniewinniono don Saveria La Monica, zielarza, który powinien był sprzedawać płyn na wszy – mieszankę arszeniku i octu winnego – jedynie na receptę lekarską.

Innymi słowy, karę śmierci wymierzono tylko Starej od octu.

Popołudnie jest wilgotne i chłodne. Piatti i Besana siedzą w domu. Od okien w budynku z lat siedemdziesiątych, nie za dobrze izolowanych, strasznie ciągnie. Beck's leży przed starym piecykiem halogenowym, trzymając coś w pysku.

– Co on je?

– Twoje okulary – odpowiada Ilaria.

– Do jasnej cholery! – krzyczy Besana i wyrywa je psu. Oprawka z jednej strony jest cała pogryziona.

– Może próbuje nam pomóc – mówi Ilaria. – Każe nam się l e - pie j p r z y j r z e ć. Czemu się nie przyjrzeliśmy twoim zdaniem?

– Piatti, proszę cię. Ta zabawa będzie mnie kosztować dwieście euro, oprawa była nowa.

– Nie, mówię serio – nalega. – Przyjrzeć się. Czemu należy się przyjrzeć?

Wpisuje w Google nazwisko pierwszej ofiary. I wybiera zakładkę „grafika".

Na jakiejś stronie opublikowano zdjęcia uśmiechniętego Achillego D'Ambrosio w smokingu na premierze w La Scali, obok jakiegoś bankiera i kobiety o silikonowych ustach, ale również – na zewnątrz teatru – robotników z jego firmy manifestujących przeciwko zwolnieniom. Potem widać D'Ambrosia z orderem Zakonu Maltańskiego („Po przybyciu i nałożeniu kościelnych szat odbyła się procesja, a następnie wielebny Brachetti celebrował mszę. Podczas mszy świętej ogłoszono, że papież przyznał odpust zupełny dla wszystkich uczestników"), następnie znów D'Ambrosio z żoną Nicolettą na ślubie córki zaprzyjaźnionego przemysłowca, D'Ambrosio w białym garniturze w stylu Gatsby'ego na imprezie zorganizowanej na plaży w Capalbio.

– Popatrz, Marco! Tutaj jest w towarzystwie naszego dyrektora na rozdaniu nagród literackich.

– Cóż, to żadna nowość, że się znali.

Niżej wyświetlają się zdjęcia innych osób o tym imieniu lub nazwisku, które nie mają z nim nic wspólnego – to piosenkarze z lat pięćdziesiątych, prezenterzy telesprzedaży, sędziowie, blogerzy.

– Piattola, przejdźmy dalej, na chuj nam to wszystko.

Przyszła kolej Giacoma Pallaviciniego, męża Brunelli. Widać go w dwurzędowej marynarce na zgromadzeniu Konfederacji Przemysłu, z gołym torsem na jachcie kolegi z Saint Tropez, u boku znanego tenora na sponsorowanym przez siebie koncercie, wśród graczy drużyny rugby, której był prezesem. Piatti i Besana przeglądają zdjęcia, setki ujęć i twarzy, które nic nie mówią. Jeszcze gorzej jest z Carlem Rigamontim, bo brakuje zdjęć, za to jest bardzo dużo osób o tym samym nazwisku: nawet producent wędlin i piłkarz drużyny Torino, który zginął w katastrofie lotniczej na wzgórzu Superga (ale na imię miał Mario). Podobnie jest z Liviem Moserem, którego nazwisko jest kojarzone ze światem kolarstwa. Tymczasem galeria Diega Padovaniego obfituje w zdjęcia winnic, etykiet i piwnic, nie widać tu znanych twarzy.

17 GRUDNIA

Nastała prawie pora kolacji, ale Ilaria jeszcze się nie poddała. A może tak spróbować wpisać do wyszukiwarki słowo „niedźwiedź" i nazwę przełęczy? Robi próbę. Zdjęcie JJ2, nazywanego „Lumpaz", zaobserwowanego w 2005 roku w dolinie Müstair – to pierwszy niedźwiedź w Szwajcarii po stu latach nieobecności. Pluszowe misie i mapy ze szlakami zaznaczonymi na czerwono, widokówki i ciasteczka w kształcie niedźwiedziej łapy. Ilaria natrafia na zdjęcie pary Francuzów, którzy spisali dziennik podróży. Uderza ją data – ten sam dzień, kiedy zmarł D'Ambrosio. Otwiera stronę z blogiem i czyta. Turyści piszą, że pamiętają wszystko, co wydarzyło się tamtego dnia, bo była to rocznica ich ślubu. Na stronie zamieścili selfie z tego poranka, zrobione na placu postojowym w okolicach przełęczy Forno, gdzie zaparkowali. „Gdybyśmy obrali inni szlak – piszą – pewnie byśmy nie żyli. Kilka dni później odkryliśmy, że w tych lasach niedźwiedź rozszarpał żywcem pewnego Włocha".

– Marco, chodź tutaj – mówi Ilaria.

– Co się stało?

– Czytaj.

– Cholera, mogliby być świadkami.

– Popatrz, w tle są trzy samochody. Jeden może należeć do nieznanego sprawcy. Musimy powiększyć zdjęcie.

– Ten zapewne należy do D'Ambrosia. – Besana pokazuje suv bentleya. – Toyota do Francuzów, pojawia się na całym blogu. Czyli to mógłby być ten. – Wskazuje palcem citroëna.

– To byłby niesamowity fart.

– Spróbuj jeszcze trochę powiększyć.

– Zdjęcie jest rozmazane, nie można odczytać rejestracji.

– Więc skupmy się na innych szczegółach.

– O Boże – szepcze Ilaria. – Powiedz mi, że to nieprawda.

– Co się dzieje?

– Boże, Marco, o Boże. – Ilaria chwyta go za rękę.

– Co takiego strasznego zobaczyłaś?

– Wycieraczkę.

– No i?

– Poznaję ją – odpowiada Ilaria.

– Nie rozumiem – mówi Besana.

– Popatrz, jest w nieodpowiednim miejscu.

– Pewnie jest popsuta.

– Otóż to.

Besana chwyta Ilarię za ramiona i potrząsa nią.

– Co chcesz powiedzieć, Piatti?

– Dafne – odpowiada.

Marco siada przed komputerem, musi odzyskać kontrolę nad sytuacją.

– Chcesz powiedzieć, że to jej samochód?

– Tak.

– Jesteś pewna?

– Tak.

– Musimy to natychmiast zgłosić szwajcarskiej policji.

– Chwilkę. – Ilaria go powstrzymuje. – Najpierw musimy być pewni.

– Nie, Piatti, nie będziemy czekać. Wiem, że ci na niej zależało, ale tak właśnie musimy zrobić. Nie próbuj jej chronić.

17 GRUDNIA

Besana wyciąga z zamrażalnika piersi kurczaka, ale Ilaria nie odczuwa głodu, nadal jest zszokowana. Położyła się na dywanie i tuli Beck'sa.

– Jeśli ten samochód należy do Dafne, to musiał przejechać przez granicę przed i po zabójstwie Marty Guerry.

– Kto powiedział, że zabójstwo Marty Guerry ma z tym coś wspólnego?

– Muszę zadzwonić do Ricciego. – Ilaria wstaje. – Trzeba sprawdzić zapis z kamer na granicy.

– Piatti, szwajcarska policja jeszcze nic nam nie potwierdziła.

– Oni nic nam nie powiedzą, pogódź się z tym wreszcie.

Ilaria chwyta telefon i dzwoni do komisarza.

– Tak, szary citroën z zepsutą wycieraczką – mówi Ilaria.

– Chodzi o tylną wycieraczkę – poprawia ją Besana.

– To znaczy tylną wycieraczką. Między szesnastym a siedemnastym lipca, tak. Niestety nie znam numeru rejestracyjnego. Chyba z Gryzonii. Dasz nam znać wieczorem? Dzięki, Max, dzięki.

Ilaria odkłada telefon i bierze głęboki oddech. Następnie osuwa się na krzesło i patrzy ze smutkiem na pierś kurczaka.

– Zjedz za mnie, nie mam ochoty.

– Piatti, nie zawsze seryjni zabójcy są tacy, jak sobie ich wyobrażamy.

– Nie mogę uwierzyć, ze Stara od octu jest w moim wieku.

– Ktoś taki jak Dafne jest bez wieku. Żyje w swojej czasoprzestrzeni – zauważa Besana. – Ja zastanawiam się raczej, jak tego dokonała. Musi mieć doświadczenie chemiczne. Niełatwo jest się obchodzić z niektórymi substancjami.

– Mnie mówiła tylko o ćwiczeniach oddechowych i zwierzętach w lesie.

– Także motyw nie jest dla mnie jasny. Dlaczego wybrała właśnie te ofiary? Co sobą przedstawiały?

– To byli sami skurwiele – odpowiada Ilaria. – Jak ci, którzy ją otaczali. Włączając w to t w o j e z n a j o m e.

– I wydaje ci się, że to wystarczający powód, żeby zabić? Spróbujmy wrócić do profilu truciciela. Wydała ci się podstępna i nieuchwytna?

– Cóż, z pewnością nie jest to osoba zdolna dźgnąć kogoś nożem w brzuch i patrzeć mu w oczy – przyznaje Ilaria.

– Trzeba się dowiedzieć, czy należy do kategorii *random* czy *specific*. Czy wybierała ofiary przypadkowo? Miała jakąś urazę do mężczyzn? Jakie konkretnie były jej powody, żeby nienawidzić tych ludzi?

– Nie wiem – odpowiada Ilaria. – Teraz myślę, że bardzo mało mówiła o sobie. W każdym razie Marta Guerra to wyjątek.

– Prawdopodobnie nie miała wyboru, bo Guerra coś odkryła.

– Pamiętam, że płakała, mówiąc o Marcie.

– Widzisz? To dowód. Piatti, musimy pogrzebać w przeszłości Dafne.

– Tak, my też musimy pojechać za granicę.

18 GRUDNIA

Nad ranem jest jeszcze ciemno, dzwon wybija czwartą. W mgle widać niebieskie koguty i jaskrawopomarańczowe pasy na wozach policji kantonalnej. Otaczają budynek, w którym mieszka Dafne. Mają nakaz przeszukania domu i citroëna, podpisany przez prokuratora z Churu.

– Pani to Dafne Bernabò? Musimy panią przesłuchać.

– Dajcie mi chwilę, żebym mogła się ubrać – odpowiada Dafne.

Zamyka się w łazience. Pospiesznie wkłada goretexowe spodnie i polar, jak żołnierz zaciska sznurówki butów wojskowych, jest niewzruszona. Zrywa kartkę z kalendarza, bierze kredkę do oczu i szybko pisze kilka słów.

Wszyscy sąsiedzi wyglądają na korytarz. Zza drzwi wychyla się także Raquel w piżamie i z pluszowym misiem pod pachą. Biegnie w stronę mieszkania swojej przyjaciółki, przemykając między nogami policjantów.

– Co się dzieje? Chcą cię wsadzić do więzienia?

Dafne patrzy na nią i głaszcze jej włosy.

– Nie, nic się nie martw, n i g d y nie pójdę do więzienia.

W tej samej chwili podchodzi do nich policjant i bierze dziewczynkę za rękę. Raquel protestuje, usztywnia nogi, szura stopami po posadzce, stawia opór. Ale waży niewiele ponad dwadzieścia kilogramów, więc policjant bez trudu ją stamtąd odciąga.

– Niech mnie pan puści! Ja też nie pójdę do więzienia! Nie pójdę!

Tymczasem kilku agentów policji otwiera po kolei szuflady i szafki. Śledczy w białych kombinezonach czekają przed wejściem, żeby Dafne oddała kluczyki samochodu. Ona zbiega ze schodów.

– Proszę – mówi. – Róbcie, co trzeba.

Od razu otwierają bagażnik, wkładają do worków śpiwór i rakiety śnieżne, parę starych butów i kijki trekkingowe. Roztworem luminolu poszukują śladów krwi, zbierają odciski palców i włosy.

Wtedy pojawia się podpułkownik Müller, szef policji kryminalnej.

– Gdzie jest Dafne Bernabò?

– Tutaj – odpowiadają – właśnie dała nam kluczyki.

Odwracają się, ale mgła jest bardzo gęsta, nic nie widać. Latarnia uliczna oświetla tylko kilka śladów butów wojskowych w śniegu.

– *Scheisse* – przeklina Müller. – Sierżancie? Na co czekacie? Biegnijcie za nią!

Przez radio wzywa innych ludzi, którzy przeszukują mieszkanie.

– Chodźcie wszyscy na dół, kurwa. Podejrzana uciekła.

---

18 GRUDNIA

Dafne biegnie przez las, tonąc w śniegu po kolana. Czuje to samo, co wtedy, gdy w dzieciństwie uciekała z domu. To mieszanka euforii i wściekłości, niepohamowana żądza wolności. Chociaż zbocze jest strome, ona porusza się swobodnie jak niedźwiedź nocą. Jest w swoim naturalnym środowisku. Zna te góry od podszewki. Oddaje się im w całości.

Żałuje jedynie, że nie zabiła swojego ojczyma, zanim zmarł śmiercią naturalną. Czuje się lekka, jakby zjeżdżała na nartach. Powietrze w pędzie muska jej twarz, unosi jej włosy. Nie, teraz niczego nie żałuje. Jej cierpienie się skończyło. Naprawdę się skończyło.

Słyszy głos Raquel. Mówi do niej: „Biegnij, biegnij!". Potem głos Raquel staje się głosem jej matki: „Biegnij, biegnij!". Slalom między pniami drzew wychodzi jej doskonale. Zna każde drzewo na tym zboczu. Biegnie ku całkowitej wolności.

W gruncie rzeczy dobrze się jej żyło pośród tych gór, w tym jedynym odpowiednim dla niej miejscu. Sam na sam ze świtem i zachodem słońca. Sam na sam z zapachem modrzewi i światłem lodowców.

Nikt nie może jej zatrzymać. Ich pościg jej nie dotyczy. Ona jest już dalej, nawet nie musi się odwracać. Nie słyszy nawet odgłosu pościgu, w jej głowie panuje cisza jak na górskim szczycie. Słychać jedynie świst wiatru.

Zostanie gdzieś tam na górze na zawsze. Blisko orłów. I będzie cudownie. Spoglądać na wszystko z góry, z daleka. Będzie skałą. Śniegiem i skałą. Nikt więcej nie będzie po niej deptał, jedynie kopyta kozic i koziorożców. Będzie niedostępna.

Nie czuje się zmęczona, nie musi odpoczywać. Jej oddech jest regularny, a nogi ruszają się jakby same. Przestał padać śnieg, mgła się rozmyła. Dafne podnosi wzrok, żeby spojrzeć na gwiazdy na czarnym niebie. Nie boi się mroku, to jej wspólnik od zawsze. „Nadchodzę – mówi doń szeptem. – Nadchodzę".

Rozkoszuje się ostatnimi metrami jak sportowiec na mecie. Już wygrała. Jej upojenie jest bezmierne. Nie musi już współzawodniczyć z nikim i z niczym. Dała radę.

Zatrzymuje się przed linią kolejową. Patrzy na zegarek. Zostala minuta. Pociąg do Samaden zawsze jest punktualny. Dafne się odwraca i widzi światła policyjnych latarek, które poruszają się wśród drzew jak świetliki. Trzydzieści sekund. Reflektory oświetlają jej twarz. Dwadzieścia. Dziesięć. Patrzy na tory. I skacze.

18 GRUDNIA

Piatti i Besana wyruszyli o świcie. Nadal są w drodze, kiedy dzwoni telefon od komisarza Ricciego. Ilaria włącza zestaw głośnomówiący.

– Mam złe wiadomości – mówi.

– Co się stało?

– O czwartej rano policja kantonalna otoczyła dom Dafne Bernabò. Od razu rozpoczęli przeszukiwania, a ona zeszła na dół, żeby oddać kluczyki do samochodu. Była mgła i nie zauważyli, kiedy Dafne uciekła.

Ilaria mimo woli oddycha z ulgą.

– Potem zaczął się pościg, ale ona pobiegła lasem – ciągnie komisarz. – Kiedy ją znaleziono, było już za późno. Rzuciła się pod koła pociągu pospiesznego do Samaden.

– O Boże – krzyczy Ilaria. – Nie!

– Była winna – tłumaczy Ricci. – W bagażniku citroëna za pomocą luminolu znaleziono ślady krwi, które zostaną porównane z krwią Marty Guerry. Ale przede wszystkim w łazience znaleziono wiadomość, którą napisała, gdy agenci przeszukiwali mieszkanie. To pełne wyznanie win.

– Masz ten tekst? – pyta Besana.

– Tak, wysłali mi zdjęcie.

– Możesz nam to przeczytać?

– Tak, oczywiście. „Zabiłam ich wszystkich – napisała. – Achillego D'Ambrosio, Giacoma Pallaviciniego, Carla Rigamontiego, Livia Mosera, Diega Padovaniego. I Martę Guerrę, choć tego nie chciałam. Jestem winna i zasługuję na śmierć".

Ilaria nie jest w stanie mówić, cały czas płacze.

– To chyba nie pozostawia wątpliwości – komentuje Besana.

– Nie, żadnych. Sprawa zamknięta – potwierdza Ricci.

Po rozmowie telefonicznej zjeżdżają na stację benzynową, zaraz za granicą. Besana martwi się o Ilarię, która nie może się uspokoić.

– No już, chodźmy – mówi Marco. – Dobrze ci zrobi, jeśli się przejdziesz. Masz ochotę na kawę?

Ilaria siada przy stoliku i zasłania twarz dłońmi.

– Taki sam los jak u niedźwiedzia.

– Dafne zabiła sześć osób. Rudolf bronił się tylko przed człowiekiem, który go wystraszył.

– Wiem, wiem. Ale ja...

– Ilario, nie można kochać seryjnego zabójcy – mówi Marco i głaszcze jej włosy. – Nie można.

– Dlaczego? Kto tak powiedział?

Besana kręci głową.

– Porozmawiamy o tym jeszcze – odpowiada. – Kiedy poczujesz się lepiej.

---

18 GRUDNIA

Ilaria i Marco zostawiają walizki w hotelu i idą do miasteczka, żeby coś zjeść. Nawet Beck's jest ponury i nie macha ogonem na widok gór.

– Zebrałam trochę informacji – mówi Ilaria. – Matka Dafne zmarła, gdy ona miała osiemnaście lat. A wiesz, gdzie była Dafne w tym czasie? W klinice psychiatrycznej.

– Czyli ma przeszłość psychopatki.

– Chcę dogłębnie zrozumieć, co się stało. Musimy znaleźć jej lekarza.

W tej samej chwili Marco odbiera telefon.

– Tak, oczywiście, że wiem – odpowiada. – Już jesteśmy. Jak ty się czujesz? Tak myślałem. Chcesz, żebym do ciebie wpadł? Zgoda, do zobaczenia.

Ilaria się usztywnia.

– Vittoria?

– Tak – przyznaje Marco. – Czujesz się na siłach, żeby zostać sama, gdybym miał ją odwiedzić?

– Wystarczy, że zostawisz mi Beck'sa – odpowiada Ilaria.

– Spróbuj odpocząć, nie szukaj dalej.

Gdy tylko zostaje sama, Ilaria bierze telefon i otwiera galerię zdjęć. Chce ponownie obejrzeć kilka selfie, które zrobiła sobie z Dafne. Ona się opierała, była taka niechętna i być może martwiła się również, że ktoś ją zobaczy. Ale po uroczystej obietnicy, że żadne ze zdjęć nie wyląduje w mediach społecznościowych, uległa.

Dafne objęła ją ramieniem, a ta ręka, ta ręka... Ilaria powiększa zdjęcie. Dziwna sprawa, wcześniej tego nie zauważyła. Dafne miała bardzo długie palce: wskazujący, środkowy, serdeczny i mały były sobie prawie równe. Bardzo rzadka anomalia. Co też może oznaczać? Chiromanci interpretują ją w kontekście wpływu gwiazd, genetycy zaś mówią o *digit ratio* i łączą ją ze stycznością z testosteronem w łonie matki. Ale Ilaria myśli o czymś innym. A szybkie poszukiwania w Google'u potwierdzają jej domysły. Oto i on: ślad. Gdyby nie kciuk, dłoń Dafne przypominałaby niedźwiedzią łapę.

Żyła samotnie, w odosobnieniu, nie licząc kolacji u Vittorii. Dafne rzadko kiedy się pokazywała. Zwłaszcza zimą, kiedy znikała całkowicie. Siedziała zamknięta w domu, z opuszczonymi żaluzjami, spała do południa, jak zwierzę pogrążone w zimowym śnie. Zero przyjaciół. Nie licząc Simone, który zajmował się niedźwiedziami. Uwielbiała samotne spacery, o świcie lub o zachodzie słońca, kiedy szanse, że spotka się innych ludzi, były niewielkie.

No i jej stosunek do jedzenia, taka huśtawka: od postu po napady bulimii. Wielkie wyżerki, kiedy w knajpie zamawiała podwójną porcję rösti i befsztyki z jelenia, a w chłodniejszych miesiącach tylko ziółka i bulion. Nosiła szerokie spodnie z obniżoną talią i nieco powłóczyła nogami, wykrzywiając stopy do środka. Jak stopochodne. Niczym „braiaza", jak w okolicach Trydentu mówi się na niedźwiedzia, bo widziany od tyłu wygląda, jakby nosił trochę opadające spodnie.

I węch. Dafne miała taki wrażliwy nos. Kiedy wieczorem były razem w lesie, wyczuła zapach jelonka, zanim usłyszała jakikolwiek odgłos. Także jej znajomość ziół, kwiatów, a zatem i trucizn, być może to był instynkt pierwotny, niemalże zwierzęcy. Jak u niedźwiedzi, które według Indian były trochę jak szamani i potrafiły leczyć choroby.

Dafne czuła się niedźwiedziem. Żyła jak niedźwiedź. I jak niedźwiedź postanowiła umrzeć.

18 GRUDNIA

Słysząc odgłosy samochodu, Vittoria wychodzi z domu i wybiega naprzeciw Marca, nawet nie włożyła kurtki. Obejmuje go mocno w prószącym śniegu, chwyta jego twarz i całuje ją z rozpaczą.

– To ona zabiła Carla. Rozumiesz?

Besana trzyma ją mocno i popycha w stronę drzwi.

– Porozmawiamy w środku, przeziębisz się.

Vittoria naraz zdaje się taka krucha. Zdezorientowana rozgląda się wokoło, jakby nie potrafiła się już poruszać po własnym domu. Marco trzyma ją za rękę i odprowadza do kanapy. Na stole jest kieliszek koniaku, widać, że potrzebowała czegoś mocniejszego. Besana też nalewa sobie odrobinę. Siadają blisko siebie, Vittoria nadal drży.

– Nie mogę w to uwierzyć – mówi. – Ufałam jej. Jak ona go otruła? Wiesz?

– Jeszcze nie. Rozmawiałem z toksykolożką, objawy zawału przypominają zatrucie jadem kiełbasianym. Ale to tylko domysły. Ta toksyna nie jest wytrzymała na działanie ognia.

– Jad kiełbasiany? Można go użyć jako trucizny?

– Trzeba umieć. Nie sądzę, żeby było to proste.

Vittoria zakrywa twarz rękami. Jeden z jej idealnie kwadratowych paznokci pokrytych przezroczystym lakierem jest złamany.

– Ale dlaczego? Co jej zrobił mój mąż?

– To także jak dotąd nie jest jasne. Nie wiemy, jak wybierała swoje ofiary.

Vittoria wypija łyk koniaku.

– Stała przede mną, w moim domu. Myślisz, że to ją bawiło?

– Być może – odpowiada Marco, wzruszając ramionami.

– Brunella zaczęła krzyczeć, kiedy się dowiedziała. Była jeszcze bardziej wstrząśnięta niż ja. Nafaszerowaliśmy ją środkami uspokajającymi. Teraz chyba śpi. Święty Boże, ale dlaczego? Dlaczego?

Vittoria opiera się czołem o bark Besany, musi popłakać. Marco pozwala, żeby zeszło z niej napięcie. Głaszcze jej jasne włosy, jeszcze wilgotne od śniegu.

– Przykro mi – mówi.

Kobieta powoli podnosi głowę, jej twarz jest zaczerwieniona jak od silnego wiatru, ma błędne spojrzenie.

– Przytul mnie mocno, proszę.

PALERMO, 1788

Była prawie piąta po południu. Szafot ustawiono na placu Quattro Canti, bo tutaj można było wznieść najwyższe szubienice, które mogli zobaczyć nawet ludzie z via Toledo i via Macheda. Tłum był nieprzebrany. Szlachta wcześnie rano wysłała swoich stangretów, żeby zajęli miejsce w pierwszym rzędzie. W gazetach dużo pisano o tej sprawie, wiadomość zaś dotarła nawet na północ Italii. A pewien mediolańczyk, pan Carlo Gatti, zamówił u grawera portret morderczyni.

Giovannie Bonanno towarzyszył pochód braci zakonnych w białych kapturach, urzędników i żołnierzy jadących konno. Na wietrze powiewały sztandary z czerwonego jedwabiu z królewskim orłem i mottem: *Discite justitiam populi**, a jeden z nich wisiał na pałacu prezesa sądu kryminalnego.

Spowiednik czekał na nią na schodkach prowadzących na szafot, żeby dać jej do pocałowania krucyfiks i przyznać jej odpust *in articulo mortis***. Giovanna musiała również schylić się, żeby pocałować stopy ministra, który wykonywał rozkaz wymiaru sprawiedliwości. Powiedział on: „Skoro twierdziłaś, że żyjesz jak chrześcijanka, to umrzyj jak chrześcijanka". Obok niej stali bracia zakonni, którzy przez ostatnie dni starali się ją skruszyć.

Słychać było chór: to bracia biali odmawiali wyznanie wiary. Kiedy doszli do wersu *et sepultus*, kat obwiązał jej szyję sznurem. Giovanna powoli weszła po schodkach na szafot. Kat popchnął ją nagle, a jego pomocnik uwiesił się jej stóp, ciągnąc ją w dół całym swoim ciężarem, aby przyspieszyć śmierć.

---

* Uczcie się sprawiedliwości (łac.).
** W obliczu śmierci (łac.).

Piatti i Besana stoją naprzeciwko starego luksusowego hotelu, który w latach sześćdziesiątych przekształcono w klinikę psychiatryczną. Patrzą na niego zdezorientowani.

– Dafne miała pieniądze, żeby być w takim miejscu?

– Może tutaj nawet publiczne szpitale są luksusowe, czytałem, że w latach dziewięćdziesiątych klinika zaczęła być zarządzana przez władze kantonalne. Czyli od dłuższego czasu nie jest to prywatna placówka.

Mają się spotkać z profesorem Lubanem, który zajmował się Dafne, gdy była hospitalizowana. Przemierzają świeżo odnowiony hol, urządzony ciężkimi antykami, jakby z domu ciotki nieboszczki. Pielęgniarka odprowadza ich do gabinetu profesora, który na nich czeka, siedząc za biurkiem. Ma na sobie marynarkę z szarej wełny i biały golf oraz staromodne okulary. Witają się bardzo formalnie.

– Bardzo mi przykro z powodu Dafne – mówi profesor. – Gdyby to ode mnie zależało, zważywszy na jej historię choroby, nie pozwoliłbym jej wyjść.

– Chodzi panu o samobójstwo?

– Nie, o próby zabójstwa, ze względu na które była hospitalizowana.

– Jakie próby zabójstwa?

– W wieku dziewięciu lat próbowała otruć całą klasę, żeby ukryć prawdziwy cel, czyli nauczycielkę. Wszyscy wylądowali w szpitalu. Ale wiadomość, z oczywistych względów, nigdy nie wyszła na jaw. Władze wolały udawać, że było to zatrucie pokarmowe, stracił na tym ajent szkolnej stołówki.

– A czego użyła?

– Talu. Zabrała go z szopy w ogrodzie przy swoim domu, ogrodnicy używali go jako trutki na szczury.

– Pochodziła z zamożnej rodziny? Gdzie mieszkała?

– W Como, w willi nad jeziorem. Matka była podupadłą arystokratką, ale wzięła drugi ślub z fabrykantem tekstyliów. A Dafne w wieku dwunastu lat próbowała otruć również i jego.

– A jak? Znów talem?

– Nie. Kwasem szczawiowym, używanym jako zaprawa do barwienia tkanin. Wzięła go z fabryki. Po tym zajściu wysłano ją tutaj.

– Według pana wybór trucizn był przypadkowy, praktyczny, bo akurat były pod ręką, czy może miał jakieś znaczenie?

– U Dafne nic nie było przypadkowe, nawet gdy była mała. W dużej mierze, jak okazało się podczas leczenia, wybór był związany ze skojarzeniem. Nauczycielka i koledzy z klasy, którzy ją dręczyli, byli s z c z u r a m i. Nocami tak właśnie jej się śnili, więc użyła talu, trutki na szczury.

– A kwas szczawiowy dla ojczyma?

– Naturalnie to odniesienie do jego profesji i bogactwa, od którego były zależne wraz z matką. Ale nie tylko. Trzeba rozważyć również ich stosunki. Dafne lubiła nosić się i zachowywać jak chłopak. Ojczym ją upokarzał i obrażał. To nie były „zaburzenia tożsamości płciowej", Dafne po prostu szukała swojego „ja". I wszystko dałoby się znieść, gdyby on nie zareagował na jej wściekłość lekami psychotropowymi. Krótko mówiąc, choć była tylko małą dziewczynką, to trzymał ją na środkach uspokajających. Jednak Dafne była zbyt inteligentna, żeby dać się otumanić prowincjonalnemu lekarzowi, opłacanemu przez ojczyma. Więc po kryjomu wyrzucała do toalety leki uspokajające i antydepresanty oraz uczyła się chemii, żeby się zemścić. W tej dziedzinie była świetna, już w gimnazjum osiągnęła prawie uniwersytecki poziom.

– A próba samobójcza?

– To się wydarzyło później. Kiedy uciekła z kliniki, w wieku piętnastu lat. Była przekonana, że ojczym ją uwięził, nie rozumiała, że chcieliśmy jej pomóc.

Besana i Piatti wymieniają spojrzenia.

– Cóż, sądząc po finalnym rezultacie, chyba nie dość jej pomogliście – komentuje Marco.

– Myli się pan, była na dobrej drodze. Tylko że śmierć matki wszystko skomplikowała. Dafne się załamała. Ojczym nawet jej nie uprzedził, że matka była śmiertelnie chora. Dafne postanowiła przerwać leczenie i odejść. Niestety wtedy była już pełnoletnia i nie mieliśmy argumentów, żeby ją tu zatrzymać.

19 GRUDNIA

Besana przygotowuje carbonarę. Dziś jedzenie serwowane będzie w kuchni, potrzeba nieco intymności. Towarzyszą mu Vittoria i Brunella, siedząc na taboretach. Szczerze mówiąc, obecność przyjaciółki Vittorii trochę mu ciąży. Nieważne, że tkwi w tej sprawie aż po szyję. On też jest zmęczony i zestresowany. Nie ma siły, żeby zajmować się wszystkimi.

– Tylko nie mów „hashtag *zszokowana*", bardzo cię proszę – asekuruje się Marco, patrząc na Brunellę, która próbuje spaghetti. – Zabiła twojego męża. Wysil się trochę, wyraź to inaczej. Możesz też użyć swoich własnych słów.

Vittoria mrozi go wzrokiem.

– Nie bądź złośliwy, Marco.

Ale Brunella się śmieje. To zagubione stworzenie nie potrafi robić nic innego. To niemal jak odruch warunkowy.

– Uczyła mnie, jak się relaksować – odpowiada. – Sama powinna była się trochę zrelaksować.

– Wszyscy jesteśmy wyczerpani – wtrąca się Vittoria, żeby odwrócić uwagę od tej wypowiedzi w złym guście. Niemal gorszej od prowokacji.

– Może lepiej byłoby zjeść w milczeniu. – Besana stawia na barze patelnię z makaronem.

Ale nad Brunellą nie da się zapanować, ma swego rodzaju euforyczną reakcję. Zdarza się w obliczu śmierci.

– Stawiała się jako punkt odniesienia – ciągnie. – No nieźle. Dzięki, co. Mówiła, że dzięki terapii odnajdę swojego męża. I rzeczywiście, odnalazłam go. Zamrożonego w lodowcu. To był właśnie mężczyzna, w którym się zakochałam, miała rację. Jota w jotę. Szkoda tylko, że martwy.

Vittoria odwraca się gwałtownie.

– Brunella, przestań.

– Dlaczego? Chciałabym zobaczyć ciebie, gdybyś znalazła Carla nietkniętego. Czy to nie byłby wspaniały prezent? Proszę, oto człowiek, którego kochałaś, wygląda jak wtedy, gdy go poznałaś, mniej więcej.

Vittoria wytrzeszcza oczy, Marco w uspokajającym geście kładzie jej rękę na ramieniu. Doskonale wie, że musiała rozpoznać zwęglone zwłoki. Ale jego ręka nie okazuje się pomocna.

– Uważasz, że to stosowne? Uważasz, że to odpowiednia chwila, żeby mówić takie rzeczy?

Brunella wzrusza ramionami z lekceważeniem, nawet z arogancją.

– Cóż, mówiłyśmy o tym, co zostawiła nam Dafne, pokój jej duszy.

– Wróć do domu – odpowiada Vittoria. – Nie jesteś sobą.

Brunella z wściekłością gasi papierosa w popielniczce, wstaje, bierze kurtkę i torebkę, po czym macha do nich ręką na pożegnanie.

– Powiedziała mądra i rozsądna kobieta. Po prostu boisz się pokazać Marcowi, kim naprawdę jesteś.

I wychodzi, trzaskając drzwiami. Besana chwyta twarz Vittorii i całuje jej włosy.

– Brunella ma rację – mówi. – Nie musisz się bać okazywania przy mnie swoich emocji.

19 GRUDNIA

Po powrocie do hotelu Ilaria rzuca się na łóżko, nie zdjąwszy nawet kozaków. Jest taka zmęczona, że sięga jedynie po pilota. Beck'sa nie trzeba prosić – już wturlał się pod kołdrę obok niej, wzdychając z satysfakcją. Ma brudne łapy, a jego sierść nadal jest wilgotna od śniegu, ale trudno, Ilaria jest w stanie wszystko mu wybaczyć. Lepiej spać z nim niż z niewłaściwym facetem.

Na ekranie pojawiają się tytuły wieczornego wydania dziennika. Znów wojna, znów kryzys w rządzie, a papież wzywa do miłosierdzia w związku ze zbliżającymi się świętami. Wyczerpana Piatti już ma zamknąć oczy, kiedy w telewizji pokazują coś, co sprawia, że podskakuje na łóżku: to twarz Dafne, na rozmazanym zdjęciu sprzed kilku lat, może pochodzi z jakiegoś dokumentu tożsamości, powiększono je na cały ekran. Głos prowadzącego czyta powoli: „Seryjna trucicielka zginęła samobójczą śmiercią".

Ilaria zrywa się na nogi, podchodzi do telewizora, podgłaśnia, żeby nic jej nie umknęło. Dafne jest opisywana jako potwór, manipulatorka i wielka ekspertka od substancji toksycznych, co jako jedyne nie mija się z prawdą. Żeby wiadomość była bardziej atrakcyjna, pokazano przegląd słynnych historycznych trucicielek.

Rzecz jasna, jest też Giovanna Bonanno, Stara od octu, którą Dafne zdawała się inspirować, jak mówią. Następnie jak zawsze Lukrecja Borgia, potem Catherine Deshayes Montvoisin, lepiej znana jako *La Voisin*, główna bohaterka afery trucicielskiej we Francji za czasów Króla Słońce. A na zakończenie przywołują również sprawę mydlarki z Correggio, bo była Włoszką i seryjną zabójczynią, a mordowała tylko kobiety i nawet ich nie truła.

Do programu zaproszono także kryminologa, żeby skomentował sprawę. „Oczywiście mamy do czynienia z psychopatką – mówi profesor – całkowicie pozbawioną empatii. Być może z racji przemocy zaznanej w dzieciństwie. Samotna kobieta, niezdolna do przyjaźni i związków uczuciowych, darząca bezmierną i bezwarunkową nienawiścią mężczyzn. W innych czasach taką osobę napiętnowano by jako czarownicę i skończyłaby na stosie".

Ilaria nie może tego znieść. To nieprawda. Dafne wcale taka nie była. Wyłącza telewizor i rzuca pilotem w ścianę. Potem osuwa się na łóżko twarzą w dół i zaczyna płakać, a nieco zmieszany Beck's liże jej rękę.

– Wcale taka nie była – mówi – nie znaliście jej. Co możecie o niej wiedzieć.

---

20 GRUDNIA

Pogrzeb Dafne odbywa się na małym cmentarzu u stóp gór. Zostawiła wiadomość, że nie życzy sobie religijnego pogrzebu. Wokół trumny, która właśnie jest opuszczana do dołu w ziemi, zgromadziło się raptem kilka osób. Oprócz Marca i Ilarii przybyło kilku przedstawicieli straży leśnej, przewodnicy alpejscy i portugalscy sąsiedzi. Raquel trzyma swoją mamę za rękę i wita się z Ilarią. Nieco spóźniony przybywa również Simone.

Strażnik leśny odczytuje wiersz w języku retoromańskim. Jakaś dziewczyna, przewodniczka górska, śpiewa pieśń. I wszyscy się wzruszają, kiedy Raquel wrzuca do grobu papierowy kwiat, który zrobiła w domu.

Po krótkiej uroczystości Simone mocno przytula Ilarię. Patrzą na siebie.

– Nie wierzę w to – mówi. – Nie mogła zabić tych wszystkich ludzi.

– Niestety wyznała to na kartce papieru.

– Może kogoś kryła. Albo ktoś ją zmanipulował.

– Ja też chciałabym znaleźć jakąś drugą prawdę i wykazać, że Dafne była niewinna – odpowiada Ilaria. – Ale to chyba niemożliwe.

Ilaria podchodzi do Raquel. Dziewczynka siedzi sama na ławce. Czeka na mamę, która jest zajęta jakimiś formalnościami z pracownikami zakładu pogrzebowego. To ona postanowiła zapłacić za pogrzeb.

– Dla mnie też była ważna – mówi Ilaria, siadając obok dziewczynki.

– Mówią, że poszła do nieba, ale to nieprawda. Tylko ja wiem, gdzie ona jest – odpowiada poważnym tonem Raquel.

– Naprawdę?

– Obiecujesz, że nikomu nie powiesz?

– Obiecuję. – Ilaria krzyżuje palce, wskazujący i środkowy, a następnie je całuje.

– Kiedyś zabrała mnie w sekretne miejsce, w górach.

– Gdzie to było?

– Obok Niedźwiedziej skały. Miała małą chatkę, całą z kamienia, jak w bajkach. Na drzwiach powiesiłyśmy drewnianego świstaka.

– Ładna była ta chatka?

– Przepiękna. Dafne nikomu nie pozwalała tam wchodzić, tylko mnie.

– Mieszkała tam?

– Nie, ona mieszkała tutaj, obok mnie. Jeździła tam tylko raz na jakiś czas. To było jej schronienie. Ja też chciałabym mieć schronienie, jak urosnę.

– Opowiadałaś o tym już komuś?

– Żartujesz? Powiedziałyśmy mamie, że pojechałyśmy pograć w minigolfa – mówi Raquel, a następnie odwraca się podejrzliwie. – Obiecałaś, pamiętaj.

– Oczywiście – odpowiada Ilaria. – Nie puszczę pary z ust. – Udaje, że zaszywa sobie usta.

Raquel się śmieje, a zaraz potem gwiżdże.

– Dafne nauczyła mnie gwizdać jak świstak.

– Robisz to idealnie.

– Prawda? Dużo trenowałam.

W tej samej chwili nadchodzi matka i Raquel zeskakuje z ławki.

– *Fofa*, nie gwiżdże się na cmentarzu.

– Ale jestem świstakiem!

Dziewczynka odchodzi i macha do Ilarii ręką, znów gwiżdżąc.

21 GRUDNIA

– Jesteś pewien, że umiesz to prowadzić? – pyta z niedowierzaniem Ilaria, patrząc na czerwony skuter śnieżny.

– Pewnie. Za kogo mnie masz? – odpowiada Marco. – Jako młody chłopak miałem aprilię.

– Tak, ale miała dwa koła, a nie gąsienice i płozy.

– Piattola, wkładaj kask i wskakuj.

Raquel nie była zbyt precyzyjna, nie znała nazwy doliny, ale Niedźwiedzia Skała to wystarczająca wskazówka i Google Maps potrafi ją zlokalizować. Bity trakt kończy się za wioską o pozamykanych oknach i drzwiach, która zdaje się opuszczona: nikt nie wygląda ze środka na dźwięk skutera, może mieszkańcy spędzają zimę na dole, gdzie panują łagodniejsze warunki klimatyczne.

Besana dodaje gazu w głębokim śniegu, trzyma kurczowo kierownicę. Gdy teren staje się bardziej wyboisty, Marco musi wstać. A Piatti krzyczy, uchwycona jego kurtki puchowej.

– Zwolnij, kurwa! Zaraz spadnę!

– Trzymaj się mocno, Piatti, przed nami dół, więc zaraz skoczymy.

Besana hamuje gwałtownie przed słynną skałą, o której mówiła Raquel: to wielki masyw o ostrych zakończeniach. Z jednej strony ma czerwoną smugę. To porosty, ale wyglądają jak krew. „JACHEN A. KÜNG – 1808–1874 – CHATSCHEDER DA 13 UORS". Napis jest w języku retoromańskim, ale od razu można zrozumieć.

– Łowca trzynastu niedźwiedzi – mówi Marco. – Praktycznie seryjny zabójca. Ale wtedy łowców niedźwiedzi czczono jak bohaterów. I nazywał się nawet Küng, król doliny.

– Miał sześćdziesiąt sześć lat – mówi Ilaria, patrząc na kamienną tablicę. – Zapewne umarł tutaj.

– Nie jest jasne w jaki sposób. Czy śmiercią naturalną, czy może rozszarpany przez czternastego niedźwiedzia, sprytniejszego niż on.

Besana i Piatti rozglądają się wokoło. Gdzie może się znajdować chata Dafne? Wyżej widać jakąś zabudowę, pokrytą śniegiem. Ale kiedy są na miejscu, pokonawszy slalomem rząd modrzewi, spotyka ich rozczarowanie: to obora dla kóz. Trochę dalej stoi kolejny drewniany szałas. W środku są piętrowe łóżka, lornetka, trzepaczka, sznury, lampki. I strzelba oparta o ścianę. Zapewne należy do jakiegoś myśliwego. Następnie zbocze staje się bardziej strome, a las gęstnieje. Skuter porusza się z trudem, chyboce, na każdym zakręcie może się przewrócić.

Śnieg jest nietknięty, są tylko ślady racic, ciekawe od kiedy nikogo tu nie było. Na szczęście droga nie jest długa. Za lodowym wodospadem, wśród wiekowych limb stoi drewniany domek. Okiennice są zamknięte, a nad zamkniętymi na kłódkę drzwiami wyryto greckie motto: „Niech nie wejdzie tu żaden profan". To samo było na profilu Marty Guerry. Na futrynie wisi drewniana figurka świstaka.

– Jesteśmy na miejscu.

Marco wyjmuje z plecaka scyzoryk i zgrabiałymi rękami zaczyna majstrować przy zamku.

Po kilku próbach kłódka ustępuje, a drzwi otwierają się ze skrzypnięciem. Jest prawie czwarta po południu, światło dnia gaśnie, znów zaczął padać śnieg, a wiatr smaga twarz. W środku nic nie widać, nie ma po co szukać włącznika światła, bo nie ma tu prądu. Piatti włącza latarkę w telefonie i próbuje otworzyć okna. To, co widzi, zapiera jej dech w piersiach.

– Nie wierzę. Znaleźliśmy laboratorium.

21 GRUDNIA

Na stole i jodłowych półkach znajduje się sprzęt niezbędny do przeprowadzania eksperymentów. Dziesiątki szklanych pojemników: próbówki, retorty, kolby, lejki, aparaty destylacyjne, pipetki, cylindry miarowe. Palnik Bunsena połączono z butlą gazową, żeby podgrzewać preparaty. Jest nawet mieszadło magnetyczne. Ilaria bierze do ręki próbówkę, czyta opis i natychmiast przerażona odkłada ją na swoje miejsce: „Toksyna botulinowa". Na kolejnej jest napisane: „Aldehyd mrówkowy", a obok „Karbaminian etylu".

– Niczego nie dotykaj, to niebezpieczne – ostrzega Besana.

Ale właśnie wtedy Ilaria wydaje z siebie krzyk, a na ziemię spadaj słoik pełen jakiegoś płynu. W kałuży, między kawałkami szkła, leży coś długiego i krętego.

– Żmija – mówi Marco. – Nie żyje, nic się nie bój. Zapewne Dafne próbowała wydobyć z niej truciznę lub użyła jej do jakiegoś eksperymentu.

Szafka, którą otworzyła Ilaria, to gabinet osobliwości: w słoikach znajdują się ciała gadów i owadów, ale także zasuszone rośliny i kwiaty, wśród których od razu rozpoznaje tojad.

– Do diabła, to wygląda jak jaskinia czarownicy – komentuje Ilaria.

– Musimy wszystko sfotografować – stwierdza Besana.

– Zaczekaj. Przeszukiwanie jeszcze się nie skończyło. Czy to możliwe, że Dafne nie zostawiła tu żadnych zapisków?

Ilaria cały czas otwiera szafki i szuflady, szpera wśród papierów, narzędzi pracy i rupieci. Aż w końcu podnosi rękę i macha zeszytem, najzwyklejszym, kupionym w supermarkecie. Kładzie go na stole, w świetle telefonu komórkowego, i razem zaczynają go przeglądać. Jest zapisany odręcznie, ale nic nie da się zrozumieć. Całe strony liczb, oddzielonych przecinkami. Piatti i Besana patrzą na siebie.

– To musi być jakiś szyfr. Zabieramy zeszyt i chodźmy stąd czym prędzej, zanim zapadnie zmrok – proponuje Marco.

– Co to za dźwięk? – pyta Ilaria, podrywając nagle głowę, gdy wkłada zeszyt do plecaka.

– To skuter śnieżny. Wyłącz latarkę.

Z okna chaty widok jest ograniczony, również dlatego, że jest mało światła, a wiatr unosi śnieg pośród pni limb. Nie da się rozpoznać postaci na skuterze, ma na sobie kombinezon narciarski i pełny kask. Nawet nie wiadomo, czy to mężczyzna, czy kobieta. Pewne jest tylko to, że ta osoba przyjechała tu czegoś szukać. Ale widząc, że w chacie ktoś jest, z powrotem siada na skuter i zapuszcza silnik.

Piatti i Besana nie muszą sobie nic mówić. Wybiegają na zewnątrz, wkładają kaski i ruszają w pościg. Nieznajomy jedzie z dużą prędkością, a jego tylne światełko miga czerwienią wśród sosen kilkaset metrów niżej.

– Trzymaj się mocno – mówi Marco do Ilarii i przyspiesza.

Reflektor oświetla ślady ściganego skutera, który przez dłuższy czas jedzie tą samą trasą, którą przyjechali. Ale nagle, zaraz po jakimś pagórku, skuter zmienia gwałtownie kierunek jazdy, i również Besana jest zmuszony skręcić.

– Kurwa, pojechał skrótem – Marco klnie, a skuter przechyla się i w końcu się przewraca.

Ilaria leży na ziemi, nawet nie było czasu, żeby krzyknęła.

– Zrobiłaś sobie coś?

– Nie, nic – odpowiada Piatti, otrzepując się ze śniegu.

Ścigany skuter jest już daleko, czerwone światełko zniknęło za górą.

– Cholera, zgubiliśmy go – mówi Besana.

– Zgubiliśmy ją. Moim zdaniem to była kobieta.

– Skąd wiesz?

– Bo widziałam, jak wsiadała na skuter. Tylko kobiety wykonują takie ruchy.

– Czego szukała według ciebie?

– Naturalnie zeszytu – odpowiada Ilaria. – Co potwierdza, że musi być ważny. Trzeba go rozszyfrować.

---

21 GRUDNIA

– Na pierwszy rzut oka można by powiedzieć, że to *book cipher* – mówi Rocco.

– Że co?

– *Book cipher* – powtarza Rocco. – „Szyfr książkowy", jak mówią Anglicy. Rodzaj kodu, który jako klucz ma jakiś określony tekst. Może to być książka lub inny zapis. Można to wydedukować z liczby cyfr na stronach, które mi przesłałaś. Jest ich bardzo wiele, o wiele więcej niż liter w alfabecie. Klasyczne szyfrowanie zakłada jakąś liczbę dla każdej litery, a bardziej wprawni deszyfratorzy łatwo docierają do ukrytej wiadomości dzięki częstotliwości, z jaką pojawiają się określone liczby. W każdym języku są litery, które pojawiają się częściej od innych. W języku włoskim na przykład litery A, E oraz I są najczęściej używane, stanowią ponad jedenaście procent. Litera D to mniej niż cztery procent, a Z to około pół procenta. Właśnie w ten sposób w Anglii przyskrzynili biedną Marię Stuart i wysłali ją na szafot za spiskowanie. Ale to był szesnasty wiek, początki kryptografii.

– A dziś?

– Dzisiejsze metody są nieskończenie bardziej złożone, opracowywane na komputerze. Dokument, który znaleźliście, to rękodzieło, powiedziałbym w dziewiętnastowiecznym stylu, ale i tak jest bardziej wyrafinowany od wiadomości Marii Stuart: każdej literze odpowiada więcej niż jedna liczba. Widać to od pierwszej linijki. Wygląda to, jakby liczby wpisano przypadkowo. Dla nas nic nie znaczą, ale adresat, i tylko on, mając egzemplarz tekstu-klucza, może rozszyfrować wiadomość.

– Sama myśl o tym przyprawia mnie o ból głowy – komentuje Ilaria. – Według jakiego kryterium wybrano liczby, które zastępują litery?

– Któż to wie. Zazwyczaj w *book cipher* nadaje się kolejne liczby kolejnym słowom z tekstu-klucza: jeden to pierwsze słowo, dwa to drugie słowo i tak dalej. Każda liczba odpowiada początkowej literze słowa. Następnie, szyfrując wiadomość, używa się liczb w sposób przypadkowy, żeby zmylić. Na przykład A to raz 12 a raz 145, bo sto czterdzieste piąte słowo tekstu-klucza zaczyna się na A, podobnie jak słowo dwunaste.

Literze M może odpowiadać 32, 87 lub 231. Niestety nie wiemy, czy Dafne posłużyła się tą metodą numeracji, czy może jakąś inną. W każdym razie wszystko sprowadza się do znalezienia tekstu, który stanowił podstawę sekretnego alfabetu.

– Jak to zrobić? Przecież są miliony możliwości – stwierdza smutno Ilaria.

21 GRUDNIA

– Nigdy nam się nie uda – mówi Ilaria przyklejona do kaloryfera. Tak się wyziębiła, że nie może się dostatecznie ogrzać.

– Przypomina mi się historia, którą przeczytałem w książce Simona Singha, jednego z moich ulubionych pisarzy – opowiada Besana. – Jesteśmy w stanie Wirginia, u początków dziewiętnastego wieku. Pewien tajemniczy awanturnik, swego rodzaju kowboj, który nazywa się Thomas J. Beale, spędza zimę w hotelu Washington w Lynchburgu. Wiosną wyjeżdża, wcześniej jednak powierza właścicielowi hotelu metalową skrzynkę zamkniętą na klucz. Właściciel wkłada ją do sejfu. Po kilku miesiącach odbiera list od Beale'a, który zaleca mu nie otwierać skrzynki przed upływem dziesięciu lat. Według jego słów w środku są „szalenie ważne dokumenty", których jednak nie można odczytać bez klucza szyfrującego. W odpowiednim czasie klucz dostarczy znajomy Beale'a. Jednak klucza nie ma, wydaje się, że kowboj zniknął na zawsze, więc po kilku latach Robert Morriss, właściciel hotelu, postanawia otworzyć skrzynkę. W środku są trzy kartki pełne liczb oddzielonych przecinkami i liścik napisany odręcznie przez Beale'a. W liściku Beale wyjaśnia, że wraz z innymi ludźmi odkrył kopalnię złota i srebra w Nowym Meksyku i zgromadził sporą fortunę. Dla bezpieczeństwa zakopał ją w sekretnym miejscu, w Wirginii, nieopodal hotelu. Zaszyfrowany dokument zawiera wskazówki do odnalezienia skarbu. Pierwsza kartka informuje o umiejscowieniu kryjówki, druga o zawartości skarbu, a trzecia mówi o osobach, które mogą się nim dzielić.

– My też poszukujemy skarbu – mówi Ilaria. – Tylko że skarbem w tym wypadku jest prawda. Opowiadaj dalej, może coś przyjdzie nam do głowy.

– Gdzie jest klucz do rozszyfrowania tych kartek? Ktokolwiek go miał, zabrał go do grobu. A biedny Morriss spędza ostatnie dwadzieścia lat swojego życia, główkując bezowocnie nad szyfrem Beale'a. W 1885 roku ukazuje się anonimowy pamflet, napisany przez znajomego właściciela hotelu, który ujawnia, że odnalazł klucz do zagadki, ale tylko do drugiej kartki, która opisuje zawartość skarbu. Rozgryzł go po wielu daremnych próbach, dzięki łutowi szczęścia: tekstem-kluczem była Deklaracja niepodległości Stanów Zjednoczonych.

– I jak się to skończyło? Znaleźli skarb?

– Nikt tego nie wie. Może udało się to autorowi pamfletu, ale tego nie wyznał. W każdym razie od ponad stu lat rozmaici wielbiciele Beale'a próbowali odnaleźć złoto w Wirginii. A całe rzesze kryptografów starały się odszyfrować pozostałe dwie kartki w najbardziej wymyślne sposoby: korzystając z numeracji wspak lub z przestawiania słów. Nic z tego. Jacyś wyznawcy teorii spiskowej mówili także o tajnych służbach, które miały przejąć skarb, nie powiadamiając o tym obywateli.

– Chwila – mówi Ilaria. – Powtórz, co było tekstem-kluczem.

– Amerykańska Deklaracja niepodległości. A co?

– Przypomniało mi się coś. Nie wiem, czy ci mówiłam, Marta Guerra malowała przedziwne obrazy, pełne liczb. Twierdziła, że liczby zawsze mówią prawdę. Jeden obraz stworzyła na podstawie dzieła Füsslego. Wiesz, co przedstawiał? Była to *Przysięga trzech konfederatów na Rütli*: akt założycielski Konfederacji Szwajcarskiej. Na reprodukcji obrazu Marta namalowała tajemnicze cyfry. Popatrz, mam zdjęcie.

Marco bierze do ręki telefon i powiększa obraz.

– 48, 73, 5, 122, 13, 296, 63, 11, 151, 26, 55, 7, 140, 38, 41, 156, 89, 1, 16. Co to może oznaczać, do cholery?

– Nie mam pojęcia – odpowiada Ilaria. – Wtedy wydawało mi się to jednym z jej dziwactw i nie przywiązywałam do tego wagi. Ale teraz, gdy o tym myślę... A gdyby właśnie to było tekstem-kluczem? W sumie szyfrowany dokument powstał w Szwajcarii. I to dziwne zdanie, które opublikowała Marta.

– Jakie?

– Zrobiłam screenshota: „Jeśli ten niedźwiedź zostanie odstrzelony, nigdy więcej nie podniosę t r z e c h p a l c ó w p r a w e j r ę k i". To odniesienie do paktu.

– Masz rację.

– Spróbujmy poszukać tekstu w Google'u – mówi Ilaria i szybko stuka w klawiaturę. – Oto i on. Akt z 1 sierpnia 1291 roku. Jest kilka wersji. Po niemiecku, łacinie, po włosku i retoromańsku. Podzielmy się i zróbmy próbę ze wszystkimi.

– W porządku – odpowiada Besana. – Ja wezmę włoski i retoromański. Ty niemiecki i łacinę.

– Wiedziałam.

---

21 GRUDNIA

Ilaria biegnie do recepcji, żeby wydrukować teksty i poprosić o kartki i ołówki. Besana czeka na nią w ich ulubionej salce, przy kominku. Nie chce siedzieć w zamkniętym pokoju.

– „W imię Pana – deklamuje Marco. – Niniejszym należy potwierdzić, w odpowiednim kształcie, pakt..." Nie mogła wybrać jakiegoś wiersza? Albo piosenki?

– No już, zabierz się do pracy.

Lecz Marco zaczyna śpiewać.

– „Żmijo... żmijo... nad brzegiem jeziora Surlej... dziś niweczysz wszystkie moje plany... wyglądałaś jak krewetka... okrutny antygen... twojej złośliwości".

– Co to jest?

– Piosenka z lat trzydziestych. Cóż, słowa brzmią nieco inaczej.

Marco wstaje, podnosi rękę, wywija dłoń i zaczyna kołysać biodrami.

– „Trucizna... i botoks, nim dopadnie cię siwizna... Trucizna..."

– Co cię dziś napadło?

– Tych płyt słuchała moja mama – odpowiada Besana. – No dobrze, spektakl nie przypadł ci do gustu. Szkoda.

– No już, zacznijmy.

W ciszy zaczynają numerować słowa.

– Idę zamówić butelkę wina i kanapkę. – mówi Marco, wstając. – Jestem przy 389 i jeszcze nie skończyłem. Ale to nudy.

– Trzeba być cierpliwym – stwierdza Ilaria.

– Zjesz coś?

– Nie, dziękuję. Wolę skończyć wersję łacińską. Twoim zdaniem, co znaczą te strzałki?

– Skąd ja mam, kurwa, wiedzieć – mówi Besana. – Mam tylko nadzieję, że masz rację i że nie zadajemy sobie trudu na darmo.

Po kilku kieliszkach Marco odzyskuje formę.

– Piattola, chodź tu!

Ilaria wstaje z fotela i w dwóch susach jest już przy stole.

– Popatrz, to działa.

– Z tekstem po włosku?

– Yes! –Besana pokazuje cyfry. – „R-e-g-u-ł-a-n-u-m-e-r-j-e-
-d-e-n".

– Genialnie! – krzyczy Ilaria. – Idź dalej, dasz radę?

– Spróbuję.

Marco ponownie zasiada do pracy.

– „Przysięgamy darzyć się wzajemną pomocą" – czyta na głos.

– Co to może znaczyć?

– Że zajęło nam dwie godziny odczytanie gównianego zdania.

– Rzeczywiście, jest bardzo długie – odpowiada Ilaria. – Może powinnam znów zadzwonić do Rocca. Na komputerze może zrobić wszystko.

– Nie spędzę nad tym nocy. Ostrzegam cię.

---

22 GRUDNIA

Besana słyszy pukanie. Sprawdza godzinę na zegarku: jest piąta nad ranem. Zrywa się na równe nogi i biegnie do drzwi. Ilaria ma na sobie piżamę z polaru.

– Co się dzieje?

– Rozszyfrowaliśmy – odpowiada Ilaria.

– Naprawdę?

– Rocco był bardzo poruszony, mówi, że to tekst o truciznach i zabójstwach. Ale zaczekałam na ciebie. Musimy to przeczytać razem.

Besana włącza ekspres do kawy.

– Najpierw muszę się napić espresso. W przeciwnym razie nie jestem w stanie myśleć.

– Nie jesteś ciekaw?

– Wolę być przytomny – odpowiada.

Zasiadają przed komputerem, a Ilaria zaczyna czytać na głos.

– „Reguła numer jeden: przysięgamy darzyć się wzajemną pomocą i nie łamać żadnej reguły. Reguła numer dwa: każda śmierć musi wyglądać na wypadek. Reguła numer trzy: osoba bezpośrednio zainteresowana w wyznaczony dzień musi znajdować się w wielokilometrowej odległości". Co to znaczy?

– Czytaj dalej.

– „Reguła numer cztery: należy się odwzajemnić. Reguła numer pięć: nikt nie może się dowiedzieć o pakcie poza osobami, które go zawarły. Reguła numer sześć: kto złamie pakt lub ujawni jego treść, zostanie ukarany śmiercią".

– Kurwa – komentuje Besana. – To statut organizacji przestępczej. Albo delirium paranoika.

– Co to znaczy: „odwzajemnić się"? Nie rozumiem. Kim jest „osoba bezpośrednio zainteresowana".

– Czytaj następną stronę.

Kiedy odwracają stronę, nie mogą uwierzyć własnym oczom. Widnieje tam schemat:

Ginevra uretan <–> Veronica formaldehyd.

Nicoletta rycyna <–> Marta tropomiozyna.

Brunella jad kiełbasiany <–> Vittoria tojad.

Patrzą na siebie.

– To wymiana. – Ilaria jest zdumiona. – Popatrz: każde imię jest powiązane z jakąś trucizną, ale wskazana trucizna posłużyła zabiciu męża drugiej osoby. Oto, co znaczy „odwzajemnić się". Zbrodnia za zbrodnię. Ty załatwisz mojego męża, a ja twojego.

Besana blednie. Bez słowa patrzy na schemat.

– Może to oznaczać, że Ginevra Landi musi wstrzyknąć uretan Diego Padovaniemu, mężowi Veroniki Ballarin, a Veronica Ballarin poda formaldehyd Livio Moserowi, mężowi Ginevry Landi. Nicoletta D'Ambrosio powinna zabić rycyną męża Marty Guerry, a Marta Guerra zabije męża Nicoletty D'Ambrosio tropomiozyną – mówi Ilaria, następnie dochodzi do imienia Vittorii i przystaje. Zaniepokojona patrzy na Marca. – Mam czytać dalej?

– Nie trzeba.

Besana jest wściekły. Wstaje, przewracając krzesło. Otwiera okno i zapala papierosa, choć w pokoju nie wolno palić.

– Bardzo mi przykro, Marco.

Besana kręci głową i wymierza cios pięścią w stół.

– Przepraszam, muszę pobyć sam.

– Jasne – odpowiada Ilaria, wyłączając komputer. – Świetnie rozumiem.

---

22 GRUDNIA

Około ósmej Besana stawia się w sali restauracyjnej, żeby zjeść śniadanie. Doskonale widać, że nie zmrużył oka. Ilaria siedzi tam już od siódmej. Ona też nie spała.

– Przeczytałam całość.

– Ja też – mówi Marco.

– Czujesz się na siłach, żeby o tym rozmawiać?

– Jasne, przecież to praca.

Ilaria potakuje głową, choć nie jest przekonana.

– Ewidentnie Dafne była tylko reżyserką – zaczyna Ilaria.

– Byłaby, gdyby nie to, że coś poszło nie tak – poprawia ją Besana. – Kiedy mąż Guerry umiera na raka, liczba osób staje się nieparzysta. Nicoletta nie musi już wstrzykiwać rycyny, a Marta jest przekonana, że nie musi się odwzajemniać. Ale umowa to umowa. Tak więc pani D'Ambrosio żąda tego, co się jej należy, tak czy inaczej. Wtedy Dafne jest zmuszona ubroczyć sobie ręce krwią i zabić Achillego. Nie mogła przewidzieć, że pojawi się niedźwiedź. Niedźwiedź, który przyniesie śmierć również Marcie, w pewnym sensie.

– Marta łamie dwie reguły naraz: nie odwzajemnia się i grozi, że zacznie mówić – podsumowuje Ilaria. – Sama wydaje na siebie wyrok. A Dafne po raz drugi musi interweniować. Tyle że o wiele lepiej idzie jej przemienianie innych w morderców niż zabijanie.

– Precyzja jej instrukcji jest niewiarygodna.

– Też to zauważyłam. Dla nas są bardzo cenne. Tym razem policja powinna naprawdę nam podziękować.

– Zaczekajmy jeszcze chwilę, zanim do nich zadzwonimy – oznajmia Besana.

– Spróbujemy wszystko zrekonstruować?

– To właśnie miałem na myśli.

– Jasne, brakuje ostatniej strony, którą Rocco nadal rozszyfrowuje.

– I tak mamy wystarczająco dużo informacji.

– À propos – mówi Ilaria. – Rozszyfrowałam rząd cyfr na obrazie Füsslego.

– I co jest tam napisane?

– „Spisek trucicielski".

– Przypomina aferę trucicielską na dworze Króla Słońce.

– Wszystko zaczęło się wtedy – mówi Ilaria. – Od tego paktu zawartego trzy lata temu. Było lato, a one spotkały się w chacie Dafne, żeby przygotować szczegółowy plan.

– Musimy mieć jasność co do całego mechanizmu, punkt po punkcie.

Ilaria przytakuje.

– Chodźmy do pokoju, na pewno nie możemy o tym rozmawiać tutaj, ludzie schodzą się na śniadanie. Włączę komputer, ty będziesz rekonstruował, a ja będę notować.

– Zgoda.

– Jest styczeń i Carlo Rigamonti przebywa w Mediolanie – mówi Marco, chodząc tam i z powrotem po pokoju. – Ma dołączyć do Vittorii w Szwajcarii swoim prywatnym samolotem. Ilaria notuje na komputerze, siedząc za biurkiem.

– Zorganizowano to tak, żeby zobaczył się z Brunellą wieczór wcześniej. Pretekst jest prosty: Brunella ma prezent na urodziny Vittorii, które przypadają właśnie w ten weekend. Wypijają razem drinka u Brunelli, a ona umieszcza gdzieś sporą dawkę toksyny botulinowej.

– Nie w winie, przykazuje jej Dafne, bo wino neutralizuje jad kiełbasiany – uściśla Ilaria.

– Mogła go dodać do wszystkiego, i tak jest bez smaku. W tej chwili to nieważne, wiemy tylko, że to zrobiła. Następnego ranka Carlo rusza w drogę, ma jakieś lekkie objawy, potem w trakcie lotu zaczyna czuć się źle i rozbija się podczas lądowania. Jedynego, czego nie wzięto pod uwagę, to obecność kolegi, który w ostatniej chwili zapytał, czy mogą lecieć razem.

– Na pewno nie zamierzały zabić kogoś jeszcze. A przede wszystkim liczyły na brak świadków.

– To diaboliczny sposób myślenia – komentuje Besana. – W każdym razie zgadza się, z instrukcji wynika, że tak właśnie było.

– Dafne przestudiowała wszystko szczegółowo. Wysyła zaszyfrowane instrukcje. Najpierw zapisuje je w swoim zeszycie, następnie przepisuje je i doręcza razem z substancją.

– Cierpiała na manię kontroli, to jasne.

– Mów dalej.

– Jest lipiec – kontynuuje Marco. – Teraz kolej Vittorii. Musi się o d w z a j e m n i ć. Brunella jest w Stanach Zjednoczonych, a Vittoria jedzie do niej do domu. Pretekst jest głupi, ale wiarygodny.

Obie bardzo się przyjaźnią, można z tego skorzystać. Vittoria ma do niej dołączyć po tygodniu, a Brunella poprosiła ją o przywiezienie pary butów, której zapomniała. Vittoria idzie do łazienki i dodaje śmiertelną dawkę akonityny do fiolki z homeopatycznym wyciągiem tojadu.

– Mają ten sam krąg znajomych, więc doskonale wie, że Giacomo miewa nerwobóle, na które uskarża się publicznie, i że następnego dnia wybiera się sam na lodowiec, bo wszystkim o tym opowiadał.

– Ile kłamstw mi naopowiadała ta kobieta – komentuje Besana. – Co za manipulatorka. Ale przejdźmy do następnej wymiany. Czyja kolej?

– Veroniki Ballarin, jest październik. Ten sam rok – odpowiada Ilaria.

– Veronica Ballarin, racja. Ale ta wymiana jest inna. Bo oficjalnie ona i Ginevra Landi nie są zaprzyjaźnione. To znaczy są, ale potajemnie. Wszystko tu opiera się na sztuce uwodzenia. Każda musi dać do zrozumienia mężowi drugiej, że jest zainteresowana romansem. Veronica spotyka Livia Mosera na jednym z jego wernisaży. To piękna kobieta, więc nie zajmuje jej długo, żeby dać mu do zrozumienia, co ma zrozumieć. Zostawia mu numer prywatnej komórki, a przynajmniej tak mówi, numer, którego nikt nie zna. To stary telefon na kartę, którego nie da się namierzyć. Umawiają się na wspólny spacer, żeby zobaczyć jelenie gody. Moser się nabiera. Veronica uderza go kamieniem w głowę. On mdleje, a ona wstrzykuje mu formaldehyd. Potem, kiedy jeszcze żyje, spycha go w dół skarpy, z dala od ścieżki. Żeby go nie znaleźli, a upadek wydał się przypadkowy. I zabiera plecak z komórką Mosera, z której od razu wyjmuje baterię.

– A on umiera zmumifikowany żywcem – podsumowuje Ilaria.

– Teraz byłaby kolej Ginevry Landi – mówi Besana. – Ale dzieje się coś niezaplanowanego. Cztery miesiące później lekarze wykrywają chorobę Ignazia Guerry, który w lipcu umiera na raka. I tutaj możemy sobie tylko wyobrazić, co się działo dalej.

– Marta chce się wycofać, ale Nicoletta D'Ambrosio żąda tego, co jej się należy – kontynuuje Ilaria.

– Otóż to. Żadna z nich nie może już nic zrobić, bo Marta grozi, że wszystko rozpowie. Maluje obrazy z szyfrem i przygotowuje wystawę-niespodziankę, w ramach ostrzeżenia. Ginevra Landi nie chce się narażać. Veronica Ballarin zgadza się, że trzeba poczekać, aż Marta się uspokoi.

– Dlatego w zeszłym roku nie doszło do żadnego zabójstwa?

– Według mnie tak – kontynuuje Besana. – I wtedy działanie podejmuje Dafne, żeby sytuacja ruszyła z miejsca. Ale zjawia się również niedźwiedź, który wszystko psuje. Bo Marta, zagorzała obrończyni praw zwierząt, nie może znieść myśli, że usunie się niedźwiedzia za zbrodnię, której nie popełnił.

– Była największą wariatką z nich wszystkich – komentuje Ilaria.

– To niełatwy ranking – odpowiada Marco. – W każdym razie narobiła niezłego bałaganu, to jest pewne. Do tego stopnia, że pozostałe są zmuszone pozbyć się również niej. Niektóre spłaciły już swój dług, inne mają to jeszcze przed sobą, ale żadna nie chce się zająć Martą. Powinna to zrobić Nicoletta D'Ambrosio, która zyskała, nic nie dając w zamian. Ale to zbyt niebezpieczne, nie może ryzykować, bo o sprawie z niedźwiedziem zrobiło się głośno, pisała o niej prasa.

– Innymi słowy, nasza wina.

– Twoja wina, Piattola. Ja nie chciałem się tym zajmować.

– Dziękuję.

– Tak więc musi zająć się tym Dafne, nie ma wyboru. Potem stało się to, co się stało. My siedzieliśmy nad zabójstwem D'Ambrosia i Marty Guerry, a niedługo potem lodowiec zwrócił ciało Giacoma Pallaviciniego. Veronica Ballarin, przerażona rozwojem wypadków, zaczyna naglić. Wszystkie teraz ryzykują, a ona niby dlaczego miałaby ryzykować? Jej mąż jest wciąż żywy i zdrów jak ryba. To niesprawiedliwe.

– Rocco właśnie przysłał ostatnią kartkę – obwieszcza Ilaria, zerkając na skrzynkę mailową.

– Posłuchajmy.

Ilaria pospiesznie czyta maila i podnosi głowę znad telefonu.

– Plan jest doskonały. Ginevra Landi zjawia się w domu Diega Padovaniego w wieczór po imprezie. Biorąc pod uwagę, ile DNA rozsiano wokół, nikt nie znajdzie jej śladów. Mechanizm jest ten sam, jak w przypadku Veroniki Ballarin: Ginevra kupuje stary telefon na kartę, którego nie można namierzyć. Piją razem, ona go uwodzi i czeka, aż się rozbierze, żeby ubrania się nie podarły, kiedy ciało napuchnie. Następnie dosypuje mu środka nasennego, który w połączeniu z alkoholem zupełnie go odurza. Ginevra jest pielęgniarką, więc wie, jak podać środek dożylnie. Wstrzykuje uretan, wyciera kieliszki, których dotykała, zabiera ofierze komórkę i wychodzi.

– Nie może się spodziewać, że on z bólu się obudzi, nago wyjdzie na śnieg i dowlecze do ogrodu sąsiadów.

– I że umrze pod niewzruszonym okiem monitoringu.

Brunella jest bardzo zaskoczona, kiedy otwiera drzwi i widzi przed sobą Ilarię i Marca. Wymyka się jej tylko nieco zdezorientowane: „Och, cześć". Jeden but ma rozwiązany, a w ręku trzyma prostownicę do włosów. Widać już podstawę makijażu, który jeszcze jest niepełny. Tylko zarys brwi jest ukończony. Okolica lewego oka jest wygładzona jak na zdjęciu, ale wokół prawego widoczne są jeszcze zmarszczki i cienie. Pięknie wygląda nawet w tej asymetrycznej wersji, ale jeszcze o tym nie wie. To dobrze, bo czuje się bezbronna, zanim dowie się tego, co mają zamiar oznajmić jej Piatti i Besana. Tak bezbronna, że zapomina zaprosić ich do środka.

– Jest trochę zimno – mówi Marco. – Możemy porozmawiać w salonie?

– Ach, oczywiście. Przepraszam. Kretynka ze mnie.

Idąc przez korytarz, potyka się o cekinową torebkę. Podnosi ją, by odrzucić zaraz na podłogę. Na kanapie jest pełno ubrań, nie ma gdzie usiąść. Brunella zbiera je pospiesznie i rzuca na dywan.

– Przepraszam, jest trochę bałaganu. Właśnie się szykowałam. – Śmieje się nerwowo. – Jestem jak huragan, gdy mam się ubrać. Wyciągam wszystko, a potem zapominam odnieść.

Marco i Ilaria wcale się nie uśmiechają, co wzmaga jej niepokój. Zaczyna być bardzo nerwowa. Znów się potyka, tym razem o złotą koszulkę na ramiączkach. Kopie ją z dala od siebie ze złością.

– Mój mąż nie znosił tego bałaganu. Ale nie udało mu się mnie zmienić – mówi i znów się śmieje, jeszcze bardziej spięta.

Piatti i Besana patrzą na nią, nie poruszając mięśniami twarzy. Wcześniej umówili się, że wyprowadzają ją z równowagi. A teraz odgrywają swoją rolę, podobnie jak Brunella stara się odegrać swoją.

– Coś się stało?

– Tak – odpowiada Marco, podsycając jej niepokój.

Brunella od razu zmienia wyraz twarzy. Czyżby kolejne zabójstwo? To niemożliwe. Serce przestaje jej bić. Vittoria? Nie, ona nie. Proszę, nie. Musi usiąść.

– Coś się stało – powtarza. Lecz tym razem nie jest to pytanie, tylko smutne stwierdzenie.

Marco zapala papierosa, nie pytając o pozwolenie. I nie częstuje jej. Brunella patrzy na niego coraz bardziej zmartwiona. Wstaje, żeby znaleźć swoją paczkę, nerwowo szpera w jednej torebce, potem w drugiej. Pochylona, odwrócona plecami, słyszy to, czego nigdy wolałaby nie usłyszeć.

– Wiemy, że zabiłaś Carla Rigamontiego.

───────

22 GRUDNIA

───────

Brunella natychmiast się odwraca. „Co wy mówicie? – chciałaby odpowiedzieć. – Oszaleliście?" Ale osuwa się na ziemię. Nagle straciła władzę w nogach i na czworakach znalazła się na dywanie, próbując się podnieść. Wygląda jak pies, którego właśnie ktoś skrzyczał. I wie o tym. Do tej pozycji sprowadzał ją mąż, kiedy chciał ją poniżyć. Stamtąd nie jest w stanie się bronić. Wybucha płaczem. Nie wie nawet, czy płacze dlatego, że wydaje się jej, że Giacomo znów jest w tym pokoju, czy dlatego, że o wszystkim wiedzą. Płacze na czworakach, a jej płacz czasem przechodzi w zwierzęce wycie.

Ilaria instynktownie chciałaby ją podnieść, ale Besana powstrzymuje ją, chwytając za rękę. Brodą pokazuje na telefon komórkowy. Prosi, żeby zaczęła nagrywać. „Już – oznajmia jej wzrokiem – nie pomyl się teraz". Brunella i tak nie może ich zobaczyć: skuliła się na ziemi, odwrócona plecami, rękami obejmując kolana. Żeby dalej płakać. Marco wstaje i podchodzi do niej. Teraz stoi naprzeciwko Brunelli. Nad nią. Nieruchomo. Brunella odwraca głowę i patrzy w górę. Z tej pozycji wydaje się jej jeszcze wyższy.

– Nie chciałam – bełkocze – przysięgam, że nie chciałam.

Marco kręci głową.

– Wiemy, że to nieprawda – odpowiada ze spokojem. – Rzadko kiedy widuje się zbrodnie z taką premedytacją. W dodatku premedytacją dotyczącą sześciu osób, a nie jednej. Zresztą ty w pojedynkę na pewno nie byłabyś w stanie.

To tak, jakby ktoś wymierzył jej kopniaka. Brunella instynktownie zakrywa sobie brzuch.

– To był drań! – krzyczy. – Zasługiwał na to. I cała reszta tych bydlaków też sobie na to zasłużyła.

Dała upust swojej złości, co okazało się pomocne, nagle znów czuje siłę, żeby wstać. Zrywa się na równe nogi jak sportsmenka, z agresją. Jej umysł nawet przytomnieje. Może ta jej przytomność jest głupia, ale Brunella nie zdaje sobie z tego sprawy.

– Siedem osób – krzyczy – siedem! Zapominacie o Marcie, tej suce. Ona też w tym była! Ona też! Ale jej mąż, ten skurwiel, umarł na raka i już nas nie potrzebowała. Łatwo wszystkie nas wystawić w takiej sytuacji.

Nagle Brunella przestaje mówić. Usłyszała dźwięk syren. Już zrozumiała. Wytrzeszcza oczy, jest już za późno. Ilaria podnosi powoli telefon komórkowy i pokazuje jej dyktafon.

– Nadjeżdża policja – mówi – a my dostarczymy im ten plik. Chyba lepiej, żebyś się przyznała.

22 GRUDNIA

Marco, mój drogi,

wkrótce po mnie przyjadą. Piszę do Ciebie, póki jeszcze
mogę. I tak nie mam już nic do stracenia, oprócz Ciebie.
Może już Ciebie straciłam, ale chcę wierzyć, że tak nie jest.
Wiesz, już od dawna się w nikim nie zakochałam. Myślałam,
że nie może mi się to już przydarzyć. W gruncie rzeczy niedawno skończyłam pięćdziesiąt lat. Tymczasem zjawiłeś się
Ty. Taki inny od wszystkich mężczyzn, których znałam. Kto
by się spodziewał. Właśnie przesłuchują Brunellę, wiem, że
się złamie i wszystko wyzna. Za dobrze ją znam. Zadadzą jej
kilka pytań, a ona nie będzie potrafiła zaprzeczyć. I wkrótce
będziesz miał pewność, że jestem morderczynią. Nie boję
się tego pisać i wysłać mailem, bo – kiedy przyjdą – ja
też powiem prawdę. Kiedy zobaczę, że nadchodzą, nacisnę
„wyślij". Zależy mi, żebyś o wszystkim dowiedział się ode
mnie, a nie od nich.

W pierwszym mężu nie byłam zakochana. Poślubiłam go
lekkomyślnie. Zresztą miałam dwadzieścia pięć lat. Kilka
lat później urodziła się Margherita, więc przez jakiś czas
byliśmy jeszcze ze sobą. Ale w pewnym momencie już nie
mogłam i zaczęliśmy żyć w separacji. Przez długi czas miałam wielu kochanków, potrzebowałam namiętności. Byłam samotną matką z małym dzieckiem, a moje życie było
strasznie puste. Potem zjawił się Carlo.

Zupełnie straciłam dla niego głowę. Do tego stopnia, że
nie zdawałam sobie sprawy, kim on jest. Wydawał mi się
nawet doskonałym ojcem dla Margherity, o wiele bardziej
przystępnym i uważnym niż jej rodzony ojciec. Myślałam,
że mam szczęśliwą rodzinę. I wierzyłam w to przez wiele
lat. Zbyt wiele. Na pewno aż do czasu, kiedy moja córka

zaczęła brać narkotyki. Byłam przekonana, że to moja wina. I w pewnym sensie tak było, bo zawiniła moja ślepota. Pewnego dnia dowiedziałam się o wszystkim, ale było już za późno.

Doskonale pamiętam ten dzień. Margherita była naćpana, po raz kolejny uciekła z kliniki lub ze wspólnoty, do których ją zawoziłam. Wpadła do domu po ubrania, myśląc, że wyjechałam. Ale ja odłożyłam wyjazd. Zobaczyłam, jak wchodzi chwiejnym krokiem, a ona zaczęła krzyczeć. Groziła mi młotkiem. „Jeśli mnie zabierzesz z powrotem do tego kurewskiego miejsca, to pójdę na policję i na niego doniosę – mówiła – to będzie koniec waszej cudownej miłości”. Myślałam, że bredzi. Tymczasem po raz pierwszy zdołała powiedzieć prawdę.

Nie sądzę, żebym koniecznie musiała pisać czarno na białym, co robił jej Carlo, od kiedy skończyła trzynaście lat. Nawet bym nie potrafiła. Został zabity, ale tak naprawdę się od niego nie uwolniłam.

Zapewne będziesz się zastanawiał, dlaczego nie zawiadomiłam policji. Dlaczego musiałam się dopuścić morderstwa? Z pewnością straciłam trzeźwość myślenia. Kierowała mną czysta nienawiść. Nawet na chłodno. „Jest taki bogaty – myślałam – na pewno opłaci sobie najlepszych prawników. W gruncie rzeczy chodzi o jego słowa przeciwko słowom mojej córki, która w takim stanie jest zupełnie niewiarygodna przed sądem. Nie mamy choćby jednego dowodu przemocy, jakiej się dopuszczał". Potem poznałam Dafne.

Była to pierwsza osoba, z którą potrafiłam rozmawiać o tym, co mnie druzgotało. Może powinnam była zdawać sobie sprawę, że to psychopatka, ale wtedy nie mogłam. Rozpętało się szaleństwo, w którym uczestniczyły dwie osoby.

A potem trzy, cztery, pięć, sześć, siedem. To że było nas tak wiele, było pomocne, żeby sobie wmówić, że to niemal normalna sprawa. Przez całe dnie snułyśmy plany. I czułam się lepiej. Wreszcie nie byłam już sama ze swoją nienawiścią.

Miałam nawet siłę, żeby udawać, że nic się nie stało. Byłam nawet w stanie nadal spać z Carlem. Czasem budziłam się w nocy i słuchałam, jak oddycha w ciemnościach. Odczuwałam jakąś dziwną, nieznaną przyjemność. „Wkrótce nie będziesz już oddychał" – myślałam. I uśmiechałam się w mroku.

Kiedy nadeszła moja kolej, wszystko się zmieniło. Skoro to nie ja zabiłam swojego męża, wydawało mi się to proste. W dzień wypadku byłam cudownie spokojna. Jedyny mój problem polegał na tym, żeby uspokoić Brunellę, która była ode mnie o wiele bardziej wstrząśnięta. Ona przekroczyła już granicę, ja nie.

Ja przekroczyłam granicę, gdy dodałam akonityny do fiolki. Ale ten czyn miał w sobie jeszcze coś nierzeczywistego. To dziwne, ale otrucie kogoś nie daje ci poczucia, że się go zabiło – kiedy to robisz. Między czynem a śmiercią dystans jest zbyt duży. Dopiero następnej nocy, kiedy zaczęły się poszukiwania na lodowcu, bo Giacomo nie wrócił, zaczęłam zdawać sobie sprawę z tego, co zrobiłam. Zadręczał mnie jego dziecinny uśmiech. Próbowałam pozbyć się cierpienia, rozmyślając o tym, ile razy pobił Brunellę do krwi, ale to nie wystarczało. Więc uległam ponownej przemianie. I zaczęłam odczuwać czystą obojętność. Ty wszystko popsułeś. Bo otworzyłeś bramkę. Uczucie sprawiło, że do mojego życia wdarł się nowy powiew. Im szerzej bramka się otwierała, tym więcej wiatru wpadało do środka. W końcu rozhulały się również śnieg i deszcz. Nie byłam już nieprzemakalna jak wcześniej. Nie wiem, czy Cię za to wyklinać, czy Ci dziękować. Wiem tylko, że wspaniale było znów kochać, zanim wszystko się skończyło.

Słyszę dźwięk samochodów. Nie włączyli syren, ale wiem, że to oni. Nie mam więcej czasu. To ostatni pocałunek.

22 GRUDNIA

– Dziękuję panu – mówi podpułkownik Müller.

Marco kręci głową i wzrusza ramionami.

– Wykonywałem tylko swoją pracę – odpowiada.

Czuje się wycieńczony. Przed chwilą dwóch policjantów wyprowadziło Brunellę. Nie chciała dać się dotknąć, odpychała ich i próbowała się wywinąć. „Pójdę sama – mówiła przez łzy – zabierzcie ręce".

Nieważne, że pada gęsty śnieg, Besana musi natychmiast wyjść z tego domu i zaczerpnąć świeżego powietrza. Patrzy na telefon komórkowy i widzi, że przyszedł nowy mail. Otwiera go i czyta. Przygryza wargi aż do krwi.

– Musimy jechać – krzyczy do Ilarii, która nadal rozmawia z policją. – Szybko!

Besana wciska mocno pedał gazu, jadąc po drodze pokrytej śniegiem. Ryzykuje, że wypadnie z trasy. Ilaria trzyma się kurczowo klamki. Zrozumiała i nie chce go nękać. Marco zatrzymuje się gwałtownie przed domem Vittorii, który jest już otoczony. Wysiada pędem, trzaskając drzwiami. Otwiera bramę i widzi Vittorię w eskorcie dwóch policjantów. Idzie w śniegu z pochyloną głową.

Marco chciałby krzyknąć, chciałby ją zawołać, ale nie może. Czeka wyprostowany jak żołnierz. Żeby chociaż podniosła wzrok. A kiedy Vittoria to robi, jakby przeczuwając jego wezwanie, on dotyka sobie dłonią ust, żeby również posłać jej ostatniego całusa.

Vittoria odpowiada mu gestem. Jakby chciała powiedzieć: „Widziałam cię, dziękuję". Nawet lekko się uśmiecha. Uśmiechem niewidocznym dla innych ludzi.

Marco się nie rusza, chce ją odprowadzić wzrokiem. Aż do końca. Kiedy popychają ją do samochodu nazbyt szorstkim gestem, Besana na chwilę przymyka oczy. Doskonale wie, że Vittoria się nie odwróci, ale nie zamierza tracić jej z pola widzenia, dopóki samochód nie zniknie za zakrętem.

Naprawdę mocno śnieży. A Besana stoi w miejscu, patrząc na drogę. Może to nie droga. Może to inne życie, które właśnie się rozmyło. Szansa, która przerodziła się w porażkę.

Marco czuje na ramieniu czyjąś rękę i się odwraca. To Ilaria. Daje jej znak, że potrzebuje jeszcze chwilę pobyć sam. Oddaje jej kluczyki do samochodu, żeby poczekała na niego w cieple. Potem wyciąga z kieszeni paczkę, naciąga kaptur, żeby ochronić papierosa przed śniegiem, i pali, stojąc bez ruchu.

Gdyby nie zjawił się niedźwiedź, nic by się nie stało. Miał moc przeznaczenia. Porwał wszystkich masą swojego ciała, jego zaś pchała jakaś siła wyższa. Lub może stało się to za sprawą przypadku, który nie odróżnia ludzi od zwierząt, a zabójców od tych, co ich poszukują.

23 GRUDNIA

– Świetna robota. – Dyrektor ściska dłoń Piatti.

Ilaria patrzy na niego. Co to oznacza? Czy ich rozmowa już się skończyła? Ma wstać i sobie pójść? Już nie może znieść komplementów, nawet trafnych. Są bardziej niestabilne niż jej sytuacja.

– Dziękuję – odpowiada.

Nie zamierza się ruszyć. Poświęcił jej tylko pięć minut i nawet dobrze ich nie wykorzystał. Nic nie napomknął w kwestii jej przyszłości w gazecie.

– Cóż, Wesołych Świąt – dyrektor próbuje zbyć ją uśmiechem. Ilaria nabiera powietrza, rozszerzając nozdrza. Przytakuje głową. Właściwie to mówi jej: „wszystkiego dobrego". Naprawdę tego potrzebuje, bo czeka ją kolejny rok niepewności, z kolejną umową na czas określony.

Z wściekłością wychodzi z gabinetu, nie przystaje nawet, żeby zjeść kawałek świątecznego ciasta z resztą redakcji. Przecież nie wchodzi w jej skład.

Idzie szybko ulicą i potrąca kobietę, która taszczy pakunki. Nie przeprasza. Ona też chciałaby pochodzić po sklepach i nakupować prezentów. Tymczasem spędza czas wśród morderców, też mi przyjemność. Nie wieszasz bombek na choince, tylko zdjęcia trupów na ścianie. I taki jest rezultat.

W tej samej chwili zawadza okiem o wystawę. Koszule. Besana potrzebowałby koszuli, w żadnej nie zapina mu się kołnierzyk. Nie zna jego rozmiaru, ale może zawsze zmienić, jeśli nie będzie pasować. Kogo jeszcze ma w swoim życiu? Tylko jego. To jedyny człowiek, któremu na niej zależy.

Wchodzi do sklepu i widzi kobietę bardzo podobną do Vittorii – takie samo uczesanie, taki sam sposób poruszania się. Naturalnie to nie ona. A jednak Ilaria nie jest w stanie oderwać od niej wzroku, jakby była zahipnotyzowana. Kobieta ogląda koszulę w biało-niebieski prążek. Dobra myśl, kupi taką samą.

Ilaria nie jest w stanie nawet sobie wyobrazić, co czuje Marco. Wie tylko, że nigdy nie był taki ponury i przygnębiony. A ona nie może nic zrobić.

– Proszę zapakować na prezent – mówi przy kasie. I wybiera czerwoną wstążkę, taką radosną.

– Niespodzianka!

– To dla mnie?

– Tylko ten większy – odpowiada Ilaria. – Ten drugi jest dla Beck'sa. To dzwoniący renifer, chyba by ci się nie spodobał.

Pies już zrozumiał i skacze, chcąc wyrwać Ilarii srebrną torebkę. Chwyta ją zębami i próbuje rozpakować pazurami.

Marco kręci głową i się uśmiecha. Ręką głaszcze koszulę.

– Jest przepiękna. Mogę nawet zapiąć się pod szyją, to niesamowite – mówi i obejmuje Ilarię. – Dzięki, Piattola.

Potem się odwraca i w dwóch susach jest już w sypialni. Wraca z ogromnym pudłem, z którego spływa długa wstążka. Ilaria nie spodziewała się tego.

– Teraz będziesz mogła się pozbyć tego płaszcza z namydlonej sierści.

– Nie ma mowy, jestem do niego bardzo przywiązana – mówi Ilaria, zrywając papier z prezentu. – Oszalałeś?

To przepiękna kurtka puchowa, elegancka jak te Brunelli czy Vittorii.

– Chyba zbankrutowałeś.

– Nie możesz nadal ścigać morderców w takim stroju.

Ilaria wybucha śmiechem i rzuca mu się na szyję. Beck's szczeka, czuje się zazdrosny. Potem, obrażony, wraca do swojego renifera.

– Jest zbyt egocentryczny – komentuje Marco. – Źle się czuje, gdy nie jest w centrum uwagi.

Siadają w kuchni i Besana wyciąga butelkę szampana.

– Elsa mi wysłała, to bardzo miło z jej strony. „Z podziwem", napisała w bileciku. Zadzwoniłem do niej, żeby podziękować, i powiedziała, że tobie wysłała jakąś roślinę.

– O Boże. Powinnam się martwić?

– Znając ją, obawiam się, że nie jest to gwiazda betlejemska. Marco otwiera butelkę, z której wylewa się piana, mocząc stół. Napełnia szampanem kryształowe kieliszki.

– Ojej, jakie ładne. Są nowe?

– To prezent od Vittorii, tego jeszcze brakowało, żebym kupował sobie takie kieliszki. W życiu nie przyszłoby mi to do głowy. – Marco wzdycha. – No już, wznieśmy toast. W sumie to rozwiązaliśmy sprawę. Coś takiego zazwyczaj się świętuje.

---

23 GRUDNIA

– Dziś po południu rozmawiałem z Müllerem – relacjonuje Besana, krojąc salami. – Wszystkie już się przyznały. Niektóre nie mogły przestać mówić, inne zeznawały tylko przez swoich prawników. Mają czystą kartotekę i liczą na zmniejszenie wymiaru kary. Ludzie zazwyczaj wolą zaprzeczać, ale to dość szczególna historia. Jest ich pięć, nie można ufać pozostałym czterem. To przeciwskazanie w spisku. Müller przesłał mi protokoły z przesłuchań.

– Czytałeś je?

– Pewnie – odpowiada Marco. – Każdą sprawę trzeba poprowadzić od początku do końca, czy się na to ma ochotę, czy nie.

– Nie wiem, czy na twoim miejscu dałabym radę.

– Sprawy prywatne nie powinny mieć wpływu na pracę. Poza tym to moja wina. Nie należy nawiązywać zbyt bliskich relacji z osobami zaangażowanymi w śledztwo.

– Czyli teraz znasz motywy?

– Tak – odpowiada smutno Besana. – I bardzo się różnią. Każda miała swój. Brunella była wykończona sadomasochistycznym związkiem z Giacomem, który coraz częściej uciekał się do przemocy.

– Wystarczyło go zostawić.

– Pewnie, ale ubzdurała sobie, że to może się skończyć tylko śmiercią któregoś z nich. Mąż miał nad nią olbrzymią władzę.

– A inne?

– Ginevra zrobiła to dla syna. Żeby go zabezpieczyć. Dokładnie tak samo, jak mówiła asystentka Mosera. Teraz, rzecz jasna, nie może korzystać z jego pieniędzy, ale, jak wiemy, dzięki tej samej zasadzie „niegodności dziedziczenia", która pozwoliła ci otrzymać dom rodziców, to dziecko może być spokojne po wieczny czas. Cały majątek jest jego.

– Niezbyt fajny prezent – komentuje Ilaria. – Niestety wiem, co się wtedy czuje. Z kim on zostanie?

– Na pewno nie z ojcem biologicznym, który uciekł, zanim komuś przyszło do głowy takie rozwiązanie. Wielki artysta wyjechał wczoraj do Nowego Jorku, od razu przeprowadził się do Ameryki. Może będzie wypychać niedźwiedzie grizzly.

– Nadal nie mogę mu wybaczyć, że tak urządził n a s z e g o niedźwiedzia – mówi Ilaria. – Jego twórczość jest okropna, i on sam jest okropny.

– Zapomniały otruć jednego faceta.

Ilaria się uśmiecha. Jego próby bycia ironicznym bez względu na wszystko są rozczulające.

– Pamiętaj, że nie można używać zaimków dzierżawczych w kontekście dzikiego zwierzęcia – kontynuuje Besana. – To było wolne stworzenie, do nikogo nie należało. Przestraszone stworzenie.

– Wiem.

– Ja też się czuję, jakby był mój, co ty myślisz. Ale to tylko ludzka ułomność.

Ilaria przytakuje głową bez słowa, absolutnie się zgadza.

Marco zapala papierosa.

– Nicoletta naturalnie nie może skorzystać z ubezpieczenia na życie swojego męża – mówi. – To byłby niezły interes. Dziesięć milionów euro zamiast trzydziestu milionów długów. Ale skok się nie udał. Lepiej było zlecić robotę niedźwiedziowi i cześć. W każdym razie z protokołów wynika, że pani D'Ambrosio skłamała Dafne.

– To znaczy? – pyta Ilaria, podnosząc z zainteresowaniem podbródek.

– Dafne nie chciała zabijać z błahych powodów. Czysto finansowe motywy wzbudziłyby w niej wstręt. Była gotowa pomóc tylko w szlachetnej sprawie, przynajmniej tak uważała. Nicoletta wiedziała o tym, więc opowiedziała jej, że Achille zgwałcił i zabił nieletnią na pokładzie jachtu.

– Ruth Vital? Przecież D'Ambrosia tam nie było, siedział w Brazylii – zauważa Ilaria, po czym robi pauzę. – Oto dlaczego Dafne mi o nim mówiła. To nie była pomyłka. Wmówiły jej, że to jego wina.

– Swoją drogą ciekawe, kto ją zabił – komentuje Besana. – Trzeba byłoby wrócić do tej sprawy. Gdyby główni podejrzani nie byli martwi.

– A Veronica?

– Pozornie kierowały nią szlachetne pobudki – odpowiada Marco. – Odkryła, że mąż był pedofilem.

– O Boże!

– Tak. Zarekwirowali komputer Padovaniego i rewizja skasowanych dokumentów wszystko potwierdziła. Ale pani Ballarin nie jest bohaterką. Gdyby nią była, doniosłaby o wszystkim. Tymczasem martwiła się jedynie o wizerunek swojej firmy. Gdyby męża aresztowano za takie przestępstwo, ucierpiałyby również dochody. Skoro on nie żyje, to marka może przetrwać.

– A Dafne o tym nie wiedziała.

– Otóż to. Miały do czynienia z nieszczęsną psychopatką, co jednak dla nich było bardzo wygodne.

– Czasem Dafne wydaje mi się niewinna jak niedźwiedź.

– Mylisz się – odpowiada Marco. – Nikt nie jest niewinny jak zwierzę. Nawet szaleńcy. Ich wina może jedynie być nieco mniejsza niż u innych ludzi.

– À *propos*, w sprawie Marty coś się wyjaśniło?

– Mąż próbował ją ubezwłasnowolnić, żeby przejąć jej majątek. Prawie mu się to udało – odpowiada Besana.

– Pewnie, to nie musiało być trudne.

– Kiedy Marta się o tym dowiedziała, przestała panować nad swoją paranoją. A wszyscy wiemy, że stany paranoidalne są niebezpieczne, zarówno dla osoby, której dotyczy to bezpośrednio, jak i wszystkich, których ma wokół siebie.

– Można by ją uznać za niewinną jak Rudolfa?

– W jakiejś mierze tak. Również dlatego, że nikogo nie zabiła.

– Ale kto opowiedział o tym wszystkim policji? Chodzi mi o te szczegóły.

– Zgadnij.

Ilaria opuszcza wzrok, nie jest w stanie nawet wymówić imienia Vittorii. Nie ma odwagi o nic go pytać.

– To nie z tych protokołów dowiedziałem się, jaki był jej motyw – wyjaśnia Besana. – Wyjawiła mi wszystko w liście, który wysłała do mnie na chwilę przed aresztowaniem. Czy o to chciałaś mnie zapytać?

Ilaria kuli ramiona, nie mówiąc ani słowa.

– Owszem. Vittoria miała poważny motyw – kontynuuje Marco. – Być może jako jedyna. Choć nadal jestem przeciwnikiem morderstwa jako sposobu walki ze złem. Carlo gwałcił jej córkę od trzynastego roku życia. Na jej miejscu chyba też bym go spalił. Ale różnica między nami a mordercami jest taka, że my potrafimy się powstrzymać i o pewnych rzeczach jedynie pomyślimy.

– Jeśli chcesz – kontynuuje Besana – dam ci do przeczytania część zeznań Vittorii, w których wyjaśnia, co się wydarzyło. Mówiła przez siedem godzin, opisując szczegóły spisku. Była spokojna, przytomna, jakby opowiadała historię kogoś innego.

– A pozostałe jak zareagowały?

– Brunella płakała, dostała napadu paniki, mówiła bez sensu, nic nie da się zrozumieć, to jeden z najbardziej chaotycznych protokołów, jakie kiedykolwiek czytałem. Znasz ją. Veronica Ballarin, jak zwykle, nic nie powiedziała. Podpisała tylko dobrowolne oświadczenie sporządzone przez jej prawnika. Ginevra Landi zamiast powiedzieć coś przydatnego, przez cały czas wyklinała męża. Zmarłego. Nicoletta D'Ambrosio odpowiedziała na wszystkie pytania, ale z naburmuszoną miną, jakby zawracano jej głowę.

Besana otwiera szufladę i wyciąga plik kartek. Podaje je Ilarii bez słowa.

– Możesz opuścić pierwszą część – mówi. – Vittoria zaczyna mówić na stronie pięćdziesiątej piątej.

Ilaria przytakuje. Profesjonalizm Marca robi na niej duże wrażenie, ona chyba nie byłaby do tego zdolna. Jeszcze nie. Siada w kuchni i zamyka drzwi, również dlatego, że Besana włączył telewizję w salonie i ogląda dziennik.

Wszystko zaczęło się pewnego letniego popołudnia. Byłam sama z Dafne. Nie wiem, dlaczego właśnie tego dnia i właśnie przy niej poczułam potrzebę, żeby opowiedzieć o tym, co się działo. Byłyśmy w środku lasu, prócz niej nikt nie mógł mnie usłyszeć. Dafne słuchała mnie z wytężoną uwagą. Kiedy skończyłam mówić, odwzajemniła zaufanie i opowiedziała mi, że w dzieciństwie chciała otruć swojego ojczyma. Początkowo to wyznanie mnie przestraszyło. Nie wiedziałam, co powiedzieć. Potem spojrzałyśmy na siebie. I wtedy coś się stało. Ona uśmiechnęła się do mnie. „Łatwo jest kogoś otruć – powiedziała – jeśli się na tym znasz. Ja byłam wtedy za mała. Ale nigdy nie przestałam się uczyć". Wstałam, byłam zbyt poruszona. Chyba podziękowałam jej za towarzystwo. „Przepraszam, teraz muszę wrócić do domu". Ale tego wieczoru wydarzyło się coś jeszcze. Kiedy samotnie jadłam kolację – bo po tych rozmowach nie miałam, rzecz jasna, ochoty wychodzić ani z nikim się spotykać – zjawiła się Brunella. Miała ogromnego siniaka pod okiem, a z nosa leciała jej krew. Nie chciała, żebym zabrała ją do szpitala. Kazałam jej położyć się na kanapie i przyłożyłam jej lód do twarzy. Cały czas płakała. „Znowu?" „To moja wina – odpowiedziała. – Przeprosił mnie".

Byłam wstrząśnięta tymi dwoma zajściami, które wydarzyły się zbyt szybko po sobie. Więc opowiedziałam jej o swojej rozmowie z Dafne. Ona od razu wyprostowała szyję. Jej oczy dziwnie błyszczały. „Jeśli chcesz, to ja sprawdzę" – powiedziała. „Co sprawdzisz?" Brunella wstała i zapaliła papierosa, chodziła tam i z powrotem po salonie. „Sprawdzę, czy naprawdę łatwo kogoś otruć – odparła. – Nic mnie nie obchodzi, czy skończę w więzieniu".

Przerażała mnie jeszcze bardziej niż Dafne, chwyciłam ją za rękę. „To on powinien pójść do więzienia, zobacz, jak cię urządził". Brunella wybuchła histerycznym śmiechem. „Nikomu nigdy nie udało się go wsadzić do więzienia – odpowiedziała – nawet, gdy zabił tę dziewczynę". Mówiła o Ruth Vital, ale to były tylko domysły. Zresztą ja też podejrzewałam swojego męża. Giacomo był zdolny bić do krwi, podobnie jak Carlo był zdolny zgwałcić. Trochę dawało to do myślenia.

Tej nocy nie spałam. Następnego ranka Brunella wróciła do mnie cała rozedrgana. Chciała rozmawiać z Dafne.

Namówiła mnie, żebym do niej zadzwoniła. Dafne zabrała nas do swojej chaty i wyjaśniła, że to będzie proste, wystarczyłoby wymienić się ofiarami i użyć substancji, których nie wykrywa się w standardowym teście toksykologicznym. Jej plan był doskonały: morderstwo za morderstwo, korzystając z pomysłu Starej od octu, która używała środka na wszy. Według niej jednak potrzebne były inne kobiety w podobnej sytuacji, inaczej przedsięwzięcie mogłoby okazać się ryzykowne. Zbyt łatwo byłoby o nas pomyśleć. Mówiła jak seryjny zabójca, ale ja nie zdawałam sobie z tego sprawy. „Muszę to przemyśleć" – odpowiedziałam.

Nad Brunellą nie dało się już zapanować. Mówiła, że nietrudno będzie znaleźć inne osoby. Na przykład Ginevra Landi. Jej nienawiść do męża była powszechnie znana. Albo Marta Guerra, z którą niedawno rozmawiała. Jej mąż chciał ją za wszelką cenę ubezwłasnowolnić i przejąć cały majątek, taki to był skurwiel. Ja też już straciłam kontrolę, ale byłam spokojniejsza. „Czy twoim zdaniem możemy im zaufać?" Brunella nie miała wątpliwości, ale poprosiłyśmy Dafne, żeby zbadała sprawę, abyśmy same nie musiały tego robić. Pod pretekstem wspaniałej terapii wysłałyśmy je same do lasu z Dafne. Kiedy wróciły, wyglądały przerażająco. Żadna nie miała wątpliwości.

Coraz bardziej się bałam, ale zarazem ta sprawa coraz mocniej mnie pochłaniała i tego nie widziałam. Teraz było nas pięć. Spotykałyśmy się zawsze w chacie Dafne, raz czy dwa razy w tygodniu. Dafne twierdziła, że nasze grono nadal jest zbyt wąskie. Potrzebna była drużyna, zwarta i złożona. Marta Guerra wprowadziła do grupy Veronikę Ballarin, przyjaźniły się. Tylko jej zwierzyła się z tego, czego dowiedziała się o mężu. Bo, owszem, Marta była wariatką, ale była zarazem dobra i lojalna. I może gdyby Marta zaczęła mówić, Veronica mogłaby powiedzieć, że to wariatka, i nikt nie mógłby temu zaprzeczyć. Brakowało jednej. Pomyślałam o Elsie. Była wdową, ale w gruncie rzeczy miała dobry powód, żeby kogoś zabić. Lecz Dafne była przeciwna. Powiedziała, że to zaburzy równowagę. Przypomniała nam, że zasadą było morderstwo za morderstwo, a w wypadku Elsy nie można było się odwzajemnić. Każda miała zabić kogoś na czyjeś konto. A Elsa być może chciałaby zabić tych samych ludzi. Schemat przestałby funkcjonować.

Wtedy Brunella wpadła na pomysł, żeby zaangażować Nicolettę D'Ambrosio. Ale zabroniłam jej o tym mówić. Doskonale wiedziałam, co chce powiedzieć. Dobrze znałam zarówno Brunellę, jak i Dafne, a Brunella była o krok od popełnienia błędu. Oto moja największa wina: zdradziłam Dafne. Nie tylko nie zdawałam sobie sprawy, że mam do czynienia z seryjną zabójczynią, ale również ją oszukałam.

Wiedziałam, co zamierzała powiedzieć Brunella, gdybym jej nie powstrzymała. Że Nicoletta zainkasuje polisę ubezpieczeniową na życie wartą dziesięć milionów euro. Ze spadku i tak musiałaby zrezygnować – mąż zostawił jedynie długi. W ten sposób by się ocaliła. To wszystko jednak nie spodobałoby się Dafne, która w pewnym sensie miała swoje mroczne ideały. Nigdy nie zgodziłaby się dostarczyć trucizny z nieczystych pobudek natury finansowej. „Z Nicolettą ja porozmawiam" – powiedziałam. W ten sposób upadłam najniżej. Nie wiem nawet, czy zrobiłam tak, bo zostałam zmanipulowana, czy też dlatego, że to ja byłam prawdziwą manipulatorką, nie zdając sobie z tego sprawy. Zaprosiłam Nicolettę na kolację. Spodziewała się prawdziwej biesiady, tymczasem byłyśmy tylko we dwie. Nie było nawet gosposi, którą odesłałam. Nicoletta patrzyła na mnie podejrzliwie, nigdy nikogo nie zapraszam, żeby naprawdę porozmawiać, jak robi się wśród przyjaciół. Prawdopodobnie zastanawiała się, czego od niej chcę. Zresztą ja też jej nie ufałam. Więc traktowałam ją z ostrożnością. „Zabawmy się – zaczęłam. – Nigdy nie pragnęłaś zabić swojego męża?" Takie pytanie wypowiadane z uśmiechem mogło nawet wyglądać na elegancki dowcip. Ale ona od razu zrozumiała.

Nie wybiła jeszcze północ, a my powiedziałyśmy sobie już wszystko, co trzeba. Byłyśmy tak zaangażowane, że nawet nie musiałyśmy owijać w bawełnę. „Ale Dafne nigdy się nie zgodzi, musisz sobie znaleźć poważniejszy powód". Nicoletta zaczęła się zastanawiać. „Pamiętasz sprawę z Ruth Vital?" „Jasne – odpowiedziałam – nie wykluczam, że zabił ją mój mąż albo mąż Brunelli czy Ginevry". „A gdybyśmy jej powiedziały, że to był Achille?" Wymieniłyśmy porozumiewawcze spojrzenia i uśmiechy. Zbyt porozumiewawcze. Bardziej wstydzę się tego uśmiechu niż tego, że przyczyniłam się do śmierci mojego męża i zabiłam męża Brunelli. Czy mogę napić się wody? Zaschło mi w gardle. Dziękuję.

Kiedy drużyna była już uformowana, na trzy dni pojechałyśmy do tej chaty. Dafne była bezdyskusyjnym szefem. Snuła plany i zostawiała nam szyfrowane instrukcje, z ciągami liczbowymi, bo bała się, że która z nas czegoś zapomni lub się pomyli. Zapisywała je na karteczkach, które wręczała nam osobiście, jak grypsy, wraz z odpowiednią substancją, rzecz jasna, przez nią przygotowaną. Któż inny potrafiłby to zrobić. Od razu potem paliłyśmy te karteczki. Była taka skrupulatna, taka dokładna. Nawet było mi jej trochę żal. W gruncie rzeczy nic na tym nie zyskiwała. Dlaczego tak mocno wierzyła w słuszność sprawy? „Dla dobra wspólne zaangażowanie, dla zła śmiertelny cios" – mawiała. Ale z nami nie miała nic wspólnego. Więc zrozumiałam, że to lubiła i tyle. Mam na myśli reżyserowanie zabójstw. A przynajmniej tak sądzę. Tak na dobrą sprawę to nie wiem. Rozpromieniała się, mówiąc o truciznach, może dla niej to było tak, jakby sześciokrotnie zabiła swojego ojczyma. Jego nigdy nie zdołała zabić. Nie proście mnie o zbyt skomplikowane wyjaśnienia. Macie swoich specjalistów, niech oni nad tym popracują. Możemy zrobić przerwę? Jestem trochę zmęczona. Wystarczy mi pięć minut. Dziękuję.

24 GRUDNIA

Ilaria wstaje z łóżka o jedenastej i wygląda przez okno. Widać odrobinę śniegu, która wkrótce zniknie w deszczu. Nie utrzyma się biel na dachach. Szkoda.

Wciąż jest za bardzo związana ze swoją przeszłością. Boże Narodzenie oznacza śnieg. Zabójstwo oznacza kobietobójstwo. Ilaria wkłada kapcie i przygotowuje kawę. Ta sprawa zmusza ją, żeby wszystkiemu przyjrzeć się ponownie, również sobie. Doskonale wie, że wybrała kronikę kryminalną, aby pomścić wszystkie kobiety, które jak jej matka zginęły z ręki męża. Ale nie zawsze tak jest.

Nadal nie przetrawiła odpowiedzialności ciążącej na Dafne, jeśli zaś chodzi o inne, to trudno. Tak naprawdę Dafne oszukano. Zmanipulowały jej skłonności psychopatyczne i wykorzystały ją, zaproponowały jej misję. Coś, czemu nie mogła się oprzeć. Każda miała jakiś swój interes, poza nią. Nawet nie dostawała pieniędzy, w odróżnieniu od Starej od octu. Była natomiast doskonałym kozłem ofiarnym. Nie przypadkiem jako jedyna straciła życie. Biedna Dafne, która zabijała w imię swoich zasad lub w wyniku swojej choroby.

Ilaria podnosi kawiarkę, nie używając rękawicy, i parzy się w rękę. Kawa ląduje na stole. Ilaria spogląda na ciemny płyn spływający na podłogę i zaczyna się zastanawiać. Dafne była seryjną zabójczynią, niestety co do tego właściwie nie ma wątpliwości. Fizycznie zabiła tylko dwie osoby, a żeby można ją było uważać za seryjną zabójczynię, powinna zabić przynajmniej trzy. Ale wyreżyserowała śmierć sześciu osób. Jak Giovanna Bonanno. Czy sprawiało jej to przyjemność?

Przez chwilę Ilaria miałaby ochotę zmienić zawód. Pojawia się rozwiązanie i co? Wolałabyś nigdy do niego nie dotrzeć. Z pewnością łatwiej poczuwać się do bycia po stronie dobra, gdy ofiary są bezsprzecznie niewinne. Tymczasem to błąd. Bo ofiary to ofiary i tyle. Mimo że to bogaci, potężni ludzie, którzy przez całe życie nękali innych.

Dobry dziennikarz nie powinien odczuwać empatii wobec nikogo. Powinien dobrze wykonywać swoją pracę, koniec i kropka. I to właśnie zrobiła, tego jest pewna. Ale i tak sumienie nie daje jej spokoju. Nadal cierpi ze względu na Dafne, nie zaś jej ofiary. Nie może z tym nic zrobić.

Wygląda na zewnątrz. Teraz śnieg stał się nieco trwalszy. Może następnym razem ofiary zbrodni przyniosą jej więcej satysfakcji, któż to wie. Od razu wstydzi się tej myśli. Jasne, łatwiej oddać sprawiedliwość ludziom, którzy na to zasługują. Podobnie jak więcej satysfakcji daje łapanie potworów. Ale tu było inaczej. Niestety Dafne nie była potworem. I nie były potworami także Vittoria i Brunella. Nie zawsze ofiary i mordercy odpowiadają naszym oczekiwaniom.

Ilaria właśnie odkryła nowy rodzaj frustracji. Nie wynika ona z nieodkrycia prawdy. To właśnie prawda może ją wzbudzić w tym, kto ją odkryje.

Droga Vittorio,

będąc u kresu długiej kariery, myślałem, że widziałem już wszystko. Tymczasem się myliłem. Tym razem zaskoczyło mnie to, czego nie widziałem. Lub to, czego nie chciałem widzieć.

Mordercom poświęciłem ponad trzydzieści pięć lat, sądziłem, że ich znam. Chyba jednak tak nie jest. Do tego stopnia, że zakochałem się w Tobie. Tak, również ja muszę coś wyznać. Choć nikogo nie zabiłem. I to wyznanie bardzo mi ciąży.

To był przypadek lub może przeznaczenie, któż wie. Nie warto się nad tym zastanawiać. Po prostu zjawiliśmy się razem w nieodpowiednim czasie i miejscu. Mogliśmy się w sobie zakochać wcześniej i koniec byłby inny. Może rozstalibyśmy się ze względu na inne różnice, bardziej naturalne, normalne. Gdybyś miała mnie u swojego boku, nigdy byś się tego nie dopuściła. Jestem tego pewien. Ale było inaczej.

Kiedy Cię spotkałem, już wydarzyło się to, czego nie da się zmienić. Mogłaś jedynie to ukryć, rozumiem to. Ale ja poświęciłem całe życie opowieściom o zbrodniach i tego też nie da się zmienić. Nie wiem, czy Cię odwiedzę. Chciałbym Cię znów zobaczyć, ale jesteś moją najgorszą porażką. Po raz pierwszy rozwiązałem sprawę i nie czuję ulgi. Zazwyczaj to taka cudowna ulga, o wyzwalającej sile. Odczuwa się pustkę i gotowość na kolejną sprawę. Teraz chciałbym naprawdę przejść na emeryturę i zaprzestać nawet współpracy. Nie daję już rady. Smutne to. Na szczęście jest Ilaria, która znów każe mi się zaangażować. Wiem, że tak będzie, i w jakiś sposób na nią liczę. Zadzwoni do mnie poruszona, mówiąc: „Nie możemy się wycofać". Liczba mnoga jest o wiele bardziej podniecająca niż pojedyncza. Rzecz jasna, o ile to może wyjść.

Między Tobą i mną nie wyszło. Musimy to zaakceptować, jak sądzę. Jesteś morderczynią, to jedna z niewielu rzeczy, jakich nie da się wymazać z życia: wybrałaś drugi brzeg. Wyjdziesz z więzienia ze względu na świetne zachowanie. I na pewno wyjdziesz odmieniona. Również dlatego, że wreszcie będziesz musiała pobyć w innym świecie. Wyjdziesz o wiele bardziej podobna do mnie. Lecz to nie wystarczy, bo to, co się wydarzyło, wytworzyło między nami pęknięcie, którego nie da się naprawić. Nie mówię tu o Twoich kłamstwach, jakże ludzkich. Problem jest inny. Ty zabiłaś, a ja nie. Ten niedający się zniwelować dystans uniemożliwiłby nam wzajemne zrozumienie. Ten sam dystans dzieli żywych od umierających. Zabija się w samotności, podobnie jak umiera się w samotności. Nieważne kogo ma się przy sobie. Nikt nie może cię zrozumieć. Przytulam Cię mocno i z wielkim bólem, tak pięknie było Cię przytulać. Doskonale wiedziałem, że nie jesteś bezbronna, ale nie spodziewałem się, że aż tak.

Twój – bo pozostaję Twój nawet wbrew sobie – Marco.

Marco odkłada długopis, nie jest w stanie tego podpisać. Coś go powstrzymuje. Odzwyczaił się od pisania ręką. Jego charakter pisma stał się nieczytelny. Teraz jest naprawdę dziwaczny, ciekawe, co powiedziałby sądowy grafolog. Patrzy na list. Bierze go do ręki i drze.

W restauracji przy zastawionych stołach siedzą całe rodziny i tylko jedna para.

– I znów spędzamy święta we dwoje – mówi Besana, przeglądając kartę win.

– Nie, tym razem jest inaczej. Jest nas troje: mamy też Beck'sa – zauważa Ilaria.

Beck's warczy, żeby odstraszyć dwójkę natrętnych dzieci, które próbują założyć mu na szyję girlandę.

– Uważajcie, bo on gryzie – ostrzega ich Marco. – To tresowany policyjny pies.

Dzieci uciekają z krzykiem, a Beck's patrzy na Besanę z wdzięcznością.

Kelnerka przynosi dwa kieliszki szampana, a Ilaria i Marco wznoszą toast.

– Nie wiem, czy mamy co uczcić – mówi Ilaria.

– Dowiedziałem się, że dostaniesz premię. To powinniśmy uczcić. Brawo, zasługujesz na to.

– Wolałabym, żeby zaproponowali mi etat, ale trudno.

– Gazeta przechodzi straszny kryzys, w styczniu zaczną się zwolnienia. Sprzedali historyczną siedzibę. Nie mogą nikogo zatrudnić, nawet kogoś tak wybitnego jak ty.

– Może powinnam poszukać sobie bogatego męża i go otruć.

Besana wybucha śmiechem.

– Zawsze potrafisz mnie wprawić w dobry humor, Piattola.

Ilaria smutnieje.

– Wiesz, ciągle myślę o Dafne. Nie mogę się uspokoić. Tyle się śmiałyśmy z jej profesji, *life coach*. Tymczasem nie było się z czego śmiać. Była *death coach*.

– A co ja mam powiedzieć? Szukałem mordercy, a spałem z nim w jednym łóżku.

– Jak mogliśmy być tacy ślepi?

– Piatti, wiesz o tym lepiej ode mnie. W gruncie rzeczy nigdy nie przestałaś kochać ojca.

– Nieprawda. W pewnym momencie już nie mogłam.

– Wiem. To pęknięcie, którego nie da się naprawić.

– Nie da się tego naprawić, otóż to.

– Myślę, że on też wiele stracił. Bycie ojcem to piękna sprawa. Wczoraj Jacopo zadzwonił do mnie, bo dziewczyna go rzuciła. Trzymał mnie przy telefonie przez godzinę, musiał się wyżyć. Po raz pierwszy przyznał, że mnie potrzebuje.

– Czy ja też mogę ci coś wyznać?

– Pewnie.

– Wiesz, czego najbardziej się boję? Tego, że mam w swoich komórkach DNA zabójcy.

Rozmowę przerywa krzyk i rozpaczliwe szlochanie. Beck's ugryzł dziecko. Kiedy Ilaria i Marco byli zajęci sobą, natręci wrócili, a zwierzę straciło cierpliwość.

– Zgłoszę to na policję! – krzyczy matka. – Wasz pies jest niebezpieczny!

Następnie zabiera dziecko i oburzona odchodzi.

– Gdyby go chociaż rzeczywiście pogryzł – komentuje Marco. – Chłopak nie miał nawet zadraśnięcia, po prostu się wystraszył.

Pies patrzy na nich z wywieszonym jęzorem, pełen satysfakcji.

– Beck's, pamiętaj, że nie jesteś niedźwiedziem. – Ilaria grozi mu palcem. – A my mamy dość morderców jako domowników.

OD AUTORA

Historię procesu Giovanny Bonanno przywołano za książką
Giovanny Fiume, *La vecchia dell'aceto. Un processo per veneficio
nella Palermo di fine Settecento* [Stara od octu. Proces w sprawie
trucicielstwa w Palermo u schyłku osiemnastego wieku], Palermo 1990. Wiele informacji o niedźwiedziach pochodzi z książki
Mattea Zeniego, *In nome dell'orso. Il declino e il ritorno dell'orso
bruno sulle Alpi. Storia, cronaca, conflitti e sfide* [W imię niedźwiedzia. Zmierzch i powrót niedźwiedzia brunatnego w Alpach.
Historia, aktualności, konflikty i wyzwania], Gavi 2016.

Przeczytajcie też inną książkę Daria Correntiego

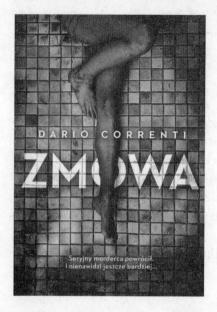

Są miasta, w których zmowę milczenia nazywa się dyskrecją.
Są miejsca, w których zło określa się jako nieszczęśliwy wypadek.
Są ludzie, którzy widzą tylko to, co trzeba, a nie to, co powinni.

Potworne czyny zdarzają się najczęściej w najzwyklejszych miejscach.
Na przykład na prowincji w północnych Włoszech, gdzie ludzie mieszkają
w uroczych domkach z ogródkami i spokojnie piją poranną kawę.

Właśnie w takim miasteczku seryjny morderca zabija młode kobiety.
Jest błyskotliwy i przebiegły, ale i wyjątkowo okrutny, ze zbrodni czerpie
przyjemność, a ze ścigającymi go śledczymi wyraźnie się bawi.

Gdy policja jest bezradna, z zabójcą usiłuje się zmierzyć para dziennikarzy: zgorzkniały, rozczaro-wany życiem, ale piekielnie skuteczny i doświad-
czony Marco Besana oraz Ilaria Piatti – niezdarna, choć niezwykle inteligentna stażystka. Ten osobliwy duet dostrzega to, czego inni nie zauważają.

Czasu jest coraz mniej... Morderca tęskni za krwią.